OFFENBARUNG
IM JÜDISCHEN UND CHRISTLICHEN
GLAUBENSVERSTÄNDNIS

QUAESTIONES DISPUTATAE

Herausgegeben von
KARL RAHNER UND HEINRICH SCHLIER †

Theologische Redaktion
HERBERT VORGRIMLER

Internationale Verlagsschriftleitung
ROBERT SCHERER

92

OFFENBARUNG

Internationaler Marken- und Titelschutz: Editiones Herder, Basel

OFFENBARUNG

IM JÜDISCHEN UND CHRISTLICHEN
GLAUBENSVERSTÄNDNIS

Peter Eicher
Barry S. Kogan
Hans-Joachim Kraus
Michael A. Meyer
Jakob J. Petuchowski
Rolf Rendtorff
Max Seckler
Walter Strolz
Shemaryahu Talmon
Dietrich Wiederkehr

Herausgegeben von
Jakob J. Petuchowski
und Walter Strolz

HERDER

FREIBURG · BASEL · WIEN

Der hier vorliegende Band 92 der „Quaestiones disputatae" wird gleichzeitig als Band 7 von „Weltgespräch der Religionen – Schriftenreihe zur großen Ökumene" in die Veröffentlichungen der Stiftung Oratio Dominica eingereiht.

Alle Rechte vorbehalten – Printed in Germany
© Verlag Herder Freiburg im Breisgau 1981
Herstellung: Freiburger Graphische Betriebe 1981
ISBN 3 - 451 - 02092 - 0

Inhalt

Einführung der Herausgeber

Wenn Juden und Christen gemeinsam über ihr Offenbarungsverständnis nachdenken, dann berühren sie die große Frage nach dem Ursprung und Ziel ihrer Existenz im Glauben. Damit ist aber auch schon die Beziehung zwischen Offenbarung und Geschichte, Geschichte und Offenbarung gegeben, denn Judentum und Christentum verstehen sich als geschichtlich-prophetische Offenbarungsreligionen.

Das Spannungsfeld, in dem sich biblischer Glaube je neu in jeder Generation zu bewähren hat, ist mit den Leitworten: Eingedenksein – Gegenwartserprobung – messianisch-eschatologische Hoffnung zu umschreiben. Mit der Namensoffenbarung Gottes in Ex 3,14: „Ich werde dasein, als der ich dasein werde", ist mit der Zukunftsgewißheit dieses Glaubens auch das Geheimnis der geschichtlichen Führung Israels durch die Zeiten als eine Heilsbotschaft *für alle Völker* geoffenbart. Von dieser jüdischen Wurzel (Röm 11, 18) wird der christliche Glaube getragen, denn kein anderer als der Gott Abrahams, der Gott Isaaks und der Gott Jakobs ist der Vater Jesu Christi.

Das vorliegende Werk geht auf Beiträge zurück, die anläßlich einer Begegnung von ökumenisch engagierten Juden aus Israel und den USA mit christlichen Theologen aus der Bundesrepublik und der Schweiz in Freiburg i. Br. vom 16. bis 18. Oktober 1980 entstanden sind. Veranstalter war das Religionskundliche Institut innerhalb der Stiftung Oratio Dominica, die diesen Band auch in ihre Veröffentlichungen einreiht. Es ist die leitende Absicht dieses Buches, das Offenbarungsverständnis im Gespräch zwischen Juden und Christen so zu vertiefen, daß nicht nur ein Einblick in die vielfältige Auslegungsgeschichte der biblischen Offenbarung gegeben wird, sondern auch ein Stück Rechenschaft über die Hoffnung, die durch die biblische Offenbarung an Israel unwiderruflich (Jes 41,4; Offb 1,18), im Spannungsverhältnis von Partikularität und Universalität, in die Welt gekommen ist. Daß es gerade im Verständnis von Offenbarung zwischen der jüdischen und christlichen Interpretation bleibende Unterschiede gibt, daß vor allem, bei aller Hervorhebung des Gemeinsamen, das Verhältnis von Geschichte und Offenbarung im Blick auf das Inkarnationsgeschehen umstritten bleibt, wie die vorliegenden Beiträge zeigen, rechtfertigt die Aufnahme dieses Werkes in die Schriftenreihe „Quaestiones disputatae".

Drei Bereiche, die durch die biblische Offenbarung als Wegrichtungen in der jüdischen und christlichen Glaubensgeschichte eröffnet wurden, kommen hier zur Sprache. Zunächst werden Grundzüge des jüdischen Offenbarungsverständnisses in biblischer Zeit entworfen. Den Übergang zum Hauptteil des Buches bilden theologisch-systematische Gedankengänge von christlicher Seite zur Interpretation des Verhältnisses von Offenbarung und Tradition im Horizont einer zukunftsoffenen Menschheitsgeschichte. Die darauffolgenden Beiträge erläutern *religionsphilosophische Grundpositionen* hinsichtlich der näheren Bestimmung des geschöpflichen Bündnisses von Vernunft und Glaube. Ist die rabbinische Auslegung des Offenbarungsglaubens noch weitgehend Kommentar der Schrift und nicht philosophische Rechtfertigung des Geoffenbarten, so tritt bei *Maimonides* gerade dieses Anliegen in den Vordergrund. Der bedeutendste jüdische Denker des Mittelalters versucht auf dem Hintergrund einer aristotelischen Denkweise die Kräfte der fragenden Vernunft für das Verständnis der Tora voll einzusetzen, ohne die Offenbarung selbst in rein menschliche Begründungszusammenhänge aufzulösen. Ganz anders aber verhält es sich mit der Grundintention der *Philosophie Spinozas*. Sie beansprucht, radikale Offenbarungskritik zu sein, die – wie es in der Vorrede zum „Theologisch-Politischen Traktat" heißt – „die Freiheit, zu philosophieren", wiederherstellen und jene Vorurteile, „die das Gemüt unter dem Schein der Frömmigkeit angenommen hat", beseitigen will. Die entscheidende Frage bleibt, ob die an der Schwelle des neuzeitlichen Denkens von Spinoza entworfene Substanzmetaphysik im Sinne der Einheit von Gott und Natur wirklich so radikal ist, wie sie verstanden sein möchte.

Das Verhältnis von Vernunft und Glaube, Philosophie und Offenbarung bleibt jedenfalls auch nach Spinoza umstritten. Das ist auch an der Art und Weise abzulesen, wie Vertreter des deutschen Judentums im neunzehnten Jahrhundert die Frage nach dem „Geist" beantworten, in dem das Offenbarungswort ausgelegt werden soll. Mit dem Offenbarungsdenken von Franz *Rosenzweig* aber ist der schärfste Kontrapunkt zu Spinozas Religionsphilosophie gesetzt. Dieser deutsche Jude setzt der Geist-Sprache der idealistischen Metaphysik den Sprachgeist der Bibel auf einer denkerischen Höhe entgegen, die in der jüdischen Religionsphilosophie des zwanzigsten Jahrhunderts ohne Beispiel ist. Seine Denkbemühungen kann man als Stufen zu einer „messianischen Erkenntnistheorie" bezeichnen. Zu ihr gehören auch Ansätze für eine jüdische Theologie des Christentums.

Im dritten Teil des Werkes zeigen christliche Theologen die für die Glaubensverkündigung und die theologische Reflexion folgenreichen Wandlungsprozesse im Verständnis der Offenbarung auf, wie sie sich in den letzten Jahrzehnten vollzogen haben. Für die katholische Kirche ist dafür die Offenbarungsdeklaration des Zweiten Vatikanischen Konzils maßgebend. In der evangelischen Theologie ist, wie aus dem Schlußbeitrag über messianische Perspektiven des Christusglaubens hervorgeht, das Bewußtsein dafür stärker ausgeprägt, daß die biblischen Geistverheißungen und nicht eine Substanz-Christologie der ursprüngliche Ort für die Auslegung der messianisch-eschatologischen Hoffnung des christlichen Glaubens an der Seite des Judentums und ihm gegenüber sind.

Mit diesen Hinweisen der Herausgeber ist nur wenig von dem Erkenntnisreichtum angedeutet, den das vorliegende Werk in sich birgt. Die zeitlich-geschichtlichen, die sprachlichen und philosophischen Implikationen von Offenbarung im jüdischen und christlichen Verständnis erscheinen hier als ein *unauflösliches* und eben deshalb nicht in ein unveränderliches, theologisch-dogmatisches System aufhebbares Spannungsgefüge. Wie nahe sich öfters jüdische und christliche Interpreten in der fragenden Aneignung des Offenbarungswortes kommen, wird in den vorgelegten Beiträgen ebenso deutlich wie die Schwierigkeit, der Vernunft freimütig das Ihre bis zur äußersten Anstrengung des Denkens zu lassen, ohne deshalb dem Glauben an das Geoffenbarte das Seine zu nehmen. Daß es sich bei dieser Überlegung um eine *vorläufige* Bestimmung handelt, gehört zu den entscheidenden Einsichten dieses Buches. Weil die biblische Offenbarung von Anfang an bis zu ihrer letzten Stufe die Zusammengehörigkeit von Schöpfung und Geschichte, Schöpfung und Erlösung verkündet, steht auch die Frage nach dem Verhältnis von Vernunft und Glaube, Philosophie und Offenbarung, Wahrheit und Geschichte im Lichtschein einer Verheißung, von der die Vernunft von sich aus nichts weiß. Daß diese *messianisch-eschatologische* Lebenszusage in einer Welt, in der die Todesmächte noch nicht endgültig besiegt sind, *umstritten* bleibt, daran läßt die Schrift keinen Zweifel (Ps 18,31–32; Jes 53,1; Lk 2,34).

Es ist der Auftrag von Juden und Christen, *in gemeinsamer Glaubensverantwortung*, in Treue und in Wahrhaftigkeit (Sach 8,8) dafür zu sorgen, daß die Botschaft von jenem Gott, der bei den Ersten ist und noch Derselbe bei den Letzten (Jes 41,4; Offb 1,8), furchtlos, unverkürzt und ökumenisch erprobt weitergegeben wird. Uns scheint, daß Papst Johannes Paul II. in dem *Gebet*, das er anläßlich der Begegnung mit Vertretern des deutschen Judentums innerhalb seines Besuches der Bundesrepublik Deutschland am 17. November 1980 in Mainz gesprochen hat, von der tiefen Glaubenserfahrung der *prophetischen Einheit des Offenbarungsgeschehens* bewegt war:

„Möchten bald alle Völker in Jerusalem versöhnt und in Abraham gesegnet werden! Er, der Unaussprechliche, von dem uns seine Schöpfung spricht; Er, der seine Menschheit nicht zum Guten zwingt und sie dennoch führt; Er, der sich in unserem Schicksal bekundet und verschweigt; Er, der uns für alle Zeiten zu seinem Volk erwählt: Er führe uns auf seinen Wegen in seine Zukunft! Sein Name sei gepriesen!"

Cincinnati/Ohio – Freiburg i. Br., im Juni 1981

J. J. Petuchowski – W. Strolz

A.

Grundzüge
des Offenbarungsverständnisses

I

Grundzüge des Offenbarungsverständnisses in biblischer Zeit

Von Shemaryahu Talmon, Jerusalem

I.

Die Erkenntnis von „Gott, der sich dem Menschen offenbart", ist der Mittelpfeiler des biblischen Glaubens. Über dieses Prinzip, das Martin Buber konzis umrissen hat, sind sich alle Exegeten und Theologen einig: „Biblia, Bücher, so heißt ein Buch, ein Buch aus Büchern. Es ist aber in Wahrheit ein Buch. All diese Erzählungen und Gesänge, Sprüche und Weissagungen sind vereint durch das Grundthema der Begegnung einer Menschenschar mit dem Namenlosen, den sie, seine Anrede erfahrend und ihn anredend, zu benennen wagte, ihre Begegnung in der Geschichte, im Gang des irdischen Geschehens."[1] Gleicherweise ist es als eine communis opinio anzusehen, daß die Charakterisierung des jüdischen und des christlichen Glaubens als Offenbarungsreligionen ihren ursprünglichen Haftpunkt in der ihnen gemeinsamen hebräischen Bibel hat, selbst wenn Offenbarung an sich zum Selbstverständnis jeder Religion gehört[2]. In diesen Grenzen von Grundbegriffen und auch in bezug auf die Methodik der Interpretation, die bei der Eruierung der altisraelitischen Offenbarungsidee aus den biblischen Texten anzuwenden sind, läßt sich kaum ein spezifisch jüdischer von einem spezifisch christlichen Angang abmarkieren. Innerhalb dieser Grenzen beruhen die Divergenzen im Verständnis von „Offenbarung", die in der alttestamentlichen Fachliteratur, im engen Sinne des Wortes, in Erscheinung treten, weniger auf der Unterschiedlichkeit eines betont christlichen von einem betont jüdischen Ansatz, als auf

---

[1] *M. Buber*, Der Mensch von heute und die jüdische Bibel, in: *M. Buber – F. Rosenzweig*, Die Schrift und ihre Verdeutschung (Berlin 1936) 13.
[2] *C. M. Edsman*, RGG³, Bd. IV (1960) 1597, s. v. „Offenbarung, 1. Religionsgeschichtlich".

der „uneinheitlichen Forschungslage", die Rolf Knierim auf drei Gründe zurückführt:

1. Ein bestimmtes „Vorverständnis, etwa religionsphänomenologischer, religionspsychologischer oder theologischer Art, unter dem die alttestamentlichen Texte gesichtet werden".

2. Ein zentrales und durchgängiges „Anliegen, das man aufgrund der Exegese im Alten Testament findet und von dem aus man dann die Gesamtheit der Texte einheitlich interpretieren kann".

3. Eine ganz unterschiedliche „Verwendung exegetischer Methoden"[3].

Die Situation ändert sich, sobald man sich den Fragen nach der „Form" und dem „Inhalt" der biblischen Offenbarung zuwendet. In der Betrachtung dieser Fragen arbeitet der Interpret aus einer Perspektive, die unvermeidlicherweise von Glaubensgrundsätzen und Dogmen geprägt ist, die ihm zu eigen sind. Auch der ernsthafteste Versuch eines Forschers, sich in seinen Untersuchungen am alttestamentlichen Denken selbst zu orientieren[4], wird ihn nicht von den Einflüssen befreien, die aus seiner Selbstidentifizierung als Christ oder Jude emanieren. Ausschlaggebend ist der Umstand, daß für den Juden die Bücher der hebräischen Bibel – Tanach – allein der Fundus sind, aus dem ein Verständnis der biblischen Offenbarungsidee zu gewinnen ist. Für den Christen stellen sie nur einen Teil seiner Bibel dar – das Alte Testament –, dessen Offenbarungsvorstellungen erst im Neuen Testament zur vollen Blüte und zu der für ihn wesentlichen, vollendeten Ausgestaltung gelangen. In der Sicht eines jüdischen Bibelwissenschaftlers können die Formen und der Inhalt von Offenbarung, die dem Neuen Testament eignen, nicht direkt, und allenfalls nur in bestimmten Teilaspekten, aus der hebräischen Bibel gewonnen werden. Hier gilt, was auch in bezug auf andere theologische Konzeptionen und Ideen Geltung hat. Ihre nachbiblische Entwicklung, vom jüdischen Kanon her betrachtet, ging nicht in völliger Abhängigkeit und in vollem Einklang mit den in der hebräischen Bibel präzisierten oder angedeuteten Auffassungen vor sich. In den späteren Stadien der Entwicklung des bibli-

---

[3] *R. Knierim*, Offenbarung im Alten Testament, in: Probleme biblischer Theologie. G. von Rad zum 70. Geburtstag, hrsg. von *H. W. Wolff* (München 1971) 206 ff.

[4] Dazu *R. Rendtorff*, Die Offenbarungsvorstellungen im Alten Israel, in: *W. Pannenberg* (Hrsg.), Offenbarung als Geschichte (Göttingen ²1963) 21 ff, bes. 41.

schen (alttestamentlichen) Glaubens tritt eine Bifurkation zwischen einem christlichen und einem jüdischen Verständnis von „Offenbarung in biblischer Zeit" in Erscheinung, die sich aus den Spezifitäten der beiden Religionen ergibt. Diese Unterschiedlichkeit wird zweifellos in den auf die nachbiblischen Auffassungen gerichteten Referaten klar dargelegt werden.

Etwa ein Jahrzehnt vor Knierim beurteilte Rolf Rendtorff die Forschungslage ähnlich: „Das Wort ‚Offenbarung' ist heute im theologischen Sprachgebrauch zu einer gängigen Scheidemünze geworden. Das zeigt sich auch in den neueren Darstellungen der alttestamentlichen Theologie, in denen es vielfältig begegnet. Dabei ist aber auffallend, wie uneinheitlich das Reden von Offenbarung ist."[5] Während Knierims Aufsatz über das spezifisch alttestamentlich-exegetische Anliegen hinausgreift, bezieht sich die Übersicht, die Rendtorff bietet, eindeutiger und konzentrierter auf die Vielfältigkeit, die sich intern in der alttestamentlichen Spezialliteratur nachweisen läßt. Das zeigt sich besonders prägnant in den Schlußpassagen dieser beiden ausgezeichneten Untersuchungen. Die Resultate Rendtorffs sind aus der Sicht des Alttestamentlers gewonnen: „eine Theologie des Alten Testaments, die sich am alttestamentlichen Denken *selbst* (meine Betonung, S. T.) orientiert, wird immer vom israelitischen Geschichtsverständnis und seinen geschichtlichen Wandlungen ausgehen müssen". Sie beziehen sich spezialiter auf die Offenbarungsvorstellungen des Alten Israel, die sich aufgrund einer, oder besser gesagt seiner Analyse der alttestamentlichen Schriften eruieren lassen: „Es ist... deutlich geworden, daß für das Alte Israel Jahwe in seinen geschichtlichen Taten erkennbar wird, daß er sich in ihnen als er selbst erweist."[6] Von dieser expliziter auf die hebräische Bibel zielenden Definition von Offenbarung als

---

[5] *R. Rendtorff* (Anm. 4) 21; dazu noch: *R. Schaeffler*, Der Offenbarungsbegriff – die Frage nach Kriterien seines sinnvollen Gebrauches, in: *ders.*, Offenbarung im Denken Franz Rosenzweigs (Essen 1979) 9–75, bes. 70ff.
[6] *R. Rendtorff* (Anm. 4) 40–41. Damit ist nicht gesagt, daß diese Auffassung von Offenbarung das Alleingut Israels war. Bertil Albrektson hat dargelegt, daß „the Old Testament idea of historical events as Divine Revelation must be counted among the similarities not among the distinctive traits: it is part of the common theology of the Ancient Near East", in: History and the Gods (Lund 1967) 114. Siehe dazu: *J. Barr*, IDB, Suppl.-Bd. (1976) 746–649, s. v. „Revelation in History".

Geschichte und ihrer Bedeutung für das Verständnis des biblischen Offenbarungsglaubens wird noch zu reden sein[7].

Im Unterschied dazu ist für Knierim die Erforschung des alttestamentlichen Offenbarungsverständnisses nicht ein in sich geschlossenes Problem, sondern die Vorstufe für eine theologische Fragestellung, die weit über die Zielsetzung der gebotenen alttestamentlichen Erwägung hinausgeht. Es wäre zu untersuchen, „was das Gesagte für so alte und spannungsgeladene Verhältnisprobleme wie das von ‚natürlicher‘ und ‚spezieller‘, von Gottes- und Namensoffenbarung, von Erkennen Gottes in geschichtlichen und ontologischen Kategorien, von Gott in Wort und in der Tat, von Gewißheit und Glauben austrägt"[8]. Mit dieser Fragestellung werden Ansätze geliefert, die eine existentielle, vorwiegend christlich-theologische Zielsetzung haben. Man vermutet, daß ähnliche Ansätze, zugegebenerweise viel gedämpfter, auch im Schlußpassus des Rendtorffschen Aufsatzes angedeutet sind: „Eine Theologie des Alten Testamentes, die sich im alttestamentlichen Denken selbst orientiert ... wird aber auch voll in Ansatz zu bringen haben, daß in der Zeit des Abschlusses des alttestamentlichen Kanons die Geschichte Jahwes mit Israel und der Welt nicht als abgeschlossen verstanden wurde, sondern daß gerade die spätesten alttestamentlichen Schriften die endgültige Offenbarung Jahwes noch vor sich sahen."[9]

Auch in einem genuinen Versuch, die altisraelitische Offenbarungsidee aus dem alttestamentlichen Denken *selbst* zu verstehen, kann die Infusion von christologischen Dogmen Resultate hervorbringen, die für im Judentum wurzelnde Wissenschaftler nicht akzeptabel sind. So z.B. die von W. Pannenberg formulierten Thesen: „Die Offenbarung findet nicht am Anfang, sondern am Ende der offenbarten Geschichte statt", und: „Die universale Offenbarung der Gottheit Gottes ist noch

---

[7] Der Gedanke, daß im Alten Testament Gott sich vorzüglich in geschichtlichen Taten offenbart, ist in der Forschung oft anzutreffen. Dies bezeugen die von Rendtorff angeführten Literaturhinweise, zu denen noch die von Albrektson (Anm. 6) und Barr (Anm. 6) vermerkten hinzugefügt werden können. Aber der von W. Pannenberg, R. Rendtorff, T. Rendtorff und U. Wilckens veröffentlichte Sammelband (Anm. 4) löste eine besonders intensive Diskussion aus sowohl in der Bibelwissenschaft als in der systematischen Theologie, so daß die Losung „Offenbarung als Geschichte" einen guten Ansatzpunkt für eine Neubetrachtung des Problems bietet.
[8] *R. Knierim* (Anm. 3) 235.
[9] *R. Rendtorff* (Anm. 4) 41.

nicht in der Geschichte Israels, sondern erst im Geschick Jesu von Nazareth verwirklicht, insofern darin das Ende alles Geschehens vorweg ereignet ist."[10] Die Überleitung von auf sprachlichen und geisteswissenschaftlichen Grundlagen fußenden Untersuchungen des altisraelitischen Offenbarungsverständnisses – wie sie von Rendtorff, Knierim, Pannenberg und vielen anderen christlichen Alttestamentlern und Theologen vorgelegt wurden –, also von einer Methodik, die auch eine gemeinsame Arbeit zur Klärung der Frage mit jüdischen Wissenschaftlern ermöglicht, zu christologisch-dogmatischen Aussagen, führt zu einem Scheidepunkt, von dem aus Christ und Jude nur auf getrennten Wegen den alttestamentlichen Offenbarungsglauben verstehen und weiterleben können.

II.

Nach diesen einleitenden Bemerkungen kann ich mich der mir gestellten Aufgabe zuwenden, Grundzüge eines jüdischen Verständnisses von Offenbarungsglauben in biblischer Zeit zu umreißen. Ich werde, nota bene, von *einem*, nicht von *dem* jüdischen Verständnis sprechen.

Angesichts der sprachlich-literarischen und geistigen Eigenheit der biblischen Schriften, die noch zu erwähnen sein wird, und im Hinblick auf die Mannigfaltigkeit der nachbiblischen jüdischen Geisteswelt, würde es ein zu gewagtes Unterfangen sein, eine für das Judentum allgemeingültige Darstellung des Offenbarungsglaubens in biblischer Zeit zu bieten. Ich möchte also nur Gedanken vorlegen, die dem Interpretationsversuch eines ,Alttestamentlers' vom Fach her Ausdruck geben, Grundlagen der jüdisch-traditionellen Exegese, mutatis mutandis, zur Erhellung der Frage „Offenbarungsglaube in biblischer Zeit" heranzuziehen. Einige Resultate dieses Versuches decken sich mit Hauptmomenten, die von der ,Offenbarung als Geschichte'-Schule erarbeitet wurden. Aber das Ziel wird durch eine exegetische Methodik erreicht, die sich von der in der alttestamentlichen Wissenschaft vorherrschenden unterscheidet.

Der biblische Kanon kann als eine Anthologie von antiken hebrä-

---

[10] *W. Pannenberg*, Dogmatische Thesen zur Lehre von der Offenbarung, in: *W. Pannenberg* (Anm. 4) 91–114, bes. 95 ff. 103 ff.

ischen Schriften betrachtet werden, eine Auswahl von Werken, die in einer Zeitspanne von etwa eintausend Jahren verfaßt wurden (vom zwölften bis zum zweiten Jahrhundert vor der Zeitenwende). Der Kanon gewährt uns also Einblicke in die Gedankenwelt der alten Israeliten in diesem gesamten Zeitraum. Es muß aber betont werden, daß die uns gebotene Auslese aus der althebräischen Literatur weder eine systematische noch eine umfassende deskriptive Darstellung von ,Offenbarung' vermittelt. Das sollte nicht verwundern. Eine gleiche Situation ist in bezug auf andere Glaubens- und Ideengebiete zu beobachten[11]. Keiner der altisraelitischen Autoren lieferte uns eine systematische oder umfassende Konzeption einer Gesellschaftsideologie[12], einer Literaturtheorie oder einer alttestamentlichen Theologie. Nirgends findet sich in der hebräischen Schrift ein philosophischer, phänomenologischer oder theologischer Ansatz, ,Offenbarung' sozusagen wissenschaftlich zu umschreiben[13]. Was immer der Leser und Beobachter aus dem hebräischen Kanon an Prinzipien eruieren kann, beruht auf einem Zusammentragen von meist sehr kurzen und nicht detaillierten Berichten über Offenbarungen, die auserwählten Persönlichkeiten oder dem Volk als Ganzem zuteil wurden, und auf dem auf dieser Sammlung fußenden Versuch, die Einzelberichte in einen konzeptuellen Komplex einzuordnen. Zusätzlich muß der Umstand in Betracht gezogen werden, daß der biblische Kanon keineswegs einsträngig ist. Die in ihm enthaltenen Erzählungen über Offenbarungen stammen aus verschiedenen Zeiten und verschiedenen geistigen Milieus. Sie sind uns durchweg in Berichten bekannt, die voraussichtlich nicht von Offen-

---

[11] Vgl. dazu meine kurzen Bemerkungen bezüglich „Eschatologie und Geschichte im biblischen Judentum", in: *R. Schnackenburg* (Hrsg.), Zur Eschatologie bei Juden und Christen (Schriften der Katholischen Akademie in Bayern 98) (Düsseldorf 1980) 18–19.
[12] Dazu *S. Talmon*, Kingship and the Ideology of the State (in Biblical Times), in: The World History of the Jewish People – The Age of the Monarchies: Culture and Society, hrsg. von *A. Malamat* (Jerusalem 1979) 1 ff.
[13] Der Verzicht auf jedweden Systematisierungsversuch ist auch dem nachbiblischen jüdischen Denken eigentümlich. Dies zeigt sich in der Geisteswelt der rabbinischen Weisen. Man hat hervorgehoben, daß unter den ca. 3000 griechischen Lehnwörtern in der rabbinischen Literatur philosophisch-technische Termini sich nicht aufweisen lassen, oder selbst Versuche, solche griechische Termini ins Hebräische oder Aramäische zu übertragen. Siehe dazu: *S. Lieberman*, Greek in Jewish Palestine (New York 1972). Ein Ansatz zu systematischem Denken und dementsprechenden Formulierungen läßt sich erst in der mittelalterlichen jüdischen Philosophie vermerken, die ein für diesen Zweck notwendiges Vokabular entwickelte.

barung erfahrenden Menschen niedergelegt, sondern von Späteren tradiert wurden. Es muß also mit der Wahrscheinlichkeit gerechnet werden, daß wir keine authentischen Selbstaussagen über tatsächliche Offenbarungen besitzen, sondern nur retrospektiv-reflektierende und somit auch interpretierende Fassungen der Tradenten. Diese Fakten sind allgemein bekannt und anerkannt. Sie müssen aber doch zu Beginn unserer Überlegungen unterstrichen werden, selbst wenn man dadurch in den Verdacht kommt, Eulen nach Athen zu tragen.

Das prägnanteste Charakteristikum der modernen Bibelwissenschaft zeigt sich in den unermüdlichen Bemühungen, die verschiedenen literar-historischen Komponenten nicht nur des gesamten Kanons, sondern eines jeden Buches und vieler Buchteile klar zu umreißen und voneinander abzugrenzen. Man begnügt sich aber nicht mit der Analyse der in die uns vorliegenden „größeren Einheiten" eingebauten Teilstücke, sondern versucht durch ihre Neuanordnung eine literarische Folge zu konstituieren, die ein klares Bild des altisraelitischen Offenbarungsbegriffes vermitteln soll. Die augenscheinlichen Unterschiede, die man in den biblischen Beschreibungen von Offenbarungen wahrnimmt, werden verschiedenen ideentragenden Kreisen israelitischer Literaten zugeschrieben und in ein Entwicklungsschema eingebaut. Aufgrund der Analyse und auf der auf ihr aufbauenden Rekonstruktion werden unterschiedliche Offenbarungsauffassungen aus den verschiedenen Quellen oder Dokumenten erarbeitet. Diese finden ihren Niederschlag, so konstatiert man, in einem partikulären Vokabular, der die eine Traditionsschicht von der anderen unterscheidet. Man grenzt z. B. die Offenbarungsterminologie der Priesterschrift (P) von der des Deuteronomisten (D) ab und beide von denen der großen Erzählersträngе des Elohisten (E) und des Jahwisten (J). Da diese Quellen oder literarischen Schichten als datierbar gelten, auch wenn über die exakten Daten keine Einstimmigkeit herrscht, versucht man durch ihre Einordnung in eine Wertskala eine Darstellung der innerbiblischen Entwicklung des israelitischen Offenbarungsglaubens vorzulegen[14].

Dieses Bestreben ist verständlich. Es ist der modernen Denkweise kommensurat, die sich durch einen Ordnungsdrang auszeichnet, einem Suchen nach Modellen und Schemata, in denen Denken und

---

[14] Dazu R. *Rendtorff* (Anm. 4).

Gedanken eingefangen und so verständlich gemacht werden können. Hierin mag man das geistige Erbe der Antike erkennen, vermittelt durch die mittelalterliche Philosophie, inklusiv der Scholastik, das in der modernen Wissenschaft, in dem Streben nach ‚Strukturen‘ in der Welt des Geistes, ans Licht tritt.

Es scheint aber, daß die alten Hebräer, und vielleicht darf man sagen die antiken Semiten allgemein, sich einem solchen ‚Systemzwang‘ nicht unterwarfen, ihn sogar offensichtlich ablehnten, wenn er in ihrer Begriffswelt überhaupt eine Rolle spielte.

Im Vergleich mit der modernen Denkweise kann man die der biblischen Literaten als ‚unmethodisch‘ charakterisieren. Ich würde annehmen, daß diese Eigenschaft sich auch in dem Fehlen eines jeden Versuches kundgibt, die in der Bibel geschilderten Offenbarungen auf einen theologischen Generalnenner zu bringen. Die Offenbarungen, von denen berichtet wird, resultieren von Ad-hoc-Anstößen. Man beläßt sie in ihrer Individualität und drängt nicht darauf, sie aus einem Prinzip abzuleiten oder sie auf ein allen gemeinsames Prinzip hinzuführen.

III.

Es würde zu weit führen, die wissenschaftliche Diskussion über Offenbarung im Alten Testament hier in Einzelheiten nachzuzeichnen. Es genügt, auf die präzisen Übersichten hinzuweisen, die Rendtorff, Pannenberg, Barr u. a. bieten. Ich möchte nur einige Aspekte in aller Kürze aufgreifen, die meiner Ansicht nach einer neuen Untersuchung bedürfen. Anschließend sollen Thesen vorgelegt werden, die aus einem jüdischen Verständnis des biblischen Offenbarungsglaubens gewonnen werden können.

Die Erfahrung Gottes durch den Menschen in Offenbarungssituationen wird in der Bibel in fast formelhaften, aber nuancierten Wortbildern gezeichnet. Drei Verben spielen hier eine besonders markante Rolle:

1. *galah*, meistens in den auf Gott bezogenen, reflexiven Konjugationen *nifʿal* – *niglah* oder *hitpaʿel* – *hitgalah* [15];

---

[15] Dazu *H. J. Zobel*, ThWAT Bd. I (1973) 1021–1031, s. v. גלה.

2. *ra'ah*, entweder in der aktiven, auf den Menschen zielenden *pa'al*-Konjugation *ra'ah*, oder in der passiven oder reflexiven *nif'al*-Form *nir'ah*, die sich auf Gott als Offenbarungsurheber bezieht;

3. *jada'*, vorzüglich in der *nif'al*-Form *noda'*, die reflexiv zu verstehen ist[16].

Wie schon gesagt, führt die literargeschichtliche Schule diese verschiedenen Ausdrucksweisen als Beweis für die Annahme an, daß sie verschiedenen Quellen entstammen und unterschiedlichen biblischen Auffassungen von Offenbarung Ausdruck geben. In einer kurzen Zusammenfassung der in der Wissenschaft vorherrschenden Ansicht konstatiert Rendtorff[17]: „Als Offenbarung im strengen Sinne wird … allgemein die *Selbstoffenbarung* Gottes verstanden …[18] Aber es finden sich verschiedene Weisen, vom Sich-Zeigen oder Sich-Kundtun Jahwes zu reden … Der älteste, urtümlichste Sprachgebrauch begegnet dort, wo es heißt, daß die Gottheit ‚sich zeigt'. Das Niphal von ראה ist der Terminus für solche Gotteserscheinungen", die einen kultätiologischen Charakter haben. Dieser Terminus wird mehrfach von dem Jahwisten verwendet, manchmal losgelöst vom kultätiologischen Schema, dann verbunden mit einer göttlichen Verheißungsrede, aber „nirgends für … eine kultische Theophanie". Schließlich „ist der Begriff des Sich-Zeigens Jahwes überhaupt als unangemessen empfunden worden". Die Priesterschrift substituiert für *ra'ah* – sehen *jada'* – erkennen. Das zeigt sich, wenn man die Beschreibung der an die Väter ergangenen Offenbarungen (Gen 17, 1 und 35, 11 – J) mit dem Wortlaut der Offenbarung vergleicht, die Mose zuteil wurde (Ex 6, 3 – P): „Hier wird dem נראה das נירע gegenübergestellt." Nach Rendtorff, der den wissenschaftlichen Konsensus wiedergibt, „kann (es) nicht zweifelhaft sein, daß das in dem durchreflektierten Sprachgebrauch der Priesterschrift sehr bewußt geschieht. Das Erscheinen Jahwes wird einer vorläufigen Stufe zugewiesen; mit Mose beginnt etwas Neues: Jahwe gibt sich *als er selbst* zu erkennen."[19]

Aber ist dem wirklich so? Ist die Priesterschrift so „durchreflektiert", daß jedwede Formulierung in ihr auf vorhergehenden, klaren Gedankenprozessen aufbaut, etwa wie man es von einem modernen

---

[16] Dazu *G. J. Botterweck,* ThWAT Bd. III (1980) 486–512, s. v. ידע.
[17] (Anm. 4) 23 ff. [18] Vgl. *W. Pannenberg* (Anm. 4) 7–20.
[19] *R. Rendtorff* (Anm. 4) 25.

Interpreten und Theologen erwartet? Werden hiermit nicht der Verfasser der Priesterschrift und mit ihm die Autoren der anderen Quellen unter den Systemzwang gestellt, von dem schon die Rede war, der so schwer auf der modernen Forschung lastet? Ist es methodisch richtig, den oben erwähnten dritten Begriff – *galah:* (sich) enthüllen – so ziemlich unter den Tisch fallen zu lassen, weil er nicht ganz in das gedankliche Schema paßt, in das die biblische Literatur eingespannt wird? Das griechische Verb *apokalyptein,* mit dem *galah* wiedergegeben wird, bezeugt kein theologisches Verständnis, sondern wird angewandt in der „Grundbedeutung aufdecken, enthüllen, wobei der profane Sprachgebrauch dominiert. Das entspricht dem Befund von גלה, bei dem auch der profane Gebrauch überwiegt. Wo es als theologischer Terminus erscheint, liegt ihm keine einheitliche Vorstellung zugrunde, so daß es als Ausgangspunkt der Untersuchung ungeeignet ist."[20]

Es ist richtig, daß *galah* und auch *ra'ah* in biblischem Hebräisch vorwiegend in Kontexten vorkommen, die einen profanen Charakter haben. In vielen Fällen haben sie sogar eine betont konkrete Bedeutung. „Aufdecken – enthüllen" *(galah)* und „sehen" *(ra'ah)* können sich beide auf sexuelle Tabus und auf Verstöße gegen sie beziehen (z. B. Ex 20,26; Lev 17,6–19; 20,18–21; Dtn 26,1; 2 Sam 6,20; Jes 47,2; Jer 13,13; Ex 23,18–19) oder im übertragenen Sinn auf das Aufdecken der Blöße (Schwäche) eines Landes (Gen 42,9.12). Daher tauchen *galah* und *ra'ah* als äquivalente Ausdrücke in parallelismus membrorum auf (z. B. Jes 47,3; Ez 16,36–37; 21,19; vgl. noch Gen 9,21–23) und werden alternativ sowohl in profan-sexuellen Paralleltexten (vgl. Lev 20,11 mit 17) als auch in Kontexten, die von Offenbarung reden, gebraucht (Jes 40,5; vgl. Num 24,3–4.16–17). Auf diesem Hintergrund gesehen, ist die Verbindung der beiden Verben in der in 1 Sam 3,21 (vgl. V.7) geschilderten Offenbarungssituation von Bedeutung, selbst wenn es sich um eine conflatio von zwei Lesungen handeln sollte[21]. Gleicherweise ist der Rückverweis durch *niglah* in Gen 35,7 auf die Theophanie, die Jakob in Bet-El erfuhr (Gen 35,16), völlig dem Sprachgebrauch gemäß. Nur wenn man diesen aus dem Auge läßt und den

---

[20] *R. Rendtorff* (Anm. 4) 25; vgl. *W. Pannenberg* (Anm. 4) 12.
[21] Siehe dazu *S. Talmon,* Double Readings in the Massoretic Text, in: Textus I (1960) 144–184. – Nach *R. Rendtorff* (Anm. 4) 25, Anm. 17, handelt es sich in 1 Sam 3,21 um eine Korrektur.

Text den Regeln der literarkritischen Methode unterwirft, kann man sagen, daß „man (hier) nach dem sonstigen Sprachgebrauch נראה erwarten könnte"[22].

Die Doppelanwendung von *galah* und *ra'ah* einerseits in einer sinnlich-profanen, andererseits in einer übersinnlich-sakralen Bedeutung entspricht der biblischen Sprachgepflogenheit und kann nicht als ein Ausnahmefall angesehen werden. Derselbe Gebrauch läßt sich in bezug auf *jada'* – „wissen, erkennen" aufweisen. Es scheint fraglich zu sein, ob sich die Behauptung aufrechterhalten läßt, daß die zunehmende Verwendung dieses Verbums der Kognition – vor allem in P – auf ein höher entwickeltes „durchreflektiertes" Verständnis von Offenbarung zurückzuführen ist. Aufgrund der Betrachtungen über *galah* und *ra'ah* würde ich dazu neigen, diesen Sprachgebrauch nicht mit theologisch-philosophischen Werten zu überladen.

Gleich mit *galah* wechselt *ra'ah* mit *jada'*, auch wenn sich die betreffenden Wortfelder nicht völlig decken. Die beiden Verben finden sich als äquivalente Ausdrücke in parallelismus membrorum (z.B. Dtn 33,9; Jes 5,12–13; Dtn 29,2; Koh 8,16) und in freieren syntaktischen Konstruktionen (z.B. Gen 18,21; Lev 5,1; 1 Sam 18,28; Jes 6,9). Sie können alternativ in Parallelstellen angewendet werden (z.B. Jos 24,31; Ri 2,7), und werden oft zusammen als hendiadys gebraucht (z.B. 1 Sam 14,38; 18,28; 22,16; 23,22 u.a.w. 2 Sam 14,13; 1 Kön 20,7.22; 2 Kön 5,7; Jes 29,15; 41,20; 44,9; Jer 2,19; 5,1; Koh 6,5; Neh 4,5)[23].

Wie *ra'ah* und *galah* bezieht sich *jada'* auf den Geschlechtsverkehr, hat also eine rein sinnliche Bedeutung (z.B. Gen 4,1.17.25; 19,5.8; 24,6; 38,26; Num 31,18.35; Ri 11,39; 19,22.25 21,11.12; 1 Sam 11,19; 1 Kön 1,4, vielleicht auch Gen 2,9.17); vergleichbar mit *galah* und *ra'ah* – „enthüllen, aufdecken, sehen" – haftet auch *jada'* die ähnliche Bedeutung „(sich) offenbaren, sich weisen" an. Es wäre zu erwägen, ob nicht die Umschreibung des Bundes Gottes mit Israel durch Wortbilder, die aus dem Liebes- und Eheverhältnis zwischen Mann und Frau entlehnt sind[24], wie ein Bindeglied zwischen der profan-

---

[22] R. *Rendtorff* (Anm. 4) ebd.
[23] Dazu S. *Talmon*, Synonymous Readings in the Textual Tradition of the Old Testament, in: Scripta Hierosolymitana VIII (1961) 340–342.
[24] So ist bekannterweise auch das Hohelied allegorisch interpretiert worden.

sinnlichen Bedeutung von *jada'* und dem Wortfeld „Offenbarung" wirkt. Auf jeden Fall werden *jada'* und *ra'ah*, ebenso wie *jada'* und *galah*, miteinander in Offenbarungsdarstellungen gebraucht (z. B. Num 12,6). In einigen Fällen treten alle drei Verben zusammen auf, z. B. in der Beschreibung der Machttaten, durch die sich Jahwe der Welt offenbart: „Jahwe tut seine Hilfe kund *(jada')*, vor den Augen der Völker enthüllt er *(galah)* seine (gerechte) Macht … es sehen *(ra'ah)* alle Enden der Erde die Hilfe unseres Gottes" (Ps 98,2–3) [25]. Eine ähnliche Konstellation ergibt sich, wenn man 1 Sam 3,7 zusammen mit 3,21 betrachtet. Dies ist sicher legitim, da ja beide Verse sich auf Samuels Wirken als Jahwes Prophet beziehen: (7) „Samuel kannte *(jada')* Jahwe noch nicht, das Wort Jahwes war ihm noch nicht offenbart worden *(galah)* … (21) Auch weiterhin ließ sich Jahwe in Schilo erblicken *(ra'ah)*, Jahwe offenbarte sich *(galah)* Samuel in Schilo durch sein Wort." Man kann weiterhin die Passage vergleichen, in der der Heide Bileam als Seher, dem Gott sich offenbart, vorgestellt wird oder sich so vorstellt [26]: „Spruch dessen, der Gottes *(el)* Worte hört, der den Höchsten *('elyon)* (er)kennt (jada') [27], der eine Vision des Allmächtigen *(Schaddai)* sieht *(chazah ‖ ra'ah)*, der niederfällt mit entschleierten Augen *(galah)*" (Num 24,16; vgl. 24,4 und 22,22–34).

Die obige, gedrungenerweise kurze sprachliche Untersuchung stellt die These in Frage, nach der die Verben *ra'ah* und *galah* auf eine „indirekte" Manifestation Gottes in „urschöpferischen oder geschichtlichen Taten" zielen, während *jada'* – *noda'* sich auf eine „direkte Selbstoffenbarung" beziehen [28]. Nach Zimmerli ist deren Kennzeichen die „Selbstvorstellungsformel – Ich bin Jahwe" [29]. Mit ihr wird die Frage

---

[25] *H. J. Zobel* (Anm. 15) 1023 legt vor, daß die Parallelität (von נלה) zu ידע hiph. Ps 98,2 neu ist.

[26] Diese sprachliche Parallelität, die eine inhaltliche Ähnlichkeit bezeugt, ist in der Exegese nicht beobachtet worden und hat zumindest die literaturgeschichtliche Analyse in keiner Weise beeinflußt. Siehe dazu *R. Rendtorff* (Anm. 4) 25 ff und Kommentare.

[27] Der stat. constr. *jode'a da'at 'eljon* will hier als eine Akkus.- und nicht als eine Gen.-Konstruktion verstanden werden (vgl. *da'at 'elohim*, Hos 4,1; 6,6; Spr 2,5). Anstelle von „der die Gedanken des Höchsten kennt" (Einheitsübersetzung), könnte der Ausdruck, etwas frei, mit „der Gotteserkenntnis besitzt" wiedergegeben werden.

[28] Dazu *W. Pannenberg* (Anm. 4) 7 ff. 91 ff.

[29] *W. Zimmerli*, „Ich bin Jahwe", in: Geschichte und Altes Testament. Festschrift für A. Alt (1953) 179–209; *ders.*, Das Wort des Göttlichen Selbsterweises (Erweiswort) – eine prophetische Gattung, in: Mélanges bibliques, rédigés en l'honneur de André Robert (1955) 154–164; *ders.*, Ezechiel, in: BKAT² (Neukirchen – Vluyn 1979) 55 ff.

des Menschen nach der Identität der Gottheit, die er erfährt, beantwortet. Diese theologische Hypothese ist auf dem Hintergrund einer sprachlich-literarischen Analyse der Texte kaum haltbar.

Die für den biblischen Sprachgebrauch nachgewiesene Äquivalenz der Offenbarungstermini legt nahe, daß auch die Verwendung von *ra'ah* und *jada'* in Ex 6,3 möglicherweise auf eine stilistische Gepflogenheit zurückzuführen ist, mehr als auf eine „durchreflektierte" Wortwahl der Priesterschrift, die theologische Hintergründe hat: „Ich *erschien* Abraham, Isaak und Jakob als El Schaddai, und unter meinem Namen Jahwe habe ich mich ihnen nicht zu *erkennen* gegeben." Wenn hier das *noda'* dem *nir'ah* zur Seite und nicht „gegenübergestellt" wird [30], wie es die Quellenscheidung postuliert, dann ist vielleicht auch der Gottesname Jahwe nicht als ein Substitut anzusehen, das das in den Vätergeschichten vorherrschende Epithet El Schaddai ablöst, sondern als eine zusätzliche Bezeichnung Gottes, die von der Dornbuschoffenbarung an als die vorzügliche gilt. Das ist Bubers Verständnis dieser Perikope: „Der Abschnitt, der die Offenbarung im brennenden Busch erzählt (Exodus 3,1 – 4,17), ist nicht als aus verschiedenen Quellenschriften zusammengetragen anzusehen. Man braucht nur ein paar Zusätze auszuscheiden, und wir haben ein einheitliches Bild vor uns; die scheinbaren Widersprüche erklären sich aus mangelhaftem Verständnis des Textes. Dieser Abschnitt ist seinem Stil und seiner Komposition nach das Erzeugnis einer hoch ausgebildeten, dialektischen und erzählerischen Kunst; aber von den Elementen, aus denen er aufgebaut ist, tragen wesentliche den Charakter früher Überlieferung … Indem Mose zu den Midianitern kam, war er in den Lebensbereich der Väter gekommen, und die Erscheinung, die er nun schaut, erfährt er als die des Vätergottes. Wie einst Jakob nach Ägypten (Genesis 46,4), so ist JHWH von Ägypten nach Midian gezogen – vielleicht gar mit ihm, Mose, selbst, den er, offenkundig, wie einst Jakob, behütet hat? Genug, Mose erfährt, wer er ist, der ihm erscheint, er erkennt ihn wieder. So war es ja auch in der Väterzeit gewesen. So hatte Abraham in dem El Eljon des Melchisedek JHWH wiedererkannt, so hatte JHWH sich Abrahams Kebsweib, der ägyptischen Magd, in dem Geist eines Wüstenquells – wohl einem jener divinatorischen Brunnen, an denen schlafend man etwas zu ‚sehen' bekommt –

---

[30] *R. Rendtorff* (Anm. 4) 25.

24

zu sehen gegeben (16,7.13). Was sich hier wie dort, religionsgeschichtlich betrachtet, vollzieht, ist *Identifizierung:* Der eigene, mitgebrachte, mitgehende Gott wird mit dem an diesem Ort bekannten, an ihm vorgefundenen gleichgesetzt, er wird in ihm wiedererkannt."[31]

So würde es sich erklären, daß *(El) Schaddai* auch danach in der göttlichen Nomenklatur einen Platz findet. Das ist nicht nur der Fall in Texten, in denen nicht-israelitische Elemente durchschimmern, wie in der Bileamperikope (Num 24,4.17) und dem Ijobbuch (passim), sondern auch in biblischen Schriften, deren israelitische Authentizität über allen Zweifel erhaben ist. So in Rut 1,20–21; noch schwerwiegender in den Prophetenbüchern Jesaja (13,6 = Joel 1,15) und Ezechiel (1,24; 10,5) und in den Psalmen (68,15; 91,1).

IV.

Dies ist in der Tat die traditionelle jüdische Ansicht. Die traditionelle Exegese negiert ohne Vorbehalt die in der modernen Bibelwissenschaft und Theologie fast axiomatisch feststehende Scheidung von verschiedenen Konkretisierungen der Gottesidee in identifizierbaren Strängen der alttestamentlichen Literatur und die damit verbundene Demarkierung von Offenbarungsauffassungen, die in bezug auf die Modi der göttlichen Erscheinungen, ihren Inhalt und ihre Metaphorik voneinander unterschieden werden können. Nicht nur für als ,vorkritisch' geltende jüdische Exegeten, wie S. D. Luzatto und D. Hoffmann[32], ganz zu schweigen von den mittelalterlichen Kommentatoren, ist eine Quellenscheidung der biblischen Literatur völlig unakzeptabel. Auch kritisch geschulte Forscher, wie Benno Jacob[33], Umberto Cassuto[34] und M. H. Segal[35] lehnen eine Aufspaltung des biblischen Gottesglau-

---

[31] *M. Buber,* Moses (Heidelberg 1966) 47.54.
[32] *D. Hoffmann,* Die wichtigsten Instanzen gegen die Graf-Wellhausensche Hypothese (Berlin 1904).
[33] *B. Jacob,* Das erste Buch der Tora – Genesis (Berlin 1934), bes. ,,Anhang – Quellenscheidung" 949–1049.
[34] *U. Cassuto,* The Documentary Hypothesis, transl. from Hebrew by I. Abrahams (Jerusalem 1961).
[35] *M. H. Segal,* The Pentateuch, its Composition and Authorship, and other Biblical Studies (Jerusalem 1967) Teil I, 1–172.

bens und Offenbarungsverständnisses in partikuläre Formulierungen eines Elohisten oder Jahwisten, einer priesterlichen, deuteronomistischen, prophetischen oder chronistischen Schule uneingeschränkt ab. Die verschiedenen Gottesnamen und Epitheta, die verschiedenen Formen der Gottesoffenbarung und ihre Inhaltsmannigfaltigkeit werden nicht als Ausdrücke unterschiedlicher Gottesauffassungen angesehen, sondern als Manifestationen des einzigen und alleinigen Gottes, der variabel auf menschliches Tun reagiert und sich den Menschen in einer Vielfalt von Erscheinungen zu erkennen gibt[36], „der nicht in seinem Sein, in seinem Wesen verharrt, sondern sich ins da-Sein, in die An-wesenheit herniederneigt"[37].

Gottes Erscheinungsformen in der Welt passen sich der Welt des Menschen an. Zu verschiedenen Zeiten und in verschiedenen Situationen erweist sich Gott unter verschiedenen Namen und verschiedenen Selbstdarstellungen. Die Väter erfuhren ihn unter dem Namen *El Shaddai*. Derselbe Gott eröffnete sich Mose unter dem Namen *Jahwe* (Ex 6,3). Unter diesem Namen wurde er der biblischen Tradition nach schon in der Urzeit angerufen (Gen 4,26; 16,13; 21,33). Aber von Moses Zeiten an wurde Jahwe der Hauptname des Gottes Israels. Der Midrasch *Shemot Rabba* benutzt den berühmten Exodusvers 6,3 als Anknüpfungspunkt für eine Zusammenfassung der Inhaltswerte der verschiedenen Gottesnamen. Im Namen des Rav Abba bar Memel (eines palästinensischen Lehrers der ersten Amoräer-Generation) wird überliefert: „Gott sagte zu Mose – was willst du über mich wissen", und antwortete sofort selbst auf die offensichtlich rhetorische Frage: „Ich werde nach meinen Taten benannt. Manchmal ruft man mich an als *El Shaddai*, manchmal als *(Elohe) Zebaot*, als *Elohim* oder als *Jahwe*. Wenn ich zu Gericht sitze über die Menschen werde ich *Elohim* genannt, und wenn ich gegen Sünder (Bösewichte) in den Kampf ziehe, ist mein Name *Zebaot;* wenn ich die Bestrafung eines Menschen für seine sündigen Taten zurückhalte, werde ich *El Shaddai* genannt; wenn ich mich meiner Welt erbarme, werde ich als *Jahwe* angefleht, usw. ... meinen Taten nach werde ich benannt."[38]

---

[36] Dazu *F. Rosenzweig*, Die Einheit der Bibel, in: *M. Buber – ders.* (Anm. 1) 46–51.
[37] *F. Rosenzweig*, Der Ewige, in: *M. Buber – ders.* (Anm. 1) 208, vgl. 194.
[38] Siehe dazu die Ausführungen von *E. E. Urbach*, The Sages – Their Concepts and Beliefs, transl. from Hebrew by I. Abrahams (Jerusalem 1975) 37 ff; *N. Leibowitz*, Neue Studien zum Buche Exodus (Hebräisch, Jerusalem 1970).

Die im Midrasch angeführte kurze Aufzählung von Gottesnamen, die in der Bibel gängig sind, kann durch eine Reihe von weiteren Namen und Namensverbindungen, mit denen der Gott Israels bekundet wird, erweitert werden. So etwa: *Jahwe* ist *Elohim* (1 Kön 18 pass. und bes. V. 39; vgl. Ps 100, 3; 72, 18; 84, 9–12). *Jahwe El* (Jos 22, 22; Ps 50, 1), um nur einige zu nennen. Die jüdisch-traditionelle Exegese lehnt natürlich die Erklärung ab, daß diese reichhaltige Nomenklatur als Evidenz für die Existenz von synchronisch oder diachronisch voneinander unterscheidbaren literarischen Strängen oder Schichten zu erklären wäre. In der Tat läßt sich eine solche Aufgliederung auch mit den Mitteln der modernen Wissenschaft nicht konsequent und allgemein überzeugend durchführen[39].

In der Insistenz auf der Einzigkeit Gottes in der Mannigfaltigkeit der Epitheta, mit denen er benannt wird, profiliert der Midrasch maßgebende Züge der biblischen Gotteserfahrung:

1. Die Möglichkeit, daß die Gottheit in einer wirklichen Vielfalt erfahren werden kann, wird kategorisch abgelehnt. Im rabbinischen wie schon im biblischen Denken ist diese Abweisung offensichtlich an die polytheistischen Religionen gerichtet. Sie kann aber auch als eine totale Ablehnung von Ansichten verstanden werden, die die Mannigfaltigkeit der Selbstkundgebungen Gottes in der Bibel als Konkretisierungen verschiedener Gottesauffassungen auslegen, die den modernen wissenschaftlichen Theorien unterliegen. Die Manifestationen Gottes in der Geschichte Israels sollten nicht als Zeugnisse eines im Laufe der Zeit sich wandelnden und entwickelnden Gottesbildes verstanden werden, noch erweisen sie Auffassungen, die in einem gegebenen Zeitraum nebeneinander in Israel unterhalten wurden. Lediglich die Anpassungsfähigkeit und der Anpassungswille Gottes an die verschiedenen Situationen des Menschen bewirken die Fülle von Formen, in denen sich Gott im Leben des Einzelnen und in der Geschichte Israels offenbart.

2. Die verschiedenen Namen, unter denen sich der biblische Gott zu erkennen gibt, sind als verbalisierte Formulierungen seiner Taten

---

[39] Eine Erörterung des Problems ist hier nicht möglich. Der Leser sei auf die neueren Einleitungen in das Alte Testament hingewiesen, in denen der Stand der Forschung dargelegt wird. So z.B. die Einleitungen von O. Eißfeldt ([3]1964), O. Kaiser (1969), J. A. Soggin (1976), R. Smend (1978), G. Fohrer (1979) und B. Childs (1980).

in der Welt zu verstehen. Sie bieten dem Menschen die Möglichkeit, seine Gotteserfahrung zu jeder Zeit mit seinen variablen Lebenserfahrungen in Einklang zu bringen, ohne die Einmaligkeit Gottes in Frage zu stellen, ohne Gott zu pluralisieren.

3. Der sich offenbarende Gott ist erkennbar in einer überraschenden Fülle von fast verstörend wirkenden anthropomorphen Darstellungen. Zugleich ist er *unerfaßbar* und allem Geschöpf *unvergleichbar*[40]: „Mit wem wollt ihr Gott vergleichen, und welche Form ihm zueignen" (Jes 40,18; 44,8; 45,14; vgl. Dtn 3,24; Ex 15,11; 2 Sam 22,32 = Ps 18,32; Ps 71,19 u. bes. 89,7; 1 Chr 17,20; 2 Chr 6,14). Mit dieser Erklärung wird der Idolatrie und der mit ihr verbundenen Magie die Spitze gebrochen (Jes 44,10; 45,22; 46,9 et al.). Ein Gott, der nicht darstellbar ist, kann nicht manipuliert werden[41].

Diese kontrahierenden Aussagen über Gott, der unerfaßbar über der Welt des Menschen waltet und dennoch ständig mit ihm in Kommunikation in der Welt ist oder sein kann, stehen in einem augenscheinlich unüberbrückbaren Spannungsverhältnis. Die Spannung muß in ihrer ganzen Härte von Exegeten und Theologen angenommen werden. Sie soll nicht durch die Vermutung entschärft werden, daß sie auf ein Neben- und Nacheinander von ursprünglich unabhängigen, biblischen Offenbarungsauffassungen zurückzuführen ist, die erst in einem relativ späten Entwicklungsstadium der altisraelitischen Literatur miteinander verschmolzen wurden. Mit Recht bemerkt Knierim: „Die Tatsache ... daß der sich in seiner Identität als Jahwe offenbarende Gott immer derselbe ist, bedeutet deshalb noch nicht, daß auch die Art des Offenbarwerdens immer und nur in ein und demselben Verstehenskontext oder derselben Wirklichkeitserfahrung erkannt wird. Der Verstehenskontext ist flexibel, Veränderungen unterworfen. Wenn darum das Alte Testament unsystematisiert ... von einem Ineinander

---

[40] Die Aussagen über die Unvergleichlichkeit Gottes und die Unmöglichkeit, ihn bildlich darzustellen, enthalten verschiedene Gottesnamen. Sie können also nicht ausschließlich einer bestimmten literarischen Schicht zugeschrieben werden, sondern sollten als Gemeingut des biblischen Glaubens betrachtet werden. Hierin unterscheiden sie sich von Motiven und Wortbildern, die durchgehend mit dem einen oder dem anderen Namen verbunden sind. Dazu *M. Z. Segal*, Die Gottesnamen El, Elohim, Jahwe in den biblischen Schriften, in: Tarbiz 9 (1939) 123–162 (Hebräisch), *ders.*, Tradition und Kritik – Gesammelte Aufsätze zur biblischen Forschung (Jerusalem 1957) 31–47.

[41] Dazu *M. Weber*, Das antike Judentum, Aufsätze zur Religionssoziologie. Bd. III (Tübingen 1921) 233–234.279–280.411–412.

und Beieinander von verschiedenen Weisen (vgl. viele Psalmen) redet, so ist dies theologisch bedeutsam, weil dadurch grundsätzlich das Offenbarwerden Gottes als Jahwe in jeder möglichen Art von Wirklichkeitserfahrung bezeugt wird. An diesem Punkt muß denn auch die Mannigfaltigkeit im Wortfeld, in den verschiedenen Gattungen und Sitzen im Leben, theologisch ernstgenommen werden.'[42]

Sicher lassen sich gewisse Grundlinien aufweisen, die allem oder den meisten Situationen, in denen Gott sich kundgibt, gemeinsam sind. Aber die tradierte Mannigfaltigkeit von Formen der Offenbarung sollte nicht durch eine übereifrige Systemfreude pauschalisiert werden. Die in den Quellen ans Licht tretende Spannung muß als eine Eigentümlichkeit des biblischen Glaubens verstanden werden. Es scheint, daß sich in ihr ein Hauptmoment der altisraelitischen Geisteswelt und des biblischen Offenbarungsverständnisses zeigt[43], das in seiner ganzen Fülle bei einer Betrachtung der Auffassung der Hebräer von Offenbarung mit eingeschlossen werden muß. In dieser Mannigfaltigkeit kommt die Geschichtsbezogenheit der Offenbarungserfahrungen zum Ausdruck, ihre Verankerung in der historischen Wirklichkeit einer lebenden Gemeinschaft.

V.

Der Midrasch zu Ex 6,3 bietet einen hervorragenden Ausgangspunkt für eine Betrachtung des jüdischen Verständnisses von Offenbarung im Alten Testament, das über das spezifisch Jüdische hinausragt und einen allgemein heuristischen Wert hat. Die Grundaussage „in meinen Taten werde ich erkannt" verankert ‚Offenbarung' im ‚Geschehen': in der Natur, in außer- oder übernatürlichen Begebnissen und vor allem in der Erfahrung des Volkes Israel. Damit entfällt die in der modernen Theologie gängige Unterscheidung zwischen „Offenbarung in der Schöpfung" und „Offenbarung in der Geschichte", zwischen Offen-

---

[42] *R. Knierim* (Anm. 3) 226.
[43] *G. Scholem*, Zur Kabbala und ihrer Symbolik (Zürich 1960) 119; *E. E. Urbach* (Anm. 38).

barung in der Natur und ,in übernatürlichen Wundertaten'[44]. Alles göttliche Tun ist „Geschehen" und somit „Geschichte", beginnend mit den Uranfängen der Welt. In jenem Stadium konnte Gott sich dem noch nicht geschaffenen Menschen nicht direkt offenbaren, sondern nur indirekt in den einzelnen Phänomenen der Schöpfung und in dem All des Kosmos: „Er schuf so Großes, es ist nicht zu erforschen, Wunderdinge, sie sind nicht zu zählen" (Ijob 9,10; vgl. Jer 10,12–13; Am 4,13; 5,8; 9,5–6; Ijob 38–39 et al.). Nach der Schöpfung des Menschen zielt Offenbarung in verschiedener Weise auf ihn: auf Adam und Noach in dem anthropologischen Vorstadium der Geschichte Israels, danach auf die Vorväter und die Propheten und auf die Gesamtheit des Volkes. Aber in allen Fällen offenbart Gott nicht seine ,Identität', sondern seine Tätigkeit im Weltall und in der Geschichte.

Selbst für Mose blieb das Wesen Gottes, seine Identität, unerschlossen. Trotz der einmaligen ,Vertrautheit', die zwischen Jahwe und Mose bestand und die die biblische Tradition hervorhebt (Dtn 34,10), sind die Beziehungen zwischen Gott und dem vorbildlichen Propheten. (Dtn 18,15.18), nicht ausgewogen. Jahwe „kennt (Mose) mit Namen" (Ex 33,17), d.h. in seinem eigentlichsten Sein (vgl. im Kontrast dazu Ex 6,3). Er erschien ihm „in (offener) Sicht" (mar'eh), in seiner „Gestalt" (temunah; Num 12,8). Aber auch ihm offenbarte Jahwe sein Wesen nicht. Die an Jahwe gerichtete Bitte Moses: „Zeige mir deine kabod (d.h. dich selbst)", wird ohne Vorbehalt abgewiesen: „Du kannst mein Angesicht (panim) nicht sehen; denn kein Mensch kann mich sehen und am Leben bleiben (vgl. Ri 6, 22–23; 13, 22)... Wenn meine kabod vorüberzieht, stelle ich dich in den Felsspalt und halte meine Hand über dich (deine Augen), bis ich vorüber bin. Wenn ich dann meine Hand zurückziehe, wirst du meinen Rücken sehen; mein Angesicht (panim) kann nicht gesehen werden" (Ex 33,18–23; vgl. 1 Kön 9, 11–13; Ijob 9, 11 et al.). In diesem Kontext werden kabod und panim (,Herrlichkeit' und ,Antlitz') als Synonyma verwendet. Beide beschreiben, oder besser gesagt, umschreiben die ,Persönlichkeit' Jahwes.

Es muß betont werden, daß im biblischen Hebräisch die Synonymität mit kabod nur einen Teilaspekt des Sinngehaltes von panim aus-

---

[44] Siehe R. Knierim (Anm. 1) 224.

macht. Das semantische Feld dieses Nomens ist umfangreicher. In anderen Wortbildern deckt sich *panim* mit dem ganz konkreten Substantiv *peh* – Mund[45]. Die partielle Synonymität von *panim* in bestimmten Teilaspekten mit *kabod* auf der einen und mit *peh* auf der anderen Seite ermöglichte es den biblischen Autoren, in einem Offenbarungskontext durch *panim* die Unerschließbarkeit Jahwes auszudrücken und in einem anderen mit diesem Begriff einer besonderen Gottesnähe Ausdruck zu geben. So wird die unmittelbare Beziehung zwischen Jahwe und Mose in der Aussage aufgefangen, daß Gott zu ihm *peh el peh* – ‚Mund zu Mund‘ spricht (Num 12,8) oder *panim el panim* – ‚Antlitz zu Antlitz‘ (Ex 33,11). In diesen Wendungen bezieht sich *panim* (wie *peh*) auf die Unmittelbarkeit der Begegnung (Gen, 32,31; Ez 20,35) und nicht auf das ‚Wesen‘ der sich Begegnenden, sollte also nicht im Sinne einer „Selbstvorstellung" oder „Selbstkundgabe"[46] verstanden werden. Da in diesen Texten der Sonderinhalt von *panim* durch die Parallelität entweder mit *kabod* oder mit *peh* bestimmt wird, also verschiedene Teilaspekte des Wortes ins Spiel gebracht werden, sind die Erklärungen „Jahwe sprach zu Mose *panim el panim* (Ex 33,11) und „du kannst mein *panim* nicht sehen" (Ex 33,20) nur scheinbar eine Kontradiktion. In Wirklichkeit besagen sie, daß auch in dem direkten Miteinanderreden, dessen Mose teilhaft wurde, die Identität Jahwes dem Menschen unerschlossen blieb.

Göttliche Offenbarung ist also nicht „Selbstenthüllung"[47] oder „Selbstoffenbarung"[48], wie in der Forschung oft dargelegt wird. Sie ist immer ein „Machterweis", wie Rendtorff mit Recht betont[49]. Im Mittelpunkt der Offenbarung steht „God who acts", der spiritus agens alles Geschehens. Diese von G. E. Wright geprägte Formulierung[50] hat

---

[45] Dazu *S. Talmon*, The Textual Study of the Bible – A New Outlook, in: *F. M. Cross* – *S. Talmon* (Hrsg.), Qumran and the History of the Bible Text (Cambridge / Mass. – London 1975) 350ff.

[46] *W. Zimmerli* (Anm. 29).

[47] *W. Pannenberg* (Anm. 4) 8.

[48] *K. Barth*, Das christliche Verständnis der Offenbarung, in: ThEx 12 (1948).

[49] (Anm. 4) 32–33.

[50] *G. E. Wright*, God Who Acts, Biblical Theology as Recital (SBT 8) (London 1952); *ders.*, The OT Against its Environment (SBT 2) (London 1950); *ders.*, The Old Testament and Theology (New York 1969); vgl. *Y. Kaufmann*, The Religion of Israel – From its Beginnings to the Babylonian Exile, übersetzt und gekürzt von M. Greenberg (Chicago 1960) 70–72.99ff et al.

nichts an Bedeutung oder Aktualität verloren, selbst wenn sie gewisser Korrekturen bedarf, die u. a. von Albrektson[51] und Barr[52] vorgelegt wurden. Im Alten Testament ist Offenbarung der legitime Durchbruch in Einzelfällen der ansonst absolut feststehenden Grenzen, die den Menschen von Gott trennen[53]. Sie ist eine streiflichtartige Aktualisierung der immanenten Gegenwart Gottes in der Welt, vor allem in den historischen Ereignissen, die sein Volk Israel betreffen. Offenbarung antwortet nicht auf Fragen nach der Identität der sich kundgebenden Gottheit, sondern ist Bekundung seiner Taten in der Vergangenheit und in der Gegenwart. Und diese Taten haben einen Bestimmungswert für die Zukunft. Gott offenbart sich um des Menschen willen für den Menschen, nicht um seines, Gottes, willen in einem Akt der „Selbstvorstellung". Der Nachdruck liegt auf dem Empfänger, nicht auf dem Initiator der Offenbarung. In dieser Zielsetzung zeigt sich die auf den Menschen noch mehr auf das Volk gerichtete Einstellung, die die alttestamentliche Geisteswelt allgemein auszeichnet.

In letzter Sicht ist der Adressat der Offenbarung nicht der einzelne Auserwählte, der sie empfängt, sondern die Gemeinschaft, für die er als Mittler zwischen ihr und Gott dient. Im Einklang damit steht, daß mantische, ekstatische und meditative Elemente Nebenerscheinungen in den biblischen Offenbarungsberichten sind und nicht ihre wesentlichen Charakterzüge. Die in der Offenbarung inbegriffene göttliche Botschaft ist essentiell für die Gemeinschaft gedacht. Deshalb kann Offenbarung das Instrument zur Verkündigung von grundlegenden Prinzipien sein, die eine Forderung an die Gemeinschaft stellen, ihre Geisteswelt formativ beeinflussen und ihren Weg in der Geschichte bestimmen sollen. In den meisten Fällen erfolgt Offenbarung ad hominem, ad hoc und ad rem. Aber als Hintergrund dient ihnen eine viel weitere Kulisse – die Geschichte Israels oder der Menschheit allgemein.

Eine nur flüchtige Betrachtung von einigen tradierten Offenbarungsberichten erhärtet diese Feststellung. Adam und Noach – der zweite Adam – erfuhren göttliche Offenbarung (Gen 3, 9 ff; 7, 1 ff;

---

[51] (Anm. 6).
[52] (Anm. 6).
[53] *R. Knierim* (Anm. 3) 212–213. Ferner: *Th. C. Vriezen*, Theologie des Alten Testaments in Grundzügen (Wageningen – Neukirchen 1957) 198 u. ö.

9,1ff) als Vertreter der Menschheit allgemein, in einem Äon, das vor dem Geschichtshorizont Israels lag, das der Erzähler dem Verlauf der Volksgeschichte als eine Präambel vorausschickt. Schon hier dient Offenbarung dem Zweck der Verkündigung verpflichtender Weisungen und ist nicht als ein privatissimum konzipiert. Noch stärker tritt der ‚öffentliche‘ Charakter der Offenbarung in den Vätertraditionen in Erscheinung, die als vorbildlich für die in späteren Zeitstadien auserwählten Persönlichkeiten zukommende Offenbarungen gelten können. Die Traditionen über Abraham (Gen 15, 18 et al.) und Jakob (Gen 28, 11–22; 32, 25–33) [54] enthalten in größerem Ausmaße mantische und mythische Elemente als die Offenbarungstraditionen, die sich auf die vor-israelitischen Urväter der Menschheit, Adam und Noach, beziehen. Hierin läßt sich eine Prolepsis von Eigenschaften bemerken, die vorschriftliche Prophetengeschichten charakterisieren und die auch in den Berichten über die Schriftpropheten nicht fehlen. Aber in all diesen an individuelle Persönlichkeiten ergehende Offenbarungserfahrungen bleibt die Gemeinschaftsbezogenheit ausschlaggebend und damit die Verflechtung der Offenbarung mit dem Verlauf der Geschichte Israels. Mit besonderem Nachdruck gilt dies für die Offenbarungen, die Mose und den Propheten zugeschrieben werden. Sehr treffend drückt dies Y. Kaufmann aus: Das (Selbst)verständnis der alttestamentlichen Sendepropheten „ist in dem Glauben an eine kontinuierliche Offenbarung verankert ... die Grundlage der israelitischen Prophetie ist der Glaube an Offenbarung in der Geschichte“ [55].

Diese in meiner Sicht evident richtige Interpretation des biblischen Verständnisses von Offenbarung steht in schroffem Gegensatz zu der von K. Barth aufgestellten These der *Einzigkeit der Offenbarung* Gottes in dem Christusgeschehen, die Pannenberg mit Anerkennung anführt: „Die Einzigkeit der Offenbarung (ist) in ihrem strengen Begriff als Selbstoffenbarung bereits beschlossen ... Sowie man von mehreren Offenbarungen redet, denkt man schon keine Offenbarung in strengem Sinne mehr. Die Behauptung einer Mehrzahl von Offenbarungen bedeutet die Diskreditierung jeder einzelnen von ihnen. Die Gestalt der göttlichen Manifestation ist dann in keinem Falle der einzig ad-

---

[54] Isaak spielt in dieser wie in anderen Beziehungen eine untergeordnete Rolle.
[55] Die Geschichte der israelitischen Religion. Bd. I (Tel Aviv 1938) 730 (Hebräisch).

äquate Ausdruck des Offenbarenden."[56] Man neigt zu der Vermutung, daß die hier gebotene Definition von „Offenbarung" nicht auf einer Analyse der biblischen Offenbarungstraditionen beruht, sondern von einem oder dem zentralen christologischen Dogma abgeleitet und auf es zugeschnitten wird. Die Barthsche These nimmt das Phänomen der Offenbarung – im Sinne von Selbstoffenbarung – ausschließlich für den christlichen Glauben in Anspruch und negiert damit grundsätzlich die Legitimität seiner Verwendung in bezug auf andere Religionen. Diese Behauptung ist für den Religionshistoriker und Soziologen wie auch für den Phänomenologen sicher nicht annehmbar. Es genügt, die kurze Zusammenfassung zu zitieren, die C. M. Edsman bietet: „Offenbarung gehört zum Selbstverständnis jeder Religion, eine Schöpfung göttlicher und nicht menschlicher Art zu sein... Obgleich es immer gewagt ist, Begriffe aus einem Religionskreis auf einen anderen zu übertragen... dürfte die Charakterisierung der christlichen O(ffenbarung) durch Barth rein phänomenologisch auch auf entsprechende Erlebnisse, Wirkungen und Vorstellungen nichtchristlicher Religionen zutreffen."[57]

Ein rigoroses Bestehen auf der These von Barth muß dazu führen, daß bezüglich des Verständnisses von Offenbarung in der hebräischen Bibel der jüdische Interpret und der christliche an einem Scheidewege stehen.

VI.

Die wesentliche Ausrichtung der an Persönlichkeiten ergehenden Offenbarungen – ihre Gemeinschaftsbezogenheit und die ‚Mittlerfunktion', die der Offenbarungsempfänger in diesen Begebenheiten erfüllt – tritt voll ins Licht in der Sinaitheophanie. Diese muß in engstem Zusammenhang mit dem Exoduserlebnis betrachtet werden. Im Rahmen unserer Untersuchung können wir die Frage, die in der alttestamentlichen Wissenschaft häufig diskutiert wird, ob die Exodus- und die Sinaitradition ursprünglich selbständige Einheiten waren, die erst nachträglich miteinander verflochten wurden, oder ob sie ab initio in

---

[56] W. *Pannenberg* (Anm. 4) 9–10.
[57] RGG³ IV (1960) 1597.

einem Traditionskomplex inbegriffen waren, außer Blick lassen. Ausschlaggebend für die Erörterung des biblischen Offenbarungsverständnisses ist der Umstand, daß die altisraelitischen Autoren sie als aus einem Guß fließend betrachteten[58]. So versteht es auch die traditionelle jüdische Exegese, von der Antike bis auf den heutigen Tag[59]. Die Sinaitheophanie und die Exodusüberlieferung umrahmen eine formative oder vielleicht die formativste Epoche in der Geschichte Israels und des biblischen Glaubens. Nur wenn diese beiden Ereignisse als komplementäre Erfahrungen und Werte angesehen werden, ist es berechtigt, zu konstatieren, daß „der grundlegende Faktor im alttestamentlichen Glauben die Befreiung Israels aus dem Hause der Knechtschaft ist" und daß „durch diesen Akt Gott sich Israel bekundete"[60]. Die in Ägypten und während des Auszuges aus Ägypten durch Mose an die Volksgemeinschaft vermittelte Offenbarung gestaltet sich in der Sinaitheophanie zu einer ersten, einmaligen Offenbarung, in der sich Jahwe direkt ganz Israel kundgibt. Nur so ist es erklärbar, daß die zuerst nur auf Mose angewandte Formel *panim el panim* in dem Bericht über die Sinaitheophanie in Dtn 5,4 auf Jahwes Begegnung mit seinem Volk angewandt wird: „Antlitz zu Antlitz *(panim el panim)* hat Jahwe mit euch auf dem Berg aus dem Feuer geredet."

Dieser Bericht über göttliche Offenbarung an das gesamte Volk grenzt zwei Epochen in der biblischen Offenbarungsgeschichte voneinander ab[61]. Er steht zwischen den Traditionen über Offenbarungen, die prominente Persönlichkeiten erfuhren und über die das Buch Genesis berichtet, und denen, die Propheten zuteil wurden, die die späteren Bücher der Bibel verzeichnen. Die Sinaitheophanie ist das Fundament, auf dem die gesamte nachherige biblische Auffassung von Offenbarung gründet. Sie „ist die Wortspur eines natürlichen, d.h. eines in der den Menschen gemeinsamen Sinnenwelt geschehenen und ihren Zusammenhängen eingefügten Ereignisses, das die Schar, die es erfuhr, als Gottes Offenbarung an sie erfuhr und so in einem begeister-

---

[58] Dazu *N. Leibowitz*, Studies in Shemot – Exodus (Jerusalem 1978).
[59] Dazu *M. H. Segal* (Anm. 35) 36; *U. Cassuto*, The Book of Exodus, transl. from the Hebrew by I. Abrahams (Jerusalem 1968); *N. Leibowitz* (Anm. 38).
[60] *G. S. Henry* in: A Theological Work Book of the Bible, hrsg. von A. Richardson (London 1950) 196f.: „The fundamental fact of OT faith is the liberation of the house of bondage... it is by this act that God made himself known to Israel..."
[61] *Y. Kaufman* (Anm. 50) 722.

ten, willkürfrei gestaltenden Gedächtnis der Geschlechter bewahrte; dieses So-erfahren aber ist nicht eine Selbsttäuschung der Schar, sondern ihre Schau, ihre Erkenntnis und ihre wahrnehmende Vernunft, denn die natürlichen Ereignisse sind die Träger der Offenbarung, und Offenbarung ist geschehen, wo der Zeuge des Ereignisses, ihm standhaltend, diesen Offenbarungsgehalt erfuhr, sich also sagen ließ, was in diesem Ereignis die darin redende Stimme ihm, dem Zeugen, in seine Beschaffenheit, in sein Leben, in seine Pflicht hinein sagen wollte."[62] Die Offenbarung vermittelt Israel objektive Gesetze, in Jahwes subjektive Gebote gefaßt. Das offenbarte Gesetz ist das Fundament des am Sinai offenkundig gemachten Bundes, den Jahwe dort mit seinem Volk errichtete und der forthin den Weg Israels in der Geschichte bestimmen und sich in ihr erweisen soll. So entfalten sich Bund, Gesetz und Offenbarung als Unterkategorien von Geschichte[63]. Die Institutionen, die aus Bund und Gesetz erwachsen, bezeugen die in der Idee ununterbrochen offenbarte Präsenz Gottes in der Geschichte. Die Fusion von Exoduserlebnis und Sinaioffenbarung bewirkt ein neues Phänomen in Israel: *Geschichte als Offenbarung*[64].

---

[62] *M. Buber*, Der Mensch von heute und die Bibel, in: *ders.* ≈ *F. Rosenzweig* (Anm. 1) 25–26.

[63] Dazu *J. Baillie*, The Idea of Revelation in Recent Thought (New York 1956) 78: „... revelation is always given us through events"; 132: „All revelation is given through history"; *L. Köhler*, Theologie des Alten Testaments (Tübingen 1936), 4: „Daß Gott sich durch seine Werke, seien es die der Natur, seien es die der Geschichte, offenbart, ist ein durch ungemein viele Beispiele belegtes Theologoumenon."

[64] Vgl. *E. Jacob*, La tradition historique en Israël, Etudes théologiques et religieuses (Montpellier 1946), 12: „Yahwe est le Dieu de l'histoire et l'histoire est son plus sûr moyen de révélation."

II

Offenbarung und Geschichte

Partikularismus und Universalismus
im Offenbarungsverständnis Israels

Von Rolf Rendtorff, Heidelberg

I.

Wenn ich heute im Jahre 1980 aufgefordert werde, über das Thema „Geschichte und Offenbarung" zu sprechen, dann legt es sich nahe, mit einigen Reflexionen über das Programm „Offenbarung als Geschichte" zu beginnen, das vor genau zwanzig Jahren zuerst öffentlich vorgetragen wurde[1].

Dieses Programm war entstanden aus dem Versuch einer kleinen Gruppe junger Theologen, in Zusammenarbeit zwischen den verschiedenen theologischen Disziplinen Grundpositionen der damaligen theologischen Situation kritisch zu überprüfen. Einer unserer gemeinsamen Ausgangspunkte war die Theologie Rudolf Bultmanns, in dessen Gefolge wir „Geschichte" im Sinne von „Geschichtlichkeit" zu verstehen versuchten. Zugleich waren wir aber alle in unserem theologischen Werdegang mehr oder weniger stark durch Gerhard von Rad geprägt. Bei dem Versuch, das von ihm entwickelte Geschichtsverständnis des Alten Testaments mit dem Ansatz Bultmanns zu vermitteln, erwies sich das Alte Testament als resistent. Dies wurde uns unabweisbar klar, als die These „Christus das Ende der Geschichte" zur Diskussion stand. Wir sahen uns vor die Alternative gestellt, entweder den Ansatz beim Alten Testament oder den bei der Theologie Bultmanns preiszugeben.

Dies war natürlich keine echte Alternative, denn der Ausgang vom Alten Testament war die selbstverständliche und unabdingbare Voraussetzung unserer theologischen Arbeit. Deshalb führte uns dieses

---

[1] *W. Pannenberg* (Hrsg.), Offenbarung als Geschichte (Göttingen 1961, ²1963 [= ⁴1970]).

Dilemma zu dem Versuch, ein neues theologisches Verständnis von Geschichte zu gewinnen. Dies mußte uns notwendigerweise in einen Gegensatz zur Dialektischen Theologie bringen[2].

Es ging uns also nicht primär um das Problem der Offenbarung, sondern um das der Geschichte. Der Offenbarungsbegriff erschien uns aber als derjenige Horizont, in dem sich ein neues Verständnis von Geschichte am ehesten gewinnen und entfalten ließ.

Dazu kam ein zweiter grundlegender Aspekt: Bei der Diskussion des urchristlichen Verständnisses der Auferstehung Jesu hatte Ulrich Wilckens darauf aufmerksam gemacht, daß in der jüdisch-apokalyptischen Endzeiterwartung die Auferstehung der Toten eines der Zeichen des anbrechenden Eschatons ist. Er hatte daraus die These entwickelt, daß die Auferstehung des *einen,* Jesus, gleichsam die Vorwegnahme des Endes in diesem einen Menschen sei. Wolfhart Pannenberg griff diesen Gedanken auf und entwickelte daraus die These von der „Vorwegereignung" des Endes in Kreuz und Auferstehung Jesu, für die er dann den Begriff der „Prolepse" verwendete. Dieser Gedanke wurde in der Richtung weiterentwickelt, daß sich der volle Sinn alles Geschehens erst von seinem Ende her enthüllt. Bezogen auf das Offenbarungsverständnis hieß das, daß die Selbsterschließung Gottes, also seine Offenbarung, erst vom Ende her erkennbar sei, ja daß die Offenbarung im eigentlichen Sinne erst am Ende der Geschichte stattfinde.

Die Entwicklung dieses Offenbarungsverständnisses geschah in ständiger Rückfrage auf die biblischen Texte, insbesondere auf das Alte Testament. Dabei traten besonders solche Texte in den Blick, die eine Deutung geschichtlicher Ereignisse vom Ende her erkennen lassen – Texte, die auch schon in der Arbeit von Rads eine wichtige Rolle spielten, wie z. B. Gen 50,20: „Ihr gedachtet mir Böses zu tun, aber Gott gedachte es zum Guten zu wenden, um das zu vollführen, was jetzt am Tage ist" (Übersetzung nach von Rad) oder Ex 14,31: „Als Israel die große Hand sah, mit der Jahwe an den Ägyptern gehandelt hatte, da fürchtete das Volk Jahwe, und sie glaubten an Jahwe und an seinen Knecht Mose." Auch die von Walther Zimmerli herausgearbeitete Erkenntnisaussage: „Ihr werdet erkennen, daß ich Jahwe bin", gewann

---

[2] Vgl. das Nachwort zur zweiten Auflage von „Offenbarung als Geschichte", a. a. O. 132 ff; ferner *J. M. Robinson – J. B. Cobb* (Hrsg.), Theologie als Geschichte (Zürich – Stuttgart) bes. 1, II: „Der Ort der neuen Position im theologischen Spektrum", 25–63.

eine große Bedeutung, da sie überwiegend im Zusammenhang mit geschichtlichen Ereignissen begegnet. So ließ sich also auch das Alte Testament unter diesem Aspekt verstehen: Die Deutung des geschichtlichen Handelns Jahwes ist erst vom Ende her möglich.

Schließlich geriet das Ganze unter einen universalgeschichtlichen Gesamtaspekt: Die *eine* Offenbarung des *einen* Gottes ist ein universalgeschichtliches Ereignis, das sich erst an seinem Ende, und das bedeutet für uns: in der Vorwegereignung des Endes in der Auferstehung Jesu Christi, verwirklicht.

Es entsprach dem Stand meiner damaligen theologischen Einsicht, daß ich gegen dieses Gesamtkonzept keine Einwände hatte. Die theologische Wiedergewinnung der geschichtlichen Dimension des Alten Testaments und die Möglichkeit, das Handeln Gottes in geschichtlichen Ereignissen unter dem Aspekt der Offenbarung zu verstehen, wenn auch in einem vorläufigen Sinne, erschienen mir als großer Fortschritt in der theologischen Rehabilitierung des Alten Testaments. Es war ja damit nicht nur zu einer wichtigen Voraussetzung, sondern zum unverzichtbaren Bestandteil der christlichen Theologie geworden. Auch für Pannenberg war das Christusgeschehen nur Offenbarung Gottes, „sofern es Glied der Geschichte Gottes mit Israel ist"[3].

Es wurde mir damals nicht bewußt, daß dieser Gott, von dem hier gesprochen wird, nur insofern der Gott Israels ist, als die christliche Kirche an die Stelle Israels getreten ist. Dem Programm „Offenbarung als Geschichte" liegt implizit eine „Substitutionstheorie" von äußerster Konsequenz zugrunde.

II.

Zwischen damals und heute liegt für mich ein entscheidendes Ereignis: die Begegnung mit dem Judentum. Die Vielfalt der Aspekte, unter denen diese Begegnung für mich biographisch und theologisch von Bedeutung gewesen ist, hat in *einem* ihren Mittelpunkt und zugleich ihre Quintessenz: in der Erkenntnis, daß es *heute* ein lebendiges Judentum gibt, das in ungebrochener Kontinuität in den Traditionen

---

[3] So die 5. These seiner „Dogmatischen Thesen zur Lehre von der Offenbarung"; a.a.O., in: *W. Pannenberg* (Anm. 1) 107.

der jüdischen Bibel, des „Alten Testaments", lebt und sie so weiterentwickelt hat, daß sie zu allen Zeiten die Grundlage des jüdischen Lebens bilden konnten und können.

Das bedeutet im Blick auf das Alte Testament vor allem dies: daß sich die christliche Aneignung des Alten Testaments nicht von selbst versteht, sondern daß sie der Begründung und Rechtfertigung bedarf, und zwar einer Begründung, die explizit darüber Auskunft gibt, wie sich die christliche Aneignung des Alten Testaments versteht im Verhältnis zur jüdischen Auslegung und Anwendung des Alten Testaments. Es liegt mir fern, das Recht und die Legitimität eines christlichen Gebrauchs des Alten Testaments zu bestreiten. Aber es muß deutlich unterschieden werden zwischen der *Auslegung* des Alten Testaments in seinem kanonischen Rahmen, d. h. unter den Voraussetzungen und Bedingungen seiner Entstehung bis zum Abschluß des Kanons, und seiner *Aneignung* durch die christliche Kirche, zumal seit sie eine ausschließlich heidenchristliche Kirche geworden ist, d. h. der Einbringung des Alten Testaments als kanonische Urkunde in eine religiöse Gemeinschaft, die erst nach Abschluß dieses Kanons und auf seiner Grundlage entstanden ist.

Dies bedeutet im Blick auf unser Thema und auf das Programm „Offenbarung als Geschichte", daß der universalgeschichtliche Aspekt nicht zur Auslegung des Alten Testaments, sondern zur christlichen Aneignung gehört. Seine Legitimität im Rahmen der christlichen Theologie ist hier nicht zu untersuchen. Zu bestreiten ist aber sein Anspruch, *die* Auslegung des Alten Testaments und damit auch das ihm gemäße und aus ihm gewonnene Verständnis der Offenbarung Gottes zu sein. Im Gegenteil: *dieser* universalgeschichtliche Aspekt kann nicht aus dem Alten Testament selbst erhoben oder aus ihm begründet werden. Er müßte entfaltet werden unter der expliziten Voraussetzung, daß dabei im Zuge der christlichen Aneignung des Alten Testaments dessen Selbstverständnis verlassen und überschritten wird und daß es keinen methodischen Weg gibt, diese Sicht in das Alte Testament selbst einzutragen.

III.

Ich möchte diese allgemeinen hermeneutischen Überlegungen durch einige exegetische und biblisch-theologische Einzelbeobachtungen ergänzen.

In dem schon zitierten Text Ex 14,31 heißt es, daß Israel „sah" und „glaubte". Was sie sahen, war ein abgeschlossenes Geschehen, in dem die Israeliten das Handeln Gottes und darin ihn selbst erkannten: Gott hatte sich ihnen in seinem Handeln „offenbart". So ist es auch in Dtn 4; dort heißt es am Ende der ersten Einleitungsrede des Deuteronomiums im Rückblick auf die Herausführung Israels aus Ägypten: „Du hast es zu sehen bekommen, damit du erkennst, daß Jahwe der Gott ist; außer ihm gibt es keinen" (V. 35, ähnlich V. 39). Auch hier soll ein vergangenes, bereits abgeschlossenes Handeln Jahwes Erkenntnis wirken, und zwar nicht irgendein Handeln, sondern *das* grundlegende heilsgeschichtliche Ereignis, das den Grund gelegt hat für Israels Existenz als Volk Gottes in seinem Land (vgl. auch Dtn 7, 8 f).

Das Verbum *jada*‘ „erkennen" hat eine zentrale Funktion, wenn von der Offenbarung Gottes als *Selbst*offenbarung, *Selbst*erschließung die Rede ist. Es steht im Alten Testament oft im Perfekt, womit es also auf eine schon geschehene Selbstoffenbarung Gottes zurückverweist[4]. So heißt es z. B. in Ps 76, 2: „Gott hat sich in Juda bekannt gemacht, in Israel ist sein Name groß." Der weitere Verlauf des Psalms zeigt, daß dieses Sich-bekannt-Machen Gottes in seinen Taten geschehen ist (vgl. auch Ps 48, 4 und den Kontext). In Ps 77, 15 ff wird das Sich-bekannt-Machen Gottes auf die Herausführung aus Ägypten bezogen.

Besonders interessant ist schließlich Ps 98: Auch hier ist wieder vom Sich-bekannt-Machen Gottes die Rede, wobei dem Verbum *jada*‘ (Hiphil) das Verbum *galah* gegenübergestellt wird, das meistens (im Gefolge der Septuaginta) mit „offenbaren" übersetzt wird (V. 2). Dieses „offenbaren" geschieht „vor den Augen der Völker". In V. 3 ist dann ausdrücklich von dem Gegenüber von Israel und den Völkern die Rede: „Er hat seiner Huld und seiner Treue gegenüber dem Haus

---

[4] Diesen Aspekt habe ich in meinem eigenen Beitrag zu „Offenbarung als Geschichte" vernachlässigt (Die Offenbarungsvorstellungen im Alten Israel, in: *W. Pannenberg* [Anm. 1] 21–41, bes. 25 ff).

Israel gedacht; alle Enden der Erde haben das Heil unseres Gottes gesehen." Das Handeln Jahwes geschieht also um Israels willen, weil er Israels „gedenkt". Es geschieht aber vor den Augen der Völker, und in diesem Geschehen können alle Enden der Erde das Heil (genauer: die Hilfe) Gottes „sehen" – des Gottes, den der Psalmist gerade in diesem Zusammenhang „unser Gott" nennt. Hier sind also der „partikularistische" und „universalistische" Aspekt miteinander verbunden.

Bevor wir dieser Frage weiter nachgehen, soll aber zunächst noch die andere Seite des Erkenntnisvorgangs ins Auge gefaßt werden, nämlich das menschliche Erkennen Gottes, d. h. die Reaktion darauf, daß Gott sich zu erkennen gibt. In einer Reihe von Texten wird ausdrücklich gesagt, daß Menschen Gott „erkannt" hätten. Ich nenne drei Texte:

In Ex 18,11 sagt Jitro, der Schwiegervater des Mose, nach Moses Bericht über die Rettung der Israeliten aus Ägypten: „Jetzt habe ich erkannt, daß Jahwe größer ist als alle Götter." In 2 Kön 5,15 sagt ein anderer frommer Nichtisraelit, Naaman von Syrien: „Siehe, jetzt habe ich erkannt, daß es keinen Gott gibt auf der ganzen Erde außer in Israel." Schließlich ruft in 1 Kön 18,39 das „ganze Volk", nachdem Jahwe Feuer vom Himmel hat fallen lassen, um das Opfer auf dem ihm gewidmeten Altar zu verzehren: „Jahwe ist der Gott! Jahwe ist der Gott!" Man könnte fast von einer Klimax der Erkenntnis in diesen drei Texten reden: 1. Jahwe ist größer als alle Götter. (Dies setzt, jedenfalls in der sprachlichen Formulierung, die Existenz anderer Götter voraus.) 2. Es gibt keinen Gott auf der ganzen Erde außer in Israel. 3. Das „monotheistische" Bekenntnis: Jahwe (allein) ist (der) Gott.

Diese letzte Beobachtung ist wichtig: Die Aussagen über den Inhalt der Erkenntnis wandeln sich. Bei einer von systematisch-theologischen Interessen bestimmten Fragestellung besteht die Gefahr, daß das Alte Testament zu flächenhaft betrachtet wird. Die Aussage, daß Gott in seiner Offenbarung sich selbst erschließt, verdeckt in ihrer Pauschalität die Tatsache, daß sich im Alten Testament eine sehr differenzierte Geschichte der Reflexion darüber findet, wer dieser Gott ist, der sich zu erkennen gibt, wie die Menschen seine Selbsterschließung erfahren und wie sie ihre Erfahrungen verarbeiten und zum Ausdruck bringen.

Es gibt Texte, die davon reden, daß Jahwe seine *Macht* offenbart, wie z. B. die schon mehrfach zitierte Stelle Ex 14,31, wo von der „großen Hand" Jahwes die Rede ist. Daß Jahwe Gott ist, bedeutet hier also, daß er etwas kann und etwas tut und daß seine Gläubigen sich auf ihn verlassen können. In anderen Texten, wie z. B. Ex 18,11; Ps 95,3; 96,4 u. ö., heißt es, daß Jahwe größer und mächtiger ist als andere Götter. Hier ist also der Bezugspunkt weniger die eigene Erfahrung der Hilfe Jahwes als vielmehr seine Stellung gegenüber den anderen Göttern. Deren Existenz wird wieder in anderen Texten ausdrücklich bestritten, wie z. B. an der schon zitierten Stelle 2 Kön 5,15.

Diese Aussage ist im Alten Testament häufig und breit gestreut. Einen besonders prägnanten Ausdruck findet sie etwa bei Hosea: „Ich bin Jahwe, dein Gott, von Ägypten her, einen Gott außer mir kennst du nicht, und einen Helfer außer mir gibt es nicht" (13,4). Hier zeigt sich wieder die geschichtliche Verankerung der Erkenntnis Gottes in der Herausführung aus Ägypten; die Ausschließlichkeit des Gottseins Jahwes ist ausdrücklich auf Israel bezogen: es hat keinen anderen „Helfer". Auch in Dtn 4,35.39 ist die „monotheistische" Formel auf die Herausführung aus Ägypten bezogen: darin wird erkannt, daß nur Jahwe es ist, der das Prädikat „Gott" verdient.

Bei den Belegen aus Hosea und dem Deuteronomium ist die Nähe zur Sprache Deuterojesajas ganz deutlich, z. B. Jes 45,5: „Ich bin Jahwe und keiner sonst, außer mir gibt es keinen Gott." Hier taucht nun wieder der „universalistische" Aspekt auf: Jahwe hat Kyros berufen, „damit sie erkennen vom Aufgang der Sonne bis zu ihrem Untergang, daß keiner ist außer mir. Ich bin Jahwe und keiner sonst, der das Licht bildet und die Finsternis schafft, der Heil macht und Unheil schafft – ich bin Jahwe, der dies alles tut" (V. 6 f). Die Einzigkeit Gottes soll „vom Aufgang der Sonne bis zu ihrem Untergang" erkannt werden. Dabei besteht bei Deuterojesaja kein Zweifel daran, daß er vom Gott *Israels* spricht. Dieser „Universalismus" bedeutet also nicht etwa, daß damit der Gedanke einer besonderen Beziehung dieses Gottes zu Israel aufgegeben sei, daß also die universale Gotteserkenntnis gleichsam ein Schritt aus der „partikularistischen" Verengung der israelitischen Religion heraus zu einem umfassenderen universalistischen Gottesverständnis wäre. Deuterojesaja selbst macht unmißverständlich klar, daß dies nicht seine Meinung ist. Im Gegenteil: in 49,26 heißt es in einer an „Zion" gerichteten Anrede: „Dann wird alles Fleisch erkennen, daß ich Jahwe bin, dein Helfer und dein Erlöser, der Starke Jakobs." Hier ist also beides in einem Satz miteinander verklammert: „alles Fleisch" erkennt, daß Jahwe Israels „Heiland" und Erlöser ist.

Die Gotteserkenntnis der Völker geschieht also nicht an Israel vorbei oder so, daß sie Israels Gotteserkenntnis dabei hinter sich lassen. Im Gegenteil: indem sie Gott als den Gott Israels erkennen, erkennen sie ihn als den einen und einzigen Gott. Anders ausgedrückt: Gott offenbart sich den Völkern als der *eine*, der er ist, indem er sich ihnen als der Gott Israels offenbart.

IV.

Ich lenke zum Ausgangspunkt zurück: Wie verhält sich der Universalismus der Offenbarungsaussagen Deuterojesajas zu dem universalgeschichtlichen Aspekt, unter dem Pannenberg das Programm „Offenbarung als Geschichte" entwickelt hat? Pannenberg schreibt: „Erst im Laufe der Geschichte, die von Jahwe her erfahren wird, erweist sich dieser Stammesgott als der eine, wahre Gott. Genaugenommen und endgültig resultiert dieser Erweis erst am Ende aller Geschichte. Aber im Geschick Jesu ist das Ende aller Geschichte im voraus, als Vorwegnahme ereignet."[5] Daraus folgert er: „In der Geschichte Israels hat sich Jahwe noch nicht als der eine Gott aller Menschen erwiesen. Er hat sich nur als der Gott Israels erwiesen."[6]

Wie kommt es zu dieser Aussage, die exegetisch offenkundig falsch ist und der auch zahlreiche Texte, die Pannenberg selbst zitiert, entgegenstehen? Ich muß mich dazu selbst zitieren: „Der noch bevorstehende, künftige Selbsterweis Jahwes zieht immer stärker die Erwartung und Hoffnung auf sich. Der frühere, vor allem der grundlegende in der Herausführung aus Ägypten, ist nicht vergessen; aber er kann nicht mehr als alleinige und endgültige Selbsterschließung Jahwes verstanden werden. Es wird Neues, Größeres erwartet; die volle Offenbarung Jahwes wird zu einer eschatologischen Größe."[7] Hier wird deutlich, daß wir damals das ganze Alte Testament eschatologisch interpretiert haben, „apokalyptisch" könnte man auch sagen. Mehrfach heißt es ausdrücklich, daß die Katastrophe des politischen Endes des Staates Juda und der Zerstörung Jerusalems durch Nebukadnezzar

---

[5] W. *Pannenberg* (Anm. 1) 98.
[6] Ebd. 103.
[7] Ebd. 27.

im Jahre 587/6 v. Chr. einen tiefen Einschnitt darstellt und daß Israel durch seine geschichtlichen Erfahrungen zu der Erkenntnis gekommen ist, „daß die letztgültige Offenbarung Jahwes noch aussteht"[8].

Die theologiegeschichtlichen Voraussetzungen dieser Auffassung sind offenkundig. Dahinter steht die schon seit de Wette und Vatke im Anfang des neunzehnten Jahrhunderts praktizierte Trennung des vorexilischen und des nachexilischen Israels. De Wette unterschied zwischen „Hebraismus" und „Judentum", wobei letzteres eine Degenerierung darstellte, „ein Chaos, welches eine neue Schöpfung erwartet"[9]. Für Vatke stellte Deuterojesaja den absoluten Höhepunkt der israelitischen Religion dar. Diese Auffassung hat sich bis in die Gegenwart durchgehalten. Für Wellhausen, Noth, von Rad (um nur diese großen Namen zu nennen) ist das Exil der große Einschnitt – danach geht es nur noch abwärts.

Aber es geht nicht nur abwärts. Es gibt eine Linie, nämlich die eschatologisch-apokalyptische, die eine Anknüpfung des Neuen Testaments an das Alte ermöglicht. Klaus Koch hat diese Auffassung einmal die „Propheten-Anschluß-Theorie" genannt[10]. So wird der garstige Graben des nachexilischen Judentums überbrückt, und das Neue Testament kann unmittelbar an Deuterojesaja anknüpfen und die Erfüllung seiner Erwartungen und Verheißungen konstatieren.

Natürlich haben auch christliche Alttestamentler immer gesehen, daß im Alten Testament vielfach die Erfüllung von Verheißungen konstatiert wird, wie z. B. Jos 23,14: „Erkennet von ganzem Herzen und von ganzer Seele, daß nicht ein Wort hingefallen ist von all den guten Worten, die Jahwe, euer Gott, über euch geredet hat. Alle sind für euch eingetroffen, kein einziges Wort davon ist hingefallen." Aber es hatte sich ein bestimmtes Verständnis des Zusammenhangs von Verheißung und Erfüllung herausgebildet, wie es besonders Zimmerli formuliert hat: Jede Erfüllung einer Verheißung setzt wieder neue Verheißung aus sich heraus. Erfüllung ist nie etwas Abschließendes; sie weist über sich hinaus auf neue Erfüllungen. So weist schließlich das ganze Alte Testament über sich hinaus – auf das Neue Teasta-

[8] Ebd. 41.
[9] Zitiert nach *R. Smend*, Wilhelm Martin Leberecht de Wettes Arbeit am Alten und am Neuen Testament (Basel 1958) 103.
[10] *K. Koch*, Ratlos vor der Apokalyptik (Gütersloh 1970) 35.

ment, in dem es heißt, daß alle Verheißungen in Jesus Christus erfüllt sind[11].

Diese Sicht ist von Pannenberg aufgenommen worden: „Der geschichtliche Selbsterweis Jahwes durch seine Taten, sooft er auch als endgültig angesehen wurde, behielt in Israel immer provisorischen Charakter. Er wurde immer wieder überholt durch neue Ereignisse, neues Geschichtshandeln, in welchem Jahwe sich auf neue Weise zeigte. Erst das Ende alles Geschehens kann … den endgültigen Selbsterweis Jahwes, die Vollendung seiner Offenbarung bringen."[12] Es ist offenkundig, daß hier ein dogmatisches – oder philosophisches – Postulat den exegetischen Sachverhalt verfälscht. Daß der Selbsterweis Jahwes durch seine Taten „provisorischen Charakter" habe, ist aus dem Alten Testament selbst nirgends zu belegen. Vor allem liegt hier m. E. ein entscheidender Denkfehler in Pannenbergs System: Es ist zwar richtig, daß sich in Texten der exilischen und nachexilischen Zeit die Erwartung eines neuen, großen geschichtlichen Handelns Gottes vielfältigen Ausdruck verschafft hat. Aber gerade Deuterojesaja, von dem dies in ganz besonderer Weise gilt, betont wie kaum ein anderer, daß Gott sich als der *eine,* als er selbst schon erwiesen *hat* und daß gerade darin die Hoffnung auf sein zukünftiges Handeln ihren Grund hat. Hier ist nichts von einem provisorischen Charakter des Selbsterweises Jahwes zu spüren. Im Gegenteil: die geprägte hymnisch-bekenntnishafte Sprache Deuterojesajas betont gerade immer wieder die eindeutige und definitive Selbstenthüllung dieses Gottes. Die vielfältigen Variationen der Formel „Ich bin Jahwe" bei Deuterojesaja haben gerade diese Intention.

Ich will dies noch einmal verdeutlichen, indem ich zu den oben zitierten Deuterojesaja-Texten noch ein Zitat hinzufüge: „So spricht Jahwe, der König Israels und sein Erlöser, Jahwe Zebaot: Ich bin der Erste und ich bin der Letzte, außer mir gibt es keinen Gott" (44,6). Diese Eindeutigkeit wird nirgends nachträglich zum Provisorium erklärt – es sei denn durch die christliche Dogmatik. Und wer etwas Gespür für geprägte Sprache hat, wird vielleicht die kurzen Formeln Deuterojesajas noch eindeutiger finden, in denen es einfach heißt: „Ich

---

[11] *W. Zimmerli,* Verheißung und Erfüllung, in: EvTh 12 (1952/53) 34–59 (= *C. Westermann,* [Hrsg.], Probleme alttestamentlicher Hermeneutik [1960, ³1968] 69–101).
[12] *W. Pannenberg* (Anm. 1) 103.

bin es" (*'ani hu*), besonders eindrucksvoll etwa in 48,12: „Ich bin es, ich bin der Erste und ich bin auch der Letzte." Dieses „Ich bin es" ist die prägnanteste Verkürzung des „monotheistischen" Bekenntnisses, wie wir es in 1 Kön 18 und Dtn 4 u.a. finden.

Gott hat sich in Israel als er selbst erwiesen – d.h. für uns, Juden, Christen und Muslime: *nur* in Israel. Wir kennen keinen anderen Gott als den Gott Israels, der sich uns in Israel zu erkennen gegeben hat. Dieses „in Israel" hat nun aber verschiedene Aspekte.

Zunächst bedeutet es: in der Geschichte Israels, im geschichtlichen Handeln Gottes an Israel. So sagt es das Alte Testament. Aber es sagt zugleich, daß dies nicht gleichmäßig von jedem beliebigen geschichtlichen Handeln gilt. So heißt es am Anfang des Dekalogs: „Ich bin Jahwe, dein Gott, der ich dich aus Ägypten herausgeführt habe", und ähnlich bei Hosea: „Ich bin Jahwe, dein Gott, von Ägypten her" (13,4). Die Herausführung Israels aus Ägypten ist die grundlegende Heilstat. Die anderen basieren darauf, und sie sind insofern als Selbsterweis des geschichtsmächtigen Gottes erfahrbar, als sie ihn als den Gott bestätigen, der Israel aus Ägypten herausgeführt hat.

Pannenbergs Satz ist deshalb umzukehren: „Der Selbsterweis des Gottes Israels findet nicht erst am Ende, sondern am Anfang der Geschichte Israels statt." Die ganze Glaubensgeschichte Israels – und die seiner Nachfolgereligionen! – hat darin ihren Grund. Wir glauben ja nicht an einen Gott, von dem wir noch nicht wissen, wie er sich uns zeigen und darstellen wird, sondern wir hoffen darauf, daß dieser Gott, der sich am Anfang in Israel als er selbst erwiesen hat, sich auch in Zukunft als er selbst erweisen wird im Sinne der Umschreibung seines Namens in Ex 3,14: „Ich werde dasein, als der ich dasein werde", oder: „Ich werde mich erweisen, als der ich mich erweisen werde." Er ist „Jahwe, der Gott eurer Väter, der Gott Abrahams, der Gott Isaaks und der Gott Jakobs – das ist mein Name für alle Zeit" (V. 15).

Aber es genügt nicht – theologisch und philosophisch – so von der Offenbarung Gottes in der Geschichte Israels zu sprechen. Denn die geschichtlichen Ereignisse werden ja erst dadurch zur Offenbarung Gottes, daß sie von den betroffenen Menschen als solche *erfahren* werden, daß diese Erfahrung verarbeitet, reflektiert, formuliert und weitergegeben wird. Wir können redlicherweise nicht einfach sagen: Gott hat sich in der Herausführung Israels aus Ägypten offenbart, sondern wir können nur sagen: Israel hat dieses Ereignis als die grundlegende

Heilstat erfahren, in der sich Gott offenbart hat als der, der er ist. Für Israel steht dieses Ereignis in einem größeren Zusammenhang: Dieser Gott ist der Gott der Väter – Abrahams, Isaaks und Jakobs –, und er ist der Gott, der Israel das Land gegeben hat, in dem es als sein Volk leben soll und in dem es die Erfahrungen, die es mit diesem Gott gemacht hat, reflektiert, formuliert und an die folgenden Generationen weitergibt, die sie ihrerseits wieder neu als ihre Erfahrung mit diesem Gott reflektieren und formulieren müssen.

Die Geschichte dieser Erfahrungen und theologischen Einsichten gehört mit dazu, wenn wir sagen: Gott hat sich „in Israel" offenbart. Die Erfahrungsgeschichte, Reflexionsgeschichte, Rezeptionsgeschichte gehören mit dazu. Nicht bloß die bruta facta – so wurde es uns oft in der hermeneutischen Diskussion der frühen sechziger Jahre entgegengehalten –, sondern ihre Aneignung und Verarbeitung gehören mit zur Offenbarung Gottes in Israel. Insofern ist das Alte Testament nicht nur Zeugnis von Gottes Offenbarung, sondern hat selbst an dem Offenbarungsvorgang Anteil[13].

„In Israel" schließt nun aber den universalistischen Aspekt nicht aus, sondern ein. Ich habe das schon an biblischen Texten zu zeigen versucht: Der Gott Israels offenbart sich allen Menschen als Gott Israels, d. h. als der, der sich Israel zuerst und bleibend als er selbst zu erkennen gegeben hat. Ich stelle noch einmal zwei Texte einander gegenüber: In Ps 76,2 heißt es: „Gott hat sich in Juda bekannt gemacht, in Israel ist sein Name groß"; und in Mal 1,11: „Vom Aufgang der Sonne bis zu ihrem Untergang ist mein Name groß unter den Völkern." Es ist derselbe *eine* Name desselben *einen* Gottes, der in Israel und bei den Völkern offenbar wird. Die Öffnung zu den Völkern ist nicht erst ein Spätstadium. Sie wird in der Spätzeit gelegentlich stärker betont, aber darin liegt keine Überschreitung des Bisherigen, schon gar nicht im Sinne einer Überwindung des „Partikularismus".

Die Spannung zwischen Israels Partikularismus und dem Universalismus seiner Gotteserkenntnis bleibt bestehen – für Israel und für die „Völker". Für diese dreht sich das Problem gleichsam um: Sie können

---

[13] Vgl. dazu auch schon R. *Rendtorff*, Geschichte und Überlieferung, in: Studien zur Theologie der alttestamentlichen Überlieferungen, hrsg. von R. Rendtorff und K. Koch (Neukirchen 1961) 81–94 (= Gesammelte Studien zum Alten Testament [München 1975] 23–38).

das universalistische „monotheistische" Gottesverständnis nicht anders haben als durch den Partikularismus Israels hindurch. Es ist nicht ihr Partikularismus – im Gegenteil: ihnen ist ein solcher Partikularismus verwehrt. Aber sie müssen es aushalten, daß Israel an seinem Partikularismus festhält, festhalten muß und daß darin ein unüberwindbarer Unterschied zwischen Israel und den Völkern bestehenbleibt, daß sie aber trotzdem beide verbunden bleiben in der Erkenntnis des *einen* Gottes, der sich in Israel für alle Völker offenbart hat.

B.

Die Beziehung
von Offenbarung und Tradition
in der jüdischen und christlichen
Glaubensgeschichte

III

Biblische Offenbarung
in der Grundspannung von Ursprung,
Überlieferung und Gegenwart

Von Dietrich Wiederkehr, Luzern

„*Biblische* Offenbarung" erweckt den Eindruck, es sei die Darstellung eines historisch eindeutigen und harmonisierten Offenbarungsverständnisses und -begriffs möglich, auf den wir uns allein auf der Basis der gemeinsamen Texte des „Bibel" genannten Buches einigen könnten. Dabei ist schon der Umfang des von christlicher Theologie so genannten Alten und Neuen Testamentes eine Vorentscheidung, die nicht allein aus den biblischen Texten zu gewinnen ist. Aber auch innerhalb des christlichen Kanons sind kirchlich-konfessionelle Differenzen wirksam, die äußerlich den Umfang, sachlich aber noch mehr die Interpretation entscheidend beeinflussen. Dann scheint es aber redlicher zu sein, diese systematische Implikation und Voraussetzung auch einzubeziehen und einzugestehen; so will im folgenden auch die Darstellung verstanden sein: Es wird sich ebensosehr um eine bestimmte Gewichtung und Systematik biblischer Offenbarungskategorien und -perspektiven handeln, die sowohl exegetisch-historisch wie auch theologisch-systematisch diskutabel bleiben. Sie haben als mehr oder weniger ausgesprochenen Hintergrund den ungefähren Konsens, der in der neueren katholischen systematischen Theologie über Offenbarungsgeschichte, über Verheißung, Erfüllung und Vollendung besteht[1].

Bei der „*Grundspannung*" drängte sich vom biblischen Offenbarungsverständnis her auch die vorher vernachlässigte Kategorie

---

[1] Als Konsensdokument kann vor allem die Dogmatische Konstitution über die göttliche Offenbarung gelten. Lateinisch-deutscher Text und Kommentare (J. Ratzinger, A. Grillmeier, B. Rigaux), in: LThK, Zweites Vatikanisches Konzil (Freiburg i. Br. 1967) 497–583.

Für die verschiedenen Darstellungen und Konzeptionen von Offenbarung in der Systematischen Theologie vgl. die Monographie von *P. Eicher*, Offenbarung. Prinzip neuzeitlicher Theologie (München 1977).

„Zukunft" auf, ohne die sinnvoll kaum von Offenbarung gesprochen werden kann; demgegenüber rückten Überlieferung und Gegenwart als benachbarte Perioden zusammen als traditio continua.

Noch vor der Differenzierung in verschiedene offenbarungsgeschichtliche Schwerpunkte gilt es als ein gemeinsames Kennzeichen biblischer Offenbarung, daß sie sich als geschichtliche abhebt von anderen Offenbarungserfahrungen und -verständnissen. Die Zeugen biblischer Offenbarung sehen sich durch den Anruf Gottes nicht von ihrer Welt und ihrer Geschichte, ihren sozialen Beziehungen und Verantwortlichkeiten abgelenkt und abgezogen, sondern erst recht neu und beanspruchend in sie eingewiesen. Gottes Ruf ergeht nicht aus zeitlosen, immer sich wiederholenden Rhythmen der Natur oder des menschlichen Bios, auch nicht aus einer beziehungslosen religiösen Innerlichkeit, sondern im Kontext menschlicher und weltlicher Geschichte. Dieser Vektor der Geschichtlichkeit ist so stark, daß er auch Elemente aus anderer Religiosität, Überlieferungen aus vorgefundenen und assimilierten Kulturen, an sich zieht und in die gleiche Richtung bewegt: Dies läßt sich beobachten an der „Vergeschichtlichung" agrarischer Bräuche durch die Exodusgeschichte oder an der Neu- und Um-formung von Mysterienritualen durch den geschichtlichen Bezug auf Jesu Tod und Auferstehung in der neutestamentlichen Taufe. Offenbarung entführte jetzt nicht mehr in eine zeit- und geschichtslose Transzendenz, sondern formte umgekehrt eine statische metaphysische Transzendenz in eine geschichts- und zukunftsorientierte Transzendenz um; aus „oben" wurde „vorn". Ohne eine totale „Vaterschaft" zu beanspruchen, wird man wohl sagen dürfen, daß das abendländische Geschichtsverständnis sich zu einem guten Teil gerade der *offenbarungs*geschichtlichen Erfahrung verdankt, wenn es sich auch säkularisiert und von dieser anfänglichen Prägung freigemacht hat. Nachdem erst in religiöser Gestalt Geschichte erfahren und erlernt worden war, vermochte man auch in einem weiteren Rahmen Geschichte zu sehen und zu verwirklichen.

Die folgende Typisierung der Offenbarung innerhalb der gemeinsamen Geschichtlichkeit ist nicht so zu verstehen, als ob die unterschiedlichen Gewichtungen völlig getrennt voneinander auskommen könnten. Es liegt im Wesen schon einer formalen Geschichtlichkeit (die allerdings nicht als solche voraus-existiert und erst nachträglich aufgefüllt worden wäre), daß sich Ursprung, Überlieferung, Gegenwart und Zukunft gegenseitig bedingen und auch nur in gegenseitiger Beziehung bestimmt werden können. Konkret: die Erwählung und die Herausführung Israels implizieren bei aller Abhebung und allem Neubeginn doch eine bisherige Geschichte, sei es diejenige der Patriarchen oder die der Knechtschaft in Ägypten. Desgleichen öffnet sich die Metapher des Exodus auf Zukunft, auf das verheißene Land, auf das Verbleiben und Leben darin, auf integrale Befreiung, mag sich dann dieses Zukunftsziel auch nur durch ständige Entzüge und Neu-aufbrüche erreichen lassen. Vergangenheit wird durch Zukunft, Zukunft umgekehrt durch Vergangenheit, ob kontrastierend, erfüllend oder überbietend beschrieben; Gegenwart hält erfahrene Geschichte fest oder wird gesprengt und geöffnet auf Zukunft hin und von ihr her: So mißt sich etwa die neutestamentliche Geist-erfahrung an den Kriterien der Predigt von Jesus Christus und an der Ausständigkeit seiner Verherrlichung. Trotzdem: auch innerhalb dieses gemeinsamen und für Offenbarungsgeschichte doch konstitutiven Rasters sind verschiedene Gewichtungen, Schwerpunktbildungen zu erkennen und in der Geschichte der biblischen Religion und in ihren theologischen Repräsentanten auch immer wieder durchgespielt worden. Schwerpunktbildung im wörtlichen Sinn, weil die jeweils als Pol bevorzugte Offenbarungszeit wie ein magnetischer Schwerpunkt wirkte, in dem das entscheidende und maßgebliche Handeln Gottes und des glaubenden Menschen geortet wurde, von dem her und auf das hin alle übrige Geschichte wie mit den Kraftlinien eines Magnetfeldes gegliedert und gedeutet wurde. Jede Gewichtung löste eine Verlagerung der Ereignisse und Aussagen aus, die bis zu Gleichgewichtsstörungen und Vernachlässigungen gehen können: Betonung des Ursprungsgeschehens auf Kosten von Überlieferung, Gegenwart und Zukunft und umgekehrt usw. Im folgenden sei nun eine eher systematische als exegetisch-historische Typologie unternommen, die allerdings durch Rückgriffe und Illustrationen aus den biblischen Schriften oder aus kennzeichnenden Perioden christlicher Frömmigkeit, Theologie oder Praxis veranschaulicht werden soll[2].

---

[2] *K. Koch*, Die heilsgeschichtliche Dimension der Theologie. Von der heilsgeschichtlichen Theologie zur Theologie der Geschichte (Theologische Berichte 8) (Zürich 1979) 135–188, vermittelt eine Übersicht über die betont offenbarungs-*geschichtlichen* Entwürfe und Entwicklungen (Pannenberg, Moltmann u. a.).

1. Schwerpunkt: geschichtliche Ursprungsoffenbarung

a) Beschreibung

Die Struktur ist christlichem und jüdischem Offenbarungsverständnis analog – gemeinsam: Sie blicken beide innerhalb einer Überlieferung und in einer Gegenwart auf ein konstitutives Ursprungsgeschehen zurück und bewegen sich auch auf eine von daher verheißene Zukunft hin. Es sind aber verschiedene Maße denkbar, in denen dieses Ursprungsgeschehen über die seitherige und die noch offene Geschichte entscheidet. Christliches Offenbarungsverständnis zieht für die Kennzeichnung und Auszeichnung des Ursprungs fast alle bereitliegenden jüdischen, später auch griechischen Koordinatensysteme heran. In Jesus von Nazaret, seiner Verkündigung, Praxis und in seinem Geschick, sieht das Christentum die alttestamentliche Erwählungs- und Verheißungsgeschichte zu ihrem Ziel geführt und noch überboten; dabei kann es das Ursprungsgeschehen in Jesus Christus immer noch als kontinuierliche Erfüllung oder als gegensätzliche Krisis der verschiedenen alttestamentlichen Linien verstehen: Beides trifft etwa für das Verhältnis Jesu und seines Gebotes zum Gesetz zu. Ebenso werden aber auch die messianischen Bilder, die eschatologischen Erwartungen und Verheißungen herangezogen, um den Stellenwert Jesu innerhalb des Zukunftshorizontes als Brennpunkt auszuzeichnen: Jesus verkündet und inauguriert die Gottesherrschaft, überschreitet und läßt auch andere die Schwelle zur Fülle der Zeiten überschreiten, bricht die Satansmacht und antizipiert die neue richtende und heilende Gegenwart Gottes (dies etwa die Signalisierungskategorien der synoptischen Evangelien). Konzentriert auf den Tod und die Auferstehung Jesu, benützt Paulus die eschatologische Tat von Gottes sich offenbarendem Gericht und rettender Gerechtigkeit. Das Johannesevangelium holt die zukünftigen Heilsgüter des Lebens, des Lichtes und der Wahrheit ins präsentische „Ich bin..." herein.

Die christliche Gemeinde blickt bereits auf dieses Geschehen zurück mit unterschiedlich verspürtem Abstand: teils noch im Umkreis des

---

Die Auswirkung der Grundspannung auf die Methoden der Systematischen Theologie wird behandelt in: *D. Wiederkehr*, Theologisches Denken im Spannungsfeld von Ursprung, Überlieferung und Gegenwart: ebd. 13–33.

Brennpunktes und seines Lichtes, teils schon mit auch qualitativ abgehobenem Abstand, wie die lukanische Gemeinde. Sie alle reden im Perfectum von einem Geschehen, einem Handeln Gottes in Jesus Christus, das alles vorherige und weitere Reden und Handeln Gottes (wenn es überhaupt mit weitergehender Geschichte rechnet) in sich sammelt und bestimmt. Je nachdem, welche kategoriale menschliche Gestalt der Offenbarung im Vordergrund steht, sieht die christliche Gemeinde in Jesu Wort das entscheidende Reden Gottes, in Jesu Tun sein entscheidendes Handeln, in Jesu Geschick die entscheidende Wende, in Jesu Glauben und Beten die entscheidende Erfahrung. *Offenbarung also im Perfekt:* Gott hat in Jesus sich selber geoffenbart. – Was heißt dies, was beläßt dies noch an Überlieferung, Gegenwart und Zukunft, was bleibt auch von der vorherigen, hinführenden und auf dieses Geschehen hingeführten Geschichte? Schrumpft die übrige Zeit zusammen, und fließt sie einfach in diesen Schmelzpunkt hinein? Oder behalten diese Zeit-Dimensionen noch einen eigenen und offenen Wert?

b) Einseitigkeiten und Grenzfälle

Die Geschichtstheologie des Neuen Testamentes nimmt für das Christusereignis in Anspruch, daß in ihm sowohl die ganze Verheißungsgeschichte des jüdischen Volkes wie sogar die Ausrichtung der ganzen Schöpfung zur Erfüllung komme; das Argument der Schrifterfüllung, die typologische Auslegung des Gesetzes, die Konvergenz der Verheißungen usw. reduzieren so die israelitische Glaubensgeschichte zur „Vor-geschichte" des Christusereignisses, die Offenbarung Gottes im – von den Christen so genannten – Alten Testament zur Vorbereitung und Hinführung auf die erfüllende Selbstoffenbarung in Jesus von Nazaret. Andere Entwürfe – in den geschichtstheologischen Hymnen des Epheser- und Kolosserbriefes – ziehen vom gleichen Mittelpunkt aus die Kreise noch weiter auf die Schöpfung und auf alle Zeiten. Darin ziehen sie allerdings nur eine Analogie zu einem Vorgang, der auch von der israelitischen Ursprungsoffenbarung im Exodus und Bundesschluß aus vorgenommen wurde, die die Totalität der Wirklichkeit in der Schöpfung einbrachten in die Offenbarung Jahwes.

Gegenüber diesem vereinnahmenden Anspruch setzt sich aber von Anfang an das Judentum zur Wehr: Der Anspruch und die Heilszusage Jesu gegenüber der Erwählungs- und Verheißungsgeschichte seien nicht gedeckt, seien nur durch spiritualisierende und entweltlichte Interpretation der Verheißung, vor allem durch eine anpassende Reduktion der universalen Heilsverheißung erreicht worden. Zu vieles an Heil, an Gerechtigkeit und Frieden, an Gotteserkenntnis und Gehorsam sei noch uneingelöst, als daß die Glaubensgemeinschaft Israels seinen Gott und sich selber in diesem christlichen Ursprungsgeschehen wiedererkennen und darin einfinden könnte. – Es wird gerade hier in diesem Gespräch eine ehrliche Gegenüberstellung versucht werden müssen, wieweit nicht so sehr die Person Jesu und seine eigene Verkündigung (Genitivus subjectivus), als vielmehr die christliche und kirchliche Verkündigung *von* Jesus Christus (Genitivus objectivus) den behaupteten Erfüllungsanspruch auch eingelöst oder offengelassen hat. Die Argumentation mit dem Schema Verheißung – Erfüllung darf auf alle Fälle nicht unter Ausschluß der ursprünglichen Verheißungsträger, bloß durch andere, nachträgliche und spätere Erben durchgeführt werden. Die christlichen Kirchen können es nicht dabei bewenden lassen, daß sie diese Verifikation ein für allemal durch die neutestamentlichen Schriftsteller geleistet sehen, sondern haben sich dem jüdischen Verständnis des Gesetzes und der Propheten zu stellen, auch wenn daraus eine in vielem noch offene Rechnung hervorgehen sollte. Die Erzählung vom Rabbi, der der christlichen Behauptung vom gekommenen Messias die Frage nach den Zeichen der Erlösung entgegenstellt, meldet diese Aufgabe deutlich und schmerzlich an. Jesus Christus als das ursprüngliche, überbietende und unüberholbare Offenbarungsgeschehen – das ist nicht ein Ausgangspunkt, hinter den nicht mehr zurückgefragt werden dürfte. Weil das Alte Testament von Gottes geschehener und endgültiger, darum auch genügender Selbstoffenbarung spricht, kann neutestamentliche Theologie nicht markionitisch wie von einem anderen und neuen Gott reden[3].

Auch in die Überlieferungsgeschichte hinein kann sich die Konzentration des Offenbarungsgeschehens entleerend auswirken. Um so mehr als der Überlieferungsprozeß kein formaler und abstrakter Inter-

---

[3] Daß der Dissens über geschehene oder noch ausstehende Offenbarung nicht so sehr ein theoretisches, sondern ein praktisches und Leben und Tod entscheidendes Problem ist, hat D. Sölle am Thema der Stellvertretung gezeigt: Die Stellvertretung Christi vor Gott impliziert auch eine Vorläufigkeit. Vgl. *D. Sölle*, Stellvertretung. Ein Kapitel Theologie nach dem „Tode Gottes" (Berlin [4]1967), 142–150: Zur Auseinandersetzung mit dem Judentum.

pretationsvorgang ist, sondern von einer tradierenden Gemeinschaft als Institution und von tradierender Praxis resp. Nicht-praxis getragen wird. Immer wieder stand die Christenheit vor der Versuchung, entweder ängstlich beim Ursprung in seiner positiven geschichtlichen Gestalt stehenzubleiben und keinen Schritt in neue Sprache, neue Praxis und Situierung hinein zu tun; oder an einer bestimmten Stelle des Überlieferungsweges erlahmte die schöpferische und fruchtbare neue Auslegung des Ursprungs und verblieb in einer zunehmend erstarrenden Gestalt der Tradition.

An den Schwellen zu neuen Kulturen oder bei einer geistesgeschichtlichen Zäsur ist die Versuchung besonders groß, aus Ängstlichkeit vor den Risiken einer freien und fruchtbaren neuen Aktualisierung des Ursprungs zurückzuweichen und den einfacheren und sicheren Weg der Bewahrung, des Rückgangs und Rückzugs auf den jetzt besonders hochgehaltenen „Ursprung" zu wählen. Auf Kosten neuer Vergegenwärtigung und erst recht einer beweglichen Offenheit auf Zukunft hin sichern sich die Christenheit, die Kirche, die Theologie, die Lehre, die christliche Praxis ab auf bewährten und überlieferten und oft hinterher als ursprünglich stilisierten Mustern. Ursprung ist schon allgemein romantisch mißbrauchbar gegen Überlieferung, gegen Vergegenwärtigung und gegen Zukunft – erst recht kann die Qualifizierung des Ursprungs als Offenbarung, als endgültige und bleibende, unüberholbare Selbstoffenbarung Gottes, herangezogen und mißbraucht werden. Diesen Rückzug auf Ursprung zu unterscheiden vom regenerierenden und befreienden Rückgang auf den Ursprung und aus ihm heraus ist oft nur durch die grundsätzliche Bewegungsrichtung, nicht schon durch das einzelne Argument ex origine möglich. Kirchengeschichtlich gibt es den Ruf nach den „apostolischen Zeiten" in beiden Bedeutungen und Interessen: im Sinn kritischer und fruchtbarer Erneuerung wie im Sinn restaurativer und stabilisierender Erstarrung.

Die Spannung und ihre Überwindung zeigt sich als praktisches Problem erst dann vollständig, wenn man sich bewußt bleibt, daß Offenbarungserfahrung, -erzählung und -bezeugung nicht ein von sich selber getragener und angetriebener Vorgang ist, sondern von tradierenden Subjekten, in ihrer geschichtlichen, gesellschaftlichen und institutionellen Gestalt getragen werden muß.

c) Unverzichtbare Notwendigkeit

Haben wir soeben eine Betonung des Ursprungs der Offenbarung „per excessum" beschrieben, so gilt es abschließend doch die unverzichtbare Notwendigkeit und den bleibenden kritischen und inspirierenden Wert des Ursprungs festzuhalten. Nur durch das lebendige Gedächtnis des Ursprungs – was mehr ist als eine konservierende Verteidigung eines Urtextes – bleibt alle christliche, theologisch-reflektierende und sprachliche, wie auch die kirchliche praktische Überlieferung beständig gemessen und orientiert an ihrer Norm, an Person und Verkündigung und Geschick Jesu von Nazaret. Eine Glaubensgemeinschaft, die einmal im Zeichen geschichtlicher und antizipiert-eschatologischer Offenbarung angetreten ist, muß sich dieser kritischen Erinnerung gegen alle Versuche der Abschwächung oder des verdrängten Gedächtnisses stellen. Mag es die Versuchung des protestantischen Typus sein, vor lauter „sola scriptura" hinter der Freiheit der Überlieferung und Vergegenwärtigung zurückzubleiben, so ist es sicher noch mehr die katholische Versuchung, etwa in der Theorie der „zwei Quellen" von Schrift und Überlieferung, den unverzichtbaren Rang der ursprünglichen Offenbarung zu nivellieren[4]. Die „Spielarten" der folgenden anderen Gewichtungen werden noch einmal Gelegenheit geben, diesen unverzichtbaren Rang des ursprünglichen Offenbarungsgeschehens zur Geltung zu bringen.

2. Schwerpunkt: eschatologisch-zukünftige Offenbarung

Sowohl vom biblischen Befund her wie von unserer methodischen Absicht her, das Spannungsfeld möglichst offen und weit zu halten, soll jetzt an zweiter Stelle vom Gegenpol die Rede sein: Schon von seiner Herkunft und seiner häufigsten Verwendung her ist Offenbarung (apokalypsis) ein endzeitliches, die Geschichte kritisch oder/und erfüllend abschließendes Geschehen. Die konkreteren biblischen Bezeichnungen dafür, wie „Reich Gottes", „Herrlichkeit", „Heil",

---

[4] Zur Diskussion der „zwei Quellen" im Vorfeld der Offenbarungskonstitution von Vaticanum II vgl. den Kommentar von J. Ratzinger in: LThK, Zweites Vatikanisches Konzil (Freiburg i. Br. 1967) 515–528.

haben als ursprüngliches Tempus meistens das Futurum und treten nur von ihm her in die Gegenwart oder in die frühere Geschichte herein. Damit stehen wir schon in der

a) Beschreibung

Wieder könnte man fragen, ob es zuerst eine allgemein menschliche geschichtliche Zukunftsausrichtung als solche gebe, in die sich dann beherrschend die religiöse Inhaltlichkeit der Zukunft Gottes und seines Handelns einfügte, oder ob gerade an dieser Aufsprengung einer nur verlängerten Gegenwart durch Gottes Verheißung und Handeln eine authentische geschichtliche Dimension Zukunft überhaupt erst erfahren und erlernt wurde. Sicher hat die menschliche Dimension Zukunft durch die alt- und neutestamentlichen Verheißungsinhalte und -energien eine Radikalisierung erfahren. Die zukünftige Offenbarung Gottes fügt sich nicht einfach verlängernd und bestätigend, vielleicht noch steigernd, in die menschlichen Entwürfe und Projekte von Zukunft ein, sondern durchbricht sie richtend und übersteigend, sowohl was ihre Denkbarkeit wie ihre Realisierbarkeit betrifft. Hier, nicht in einer zeitlosen Transzendenzerfahrung zwischen dem Sichtbaren und Unsichtbaren, sondern ausgespannt zwischen dem Bestehenden und dem Verheißenen, dem Gewohnten und dem Neuen, an dieser Spannung und Differenz wird auch erst Transzendenz zwischen Endlichem und Unendlichem erstmals erfahren und formuliert. Gottes Herrschaft wird sich als mächtiger erweisen gegenüber den bestehenden politischen, geistigen oder religiös-dämonischen Mächten des Unheils, des Unrechts und des Ungehorsams, des Todes und der Sünde. Sie tritt der menschlichen Geschichte richtend und unterwerfend, zur Entscheidung fordernd, aber – in der prophetischen Predigt und in der Verkündigung Jesu – auch rettend gegenüber. Sie bleibt nicht auf eine isolierte und beziehungslose Offenbarung Gottes selber, als Herrlichkeit, Wahrheit, Leben usw. beschränkt, sondern gerade so, indem diese Wirklich*keit* Gottes sich auch am Menschen und an der Welt als Wirk*sam*keit erweist: als belebende Auferweckung der Toten, als aufdeckende Wahrheit gegenüber der Lüge und der Finsternis, als Friede gegenüber der Zwietracht und der Zerstreuung.

Mag jetzt aber diese zukünftige Offenbarung noch so sehr außerhalb der Denk- und Handlungsmöglichkeiten des Menschen in der

Geschichte liegen, so ragt sie doch in diese Geschichte herein, wirft sich in der Offenbarungsgeschichte an Israel und an die Menschen ihr eigenes Licht und ihren Anspruch schon voraus. Und die endzeitliche Offenbarung kann denn auch nur von solchen vergangenen oder gegenwärtigen Offenbarungs-voraus-Erfahrungen her verkündigt, verstanden, angenommen oder abgelehnt, realisiert oder behindert werden. Noch das übersteigende Futurum sagt sich an in einem Zeugnis und einer Verkündigung, die auf Geschehenem und Gegenwärtigem aufruhen und davon ausgehen. Noch die überbietende Befreiungstat Gottes bei der Heimführung aus dem Exil nimmt ihr Maß an der Herausführung aus Ägypten, selbst wenn es dieses Maß im gleichen Atemzug sprengt. Noch mehr bestimmt dieser Wechselbezug die *Christologie* des Neuen Testamentes und der Überlieferung (jedenfalls solange die Überlieferung das Christusgeheimnis auch mit geschichtlichen und eschatologischen Kategorien artikuliert): Wer Jesus ist, wird im hereinfallenden Licht der Gottesherrschaft gezeigt; und umgekehrt: Was Gottesherrschaft heißt, wird mit einem Licht konkretisiert, das gleichsam aus dem Brennpunkt Jesu, seiner Verkündigung und seines Handelns, gewonnen ist. Die Vorstellung der Gottesherrschaft, des messianischen Reiches, wird gerade an Jesus und von ihm einer kritischen Neubestimmung unterzogen, die für die angetroffenen und vorgefundenen, herangetragenen und festgehaltenen Erwartungen eine radikale Kritik bedeutet. Ein ähnlicher Zirkel der gegenseitigen näheren Bestimmung von Offenbarungszukunft und Offenbarungsgegenwart bestimmt auch die Auferstehungstheologie des Paulus im 1. Korintherbrief: Der Osterglaube bedient sich der übernommenen Auferstehungserwartungen, diese Erwartungen werden aber vom Glauben an den auferweckten Gekreuzigten her neu bestimmt und korrigiert.

Seine große Zeit hat dieser Schwerpunkt der zukünftigen Offenbarung im Neuen Testament und in der Überlieferung/Gegenwart offenbar dann am meisten, wenn die glaubende Gemeinde selber in ihren Krisen an der Verborgenheit der geschehenen Offenbarung und an der Defizienz der eigenen gegenwärtigen Glaubenserfahrung und -situation leidet. Auch wenn die christliche Gemeinde daran festhält, daß in Jesus von Nazaret die Fülle der Zeiten gekommen ist, wenn sie etwa auch in sich selber die Erfahrung des Geistes als Angeld der Herrlichkeit macht, verspürt sie noch viel deutlicher die Diskrepanz zwischen dieser Zusage und Verheißung einerseits und der erfahrenen und sichtbaren Situation andererseits. Nicht in Zeiten intensiver und beinahe schwärmerischer Heilsgewißheit, sondern in Zeiten der Anfechtung wird denn auch der Schwerpunkt der zukünftigen Offenbarung hervorgehoben und zum magnetischen und magnetisierenden Pol des Offenbarungsglaubens und -verständnisses, der als unbändige Naherwartung und -ungeduld in die Geschichte hereinragen kann. Als Beispiele dieser Stimmung lassen sich etwa der 1. Thessalonicherbrief des Paulus oder die sogenannte Johannesapokalypse der verfolgten und bedrängten kleinasiatischen Gemeinden anführen.

b) Einseitigkeiten und Grenzfälle

Ein so diffiziles Gewichtsverhältnis kann wiederum nicht ohne einseitige oder überlastige Gewichtungen bleiben, wie die Geschichte der neutestamentlichen Gemeinde und der christlichen Theologie und der christlichen Praxis zeigt.

Um mit einem modernen kritischen Fall zu beginnen: Die Phase der theologischen Eschatologie und ihre oft krampfhafte Bemühung, mit dem technischen und gesellschaftlichen Fortschritt mitzuhalten, hat uns – wie auch die Gesellschaft – längere Zeit über die Fragwürdigkeit dieses Entwicklungsoptimismus hinweggetäuscht. Daß im Zug der Entwicklung schließlich das Subjekt des freien Menschen, aber auch das globale Subjekt unserer Welt und Natur auf der Strecke bleiben könnten, hat uns heilsam den von Zukunft faszinierten Blick auf die *Schöpfung* zurückgewandt. Zukunft auf Kosten der Gegenwart, der Überlieferung, der Geschichte und des Ursprungs: Was bei Markion noch theologisch entzweigebrochen worden war, ist nahezu auch gesellschaftlich und politisch wiederholt worden, ohne daß die Theologie es rechtzeitig wahrgenommen hätte[5].

Ähnlich ist in der christlichen Frömmigkeit wiederholt die ausstehende Offenbarung überbewertet worden, so daß die im Ursprung geschehene und für die Überlieferung aufgetragene Offenbarung unterbewertet wurde. Dabei konnte und kann sich diese Unterbewertung

---

[5] Zur Schöpfungstheologie aus innertheologischen und gesellschaftlichen Anstößen vgl. *J. Moltmann*, Zukunft der Schöpfung (München 1977); *O. H. Steck*, Welt und Umwelt (= UTB 1006) (Stuttgart 1978); *D. Wiederkehr*, Schöpfung und Eschatologie, in: WiWei 38 (1975) 81–100.

noch mit dem ganzen Vokabular der „Verborgenheit", des „Kreuzes" und des „noch-nicht-offenbaren Heils" trösten und selber täuschen. Glaube ist dann derart Hoffnung, als ob ihm nicht doch schon die Verheißung zugesagt und der Grund der Hoffnung vorgestreckt wäre, als ob nicht schon die Gabe des Geistes auch ihre sichtbaren und wirksamen Früchte erbringen könnte und müßte, als ob nicht die Gemeinde der Offenbarungszeugen die geschehene Offenbarung und das inaugurierte Heil auch tätig zu bezeugen hätte. Nicht nur der 2. Thessalonicherbrief hat mit Leuten zu schaffen, die die nah erwartete Offenbarung und Erlösung so hoch preisen, um nur in der Zwischenzeit nicht mehr arbeiten zu müssen! In der Religionskritik bis Marx und über ihn hinaus ist dieser Vorwurf an den einzelnen Christen und an die christlich passive Einstellung gegenüber strukturellem gesellschaftlichem Unrecht immer wieder erhoben worden. Das Pathos des Eschatologischen, Unverfügbaren und Nicht-Machbaren, der qualitativ anderen neuen Vollendung durch Gott, hat auf diesem Hintergrund nicht nur lauteren Klang, sondern kann in frommen Worten gegenwärtige Verantwortung auf zukünftige Offenbarung abschieben.

In einer anderen Spielart sind Ursprungs- und Zukunftsoffenbarung dort auseinandergefallen, wo der Glaube das Gedächtnis verliert und sich schwärmerisch der Zukunft entgegenreckt: wo die Gottesherrschaft sich an Utopien orientiert, die nicht an den praktischen und praktizierten Bildern der Praxis Jesu und in seinem Umkreis entstanden sind. Zukunft, die ihre Herkunft vergessen wollte oder sie vergessen zu können meinte, dabei aber den tragenden und durchhaltenden Hoffnungsgrund mit verlor. Dann wären der Schöpfer und seine Schöpfung am Ziel nicht mehr dabei; der Gott der Zukunftsoffenbarung und seine Welt wären etwas anderes als diejenigen des Anfangs. Dabei zeigt doch die Vision des Heils bei Deuterojesaia bei aller qualitativen Überholung die Schöpfung in die Heilsvollendung eingeschlossen (Jes 41, 18–20; 43, 16–21 usw.).

Wenn der aufgeladene magnetische Pol Zukunft das ursprüngliche Offenbarungsgeschehen in sich zu absorbieren vermochte, sind in den gleichen Sog auch andere zugeordnete geschichtliche Wege und Erträge hineingerissen worden: die alttestamentliche Erwählungs- und Verheißungsgeschichte, die von der Christusoffenbarung ausgelöste Überlieferung und ständige Neuinterpretation, die Bewährung der Gegenwart usw., bis ein eigentliches Vakuum entsteht, das allein eine

– vom Vakuum her nicht mehr zu bestimmende – „ganz andere"
Zukunft ablösen wird. Das jetzt mögliche Zeugnis reduziert sich dann
auf eine „relative" „eschatologia negativa"[6].

c) Unverzichtbare Notwendigkeit

Dem Übergewicht an Zukunftsoffenbarung steht aber auch ein Unter-
gewicht gegenüber: Ein echtes geschichtliches Verständnis und eine
praktische Bezeugung von Offenbarung sind auch dann gestört, wenn
umgekehrt die entziehende und aufbrechende künftige Offenbarung
nicht mehr wirksam wird, wenn sich der Glaube, die Theologie und
– auch hier wiederum praktisch und politisch – die tragenden Gemein-
schaften und Institutionen auf der geschehenen Ursprungsoffenbarung
ausruhen und im sicheren Besitz wähnen, wenn ihre Überlieferung
nichts anderes mehr ist als ein folgerndes Schließen aus vorentschiede-
nen Prämissen, die Verlängerung bisher angebahnter und beschrittener
Wege. Es fehlt dann dem Glauben die beunruhigende Störung in seiner
possessorischen Versuchung, der Praxis fehlt der Stachel der noch ausstehenden und aufgetragenen Erlösung. Noch wo es die aktuelle Vergegenwärtigung und praktische Bezeugung gibt, hält diese sich entweder für ausreichend oder wagt gar nicht mehr an größere Möglichkeiten
zu denken. Das Denken und das Tun des Glaubens nehmen dann ihr
Maß am Bisherigen, am Denkbaren und Möglichen, am Gewohnten
und Angepaßten. Darum müssen die Augen des Glaubens sich bereit
halten für den heilsam befremdenden Glanz der Herrlichkeit; ebenso
gilt es, die erreichten Zeichen des Heils in ihrer Beschränktheit zu sehen
und an ihre Ausstände zu erinnern durch die Vision des Reiches Gottes, des neuen Himmels und der neuen Erde. Der Stachel kann auch
noch kirchen- und konfessionsspezifisch geschärft werden: wenn pro-
testantische Theologie, Frömmigkeit und Spiritualität die eschatologische Prärogative Gottes eher zu hoch halten, so daß ob des hoffenden
Glaubens die hoffenden *Werke* zu kurz kommen und sich die theologia crucis auf eine uns unerreichbare „theologia (und praxis) gloriae"

---

[6] Die anfängliche, inhaltliche Abstraktion des „eschatologischen Vorbehaltes" sowie
die seitherige Einbringung der Geschichte des Leidens bei *J. B. Metz*, Glaube in Geschichte und Gesellschaft (Mainz 1977) bes.: Zukunft aus dem Gedächtnis des Leidens (87–103) und: Hoffnung als Naherwartung oder der Kampf um die verlorene Zeit
(149–160).

vertröstet, so gilt die Mahnung für katholisches Christentum und Kirchlichkeit umgekehrt: Hier müssen sich die Unfehlbarkeit und Sicherheit der überlieferten Wahrheit erschüttern lassen durch die Gott eigene Wahrheit, die an *seinem* Tag offenbar werden wird; hier ist deutlich zu machen, daß eine Kirche auch mit den sakramentalen Bürgschaften des ewigen Lebens (Eucharistie: wer mein Fleisch ißt, *hat* ewiges Leben) das Heil selber nicht in ihren Händen hat. So schwierig es immer wieder ist, zwischen der falschen und trägen Bescheidung vor der künftigen Herrlichkeit und einer echten Bescheidung zu unterscheiden – kein je erreichter geschichtlicher Horizont darf sich mit dem Horizont der eschatologischen Offenbarung verschmelzen[7]. Daß gerade hier ein heilsamer kritischer Dienst des *Judentums* am Christentum von uns Christen zu erbitten und auch anzunehmen ist, wird sicher von anderen Gesprächsteilnehmern noch ausführlicher gesagt werden; Israel als Zeuge der revelatio futura.

3. Schwerpunkt: Überlieferung und Gegenwart von Offenbarung

Gegenüber den beiden Polen der ursprünglichen und vollendenden Offenbarung mag es erlaubt sein, die frühere und die gegenwärtige dazwischenliegende Zeit und Geschichte einander als „Überlieferung" anzunähern. Der Unterschied zwischen bisheriger und neuer vergegenwärtigender Überlieferung sei nicht etwa verharmlost, wovor gerade die zögernde und zaghafte Haltung vieler Christen in den Kirchen warnen müßte. Aber die verschiedenen Etappen des Überlieferungsweges mit ihren Unterschieden bleiben doch hinter den beiden noch ganz anders abgehobenen Polen des Ursprungs und der eschatologischen Offenbarung zurück. Gegenwart ist einerseits der immer neue Ernstfall von Überlieferung, für den die bisherige Überlieferung zwar kein vorgespurtes Geleise, aber immerhin einen Erfahrungsvorrat und eine Vielfalt von gelungenen und mißlungenen Modellen liefern kann. Vor allem aber wird es darum gehen, diese „Zwischenzeit" innerhalb der Offenbarungsgeschichte sowohl von einer Über- wie einer Unterbewertung abzuheben.

---

[7] Aus der durch H. Küngs Anfrage ausgelösten Diskussion und Literatur vgl. *H. Küng*, Fehlbar? Eine Bilanz (Zürich 1973); *K. Rahner* (Hrsg.), Zum Problem Unfehlbarkeit (= QD 54) (Freiburg i. Br. 1971).

a) Beschreibung

Zwar verstehen sich sowohl die ursprüngliche wie die eschatologische zukünftige Offenbarung nicht so punktuell, daß sie nicht schon immer Geschichte auslösten und in Gang brächten, in vorauslaufende Geschichte hereinragten und diese kritisch in Gang hielten. Dennoch kann sich das Selbstverständnis der jeweiligen Glaubensgegenwart nicht einfach damit begnügen, so etwas wie der geometrische Punkt zu sein, wo sich die beiden Lichtkegel der Ursprungs- und der eschatologischen Offenbarung schneiden und überlagern. Dies reduzierte die Bewegung der Geschichte auf das Niveau eines naturhaften Prozesses, nicht aber auf dasjenige echter existentialer Geschichtlichkeit aus Ursprung und auf Zukunft hin: Dieser Ort ist nicht schon mit einer chronologischen Einkreisung eingenommen, sondern durch verstehende und verständlich-machende, durch redende und handelnde Aktualisierung des Ursprungs, durch voraus-ansagende und vorauspraktizierende Hereinnahme der Zukunftsoffenbarung immer neu zu vollziehen, sprachlich und praktisch, im Verstehen und im Verwirklichen. Es war ein Mißverständnis (ob Fremd- oder Selbstmißverständnis) der sogenannten Heilsgeschichtlichen Theologie, daß sie die Linie der Zeit zwar mit bestimmten Heilstatsachen markierte, sie mit großen Bögen überschlug und umfaßte, aber zu wenig die je gegenwärtige interpretierende und aktualisierende Verkündigung und Praxis betonte. Ursprungsgeschichte und Vollendungsgeschichte werden nicht von selbst Gegenwart, sondern müssen durch zuspitzende und gezielte prophetische Vergegenwärtigung in sie eingebracht und -geführt werden. Sonst bleibt es bei der objektivierenden Erzählung historischer Sachverhalte, oder bei der – im schlechten Sinn – apokalyptischen Beschreibung künftiger endzeitlicher Vorgänge, mit allen Vergröberungen und Belastungen uninterpretierter mythologischer Sprache. Das Programm der existentialen Interpretation hat – unter gelegentlicher und vorübergehender Hintanstellung des geschichtlichen Anhaltes und der wirklichen Ausständigkeit der Zukunft – mindestens diesen Brenn- und Schwerpunkt der Gegenwart des Glaubens und der Kirche in die Mitte seines Interesses und seiner Interpretation gesetzt. Dabei hat es sich auf Vorbilder der biblischen Verkündigung und der geistlichen Überlieferung stützen können: daß Christus *in uns* geboren und ausgestaltet werden soll, daß *wir* mit Christus auferstanden sind, daß es nicht genügt, wenn Christus auch tausendmal in Betlehem geboren wäre, aber nicht *in uns* usw. Dennoch kann die Gegenwart des Glaubens, ob als Erfahrung, als denkerische Interpretation, als sprachliche Artikulation und christliche Praxis des einzelnen und der Kirche, in all diesen Gestalten noch nicht zu einer dritten eigenständigen und konkurrierenden Offenbarungsgestalt werden. Auch die Übertragung der Ursprungsaussagen und der Verheißungen ins Präsens des Hier und Jetzt muß doch vom *Extra* des Ursprungs und der verheißenden Vollendung ausgehen und darauf bezogen bleiben. Es hat also nicht die Offenbarung an und in uns, im Jetzt und Hier die Offenbarung im Damals und im Dann abgelöst und in sich absorbiert – jedenfalls war dies nicht die eigentliche und authentische Absicht der existentialen Programmatik[8].

Wohl hat diese Vergegenwärtigung ihre Kategorien aus der Ursprungs- und Vollendungsoffenbarung gewonnen, sie aber auch in der Aktualisierung darauf bezogen gelassen. Wiederum zeigt sich, daß jede Schwerpunktsetzung und jede besondere Gewichtung einer „Stunde" nicht auskommen kann, ohne diesen Ort innerhalb und mit Hilfe des *gesamten* Spannungsfeldes zu bestimmen. Das Jetzt des Glaubens und der Hoffnung läßt sich nur bestimmen mit der Positionsangabe im Verhältnis zum Offenbarungsursprung und zur Offenbarungsvollendung, nicht nur im Sinn einer formalen Ortsbestimmung, sondern auch als materiale Her- und Zukünftigkeit. Was christlicher Glaube in Jesus als Selbstoffenbarung und -mitteilung Gottes geschehen glaubt, will und kann immer neu ausgefaltet, wirksam und fruchtbar gemacht werden; was christliche Hoffnung in der verheißenen, offenbaren Gottesherrschaft erhofft, das will und kann schon in der Gegenwart zum Anbruch gebracht werden.

Am stärksten sind diese Heraufholung des Ursprungs und diese Hereinholung der Zukunft in die Gegenwart vor allem in einigen Dokumenten der neutestamentlichen Bibel geschehen, die sogar in den Ruf kamen, an sich erstreckender Geschichte überhaupt nicht mehr interessiert zu sein, sondern nur noch an intensiver Vergegenwärtigung: so ist das Präsens das bevorzugte Tempus des Johannesevangeliums, das sowohl den präsentischen Jesus der „Ich-bin-Worte" wie die

---

[8] Zur schon etwas weiter zurückliegenden Diskussion vgl. *G. Ebeling*, Theologie und Verkündigung. Ein Gespräch mit Rudolf Bultmann (Tübingen 1963).

präsentische Heilserfahrung und -gewißheit des Menschen ins Gegenüber bringt. Da heißt es nicht so sehr „In jener Zeit" oder „Dein Bruder wird auferstehen", sondern: „Ich *bin* es, der mit dir redet" und „die Stunde kommt, und sie ist *jetzt* da, wo die Toten die Stimme des Menschensohnes hören und leben". Aber auch die geschichtstheologischen Systematisierungen des Epheser- und Kolosserbriefes beziehen einen derart geschichtsüberblickenden Stand- und Aussichtspunkt, der sich vergleichen läßt mit dem Überblick, den ein großes Stellwerk über die Geleise und die Zugbewegungen eines großen Bahnhofes vermittelt. Noch wird von Geschichte gesprochen, aber sie *geschieht* fast nicht mehr. Die korinthische Gefahr des Enthusiasmus markiert – als bereits eingetreten – die Gefahr, die mit dieser Schwerpunktsetzung im gesamten Spannungsfeld der Offenbarungsgeschichte gegeben ist.

b) Einseitigkeiten und Grenzfälle

Die geschichtlichen Gestalten der als Gegenwartsoffenbarung betonten Offenbarung haben es mit sich gebracht, daß wir schon bei der Beschreibung einige geschichtliche Typen erwähnten, in denen es nicht nur bei einer besondern Gewichtung blieb, sondern wo bereits die anderen Pole des Spannungsfeldes geschwächt und vernachlässigt wurden.

Auf der einen Seite wird dann die Geschichte, sogar auch der geschichtliche Ursprung, so aus sich heraus in die Gegenwart hereingeholt, daß er anscheinend überhaupt erst hier zum Offenbarungsereignis wird, erst da, wo immer neu und je jetzt Hören, Gehorsam, Verstehen, Verkündigen, Bekennen und Handeln geschieht. Schon die korinthischen Geist-Schwärmer mußten von Paulus aus ihrer Entrückung heruntergeholt werden durch den bleibenden Verweis und Ursprungsbezug des Gekreuzigten – gewiß kein Thema, an dem sich die gegenwärtige Ergriffenheit entzündete. Aber auch die synoptischen Evangelien verfolgen neben anderem die Absicht, das präsentische Kerygma und Bekenntnis auf seinen geschichtlichen Ursprung zurückzubeziehen, damit das Subjekt des *Christus*-Bekenntnisses seine Konkretheit als *Jesus* nicht verliert. Nicht zufällig ist der existentialen Interpretation Rudolf Bultmanns das betont präsentische Johannesevangelium am nächsten gestanden, während das Alte Testament als eine Folge von Situationen des Scheiterns keinen positiven Ertrag einbrachte[9].

Der Gefahr der vorweggenommenen Heils-endgültigkeit und -sicherheit muß begegnet werden durch die erneut angemeldete Distanz und Differenz zwischen der sicher zuverlässigen und unwiderrufenen Heilszusage des Evangeliums einerseits und der zu erlangenden Heilsvollendung andererseits. Wie Israel hat auch die christliche Gemeinde zwar das Meer durchschritten, bereits von geistlicher Speise und geistlichem Trank genossen, aber noch ist es anfällig für Götzendienst, Unzucht, Ungehorsam; noch kann es in der Wüste hingestreckt werden (1 Kor 10,1–13). Weder die reale und effiziente Gabe der Gerechtigkeit noch das Angeld des Geistes, noch die liturgische Feier des Herrenmahles geben eine solche Gemeinschaft mit Christus und in ihm mit Gott, daß sie nicht noch durch Abfall gefährdet und durch Gehorsam und Liebe gefordert wären. Wo die Gegenwart die Zukunft in sich hineinabsorbiert, wo dies gerade mit der Zukunftsoffenbarung geschieht, da entstehen Endgültigkeiten und Sicherheiten, die keine sein dürfen: Verfestigungen der Lehre und des Denkens, Erstarrungen der kirchlichen Ordnung und des Handelns; da erlahmt auch die zwischenmenschliche und die gesellschaftliche Praxis des Christen und der Gemeinde: weil sie schon in einem Heilsbesitz ruhen, der sie über die unerlöste Schöpfung und das vielfältige Leiden hinwegsehen, noch mehr sich hinwegtäuschen und -träumen läßt. Weder die Gefährdung des Heils noch seine vielfältigen Behinderungen und Widerstände werden redlich ins Auge gefaßt und angegangen: Eine christliche Gemeinde, die Offenbarung und Erlösung in Christus als geschehen und in sich selber *schon* gegenwärtig glaubt, verliert den nüchternen Blick dafür, wie sehr Gott *noch nicht* offenbar und verherrlicht ist. Besonders gefährlich wirkt sich dies für das Selbstverständnis der *Kirche* aus, die sich nicht mehr dem Gericht aussetzt noch sich der Offenbarung ihres Gottes bedürftig weiß, sondern sich als die volle Präsenz der Wahrheit (miß-)versteht.

Auch wo die grundsätzliche Anerkennung des offenbarungsge-

---

[9] Vgl. *R. Bultmann*, Theologie des Neuen Testaments (= UTB 630) (Tübingen 71977) bes.: Die Theologie des Johannes-Evangeliums und der Johannes-Briefe (354–445); *G. Hasenhüttl*, Der Glaubensvollzug. Eine Begegnung mit Rudolf Bultmann aus katholischem Glaubensverständnis (= Koinonia 1) (Essen 1963).

schichtlichen Spannungsfeldes im Gedächtnis behalten wird und seine stete liturgische Erinnerung erfährt, sind die genannten Gefahren nicht nur theoretische Spielmöglichkeiten in einer labilen Balance, sondern immer wieder eintretende Versuchungen und Gefahren. Jede noch so legitime Gewichtung in diesem Spannungsfeld bedarf der kritischen Kontrolle und Korrektur durch die anderen Pole, wenn sie durch die Absolutsetzung eines Pols das offene Offenbarungshandeln Gottes nicht blockieren und in einer vorläufigen geschichtlichen Gestalt fixieren will.

c) Unverzichtbare Notwendigkeit

Auch hier: abusus non tollit usum. Oder: der mißbräuchliche Excessus an Gegenwärtigkeit von Offenbarung und Heilserfahrung darf nicht ausschlagen in den gegenteiligen Defectus dieses Schwerpunktes: ohne diesen existentialen Schnittpunkt zwischen Ursprung und Vollendung der Offenbarung degenerierten diese zu bloß objektiven Polen einer abstrakten und subjektlosen Heilsgeschichte. Von den beiden Möglichkeiten und Versuchungen, entweder ein Zuviel an Vergegenwärtigung in Interpretation und Praxis zu tun oder aber in falscher Scheu ein Zuwenig, möchte man doch in jenem ersten das geringere Übel sehen: Es wird dann doch wenigstens Vergegenwärtigung gewagt, gedacht und gewirkt.

Zusammenfassung: bewegliches Gleichgewicht

Es war unvermeidlich, daß die Vorstellung des Spannungsfeldes und seiner einzelnen Gewichtungsmöglichkeiten wiederholt ineinandergreifen mußte, daß bei der einen Fehlform vorausgegriffen wurde auf die legitime Notwendigkeit einer anderen und umgekehrt – aber nur so ließ sich das Ineinander der einzelnen Zeitdimensionen von Offenbarung und Glaube beschreiben. Immerhin ist so auch eine Diagnose einzelner glaubens- und kirchengeschichtlicher Entwicklungen und Erscheinungen möglich geworden, die diese Phänomene einmal in ihrem verborgenen Zusammenhang mit dem Offenbarungsverständnis aufzeigten. Trotz seiner abstrakten Formalität ist „Offenbarung und Geschichte" ein so konstitutives Element von Kirche, von jüdischer und christlicher Religion, daß es bis in seine konkreten Auswirkungen hinaus verfolgt werden mußte; umgekehrt wurden einzelne typische Kennzeichen und Überschuß- oder Defizitphänomene der christlichen Religion und Institution auf ihre theologische Miturache befragt: Offenbarung Gottes läßt sich auf keinen der genannten Pole fixieren und einschränken. Schon zum richtigen Verständnis von Offenbarung im Ursprung oder in der Zukunft sind die Koordinaten der anderen Pole notwendig. Noch viel mehr gilt dies für die glaubende Annahme und für die Entsprechung *zu* Offenbarung im Verstehen, Reden und Handeln der menschlichen Adressaten und Empfänger. Ein ausgewogenes und ruhendes Gleichgewicht ist innerhalb der Geschichte weder erstrebenswert noch möglich; gleichzeitig und ungleichzeitig wird es immer bevorzugte Gewichtsbetonungen und Gewichtsvernachlässigungen geben müssen und dürfen – dies macht die Vielfalt der biblischen, alt- und neutestamentlichen Offenbarungszeugnisse und -zeugen aus. Aber die Freiheit und der epochale Wechsel finden ihre Grenzen dort, wo einer der Pole aus dem Gedächtnis und aus dem Praxishorizont verschwindet. *Gegenwärtiges* Verstehen, Verkündigen und praktisches Bezeugen von Gottes wahrheitsdurchsetzender und heilschaffender Offenbarung bleiben eingespannt zwischen die schon geschehene, aber noch nicht manifeste Selbstoffenbarung Gottes. Vor dem Gott der Herkunft und Zukunft hat und vermag der Glaube die Gegenwart zu leben: in dankbarer Erinnerung und zuversichtlicher Hoffnung

Was hier primär in den Innenraum des christlichen Offenbarungsverständnisses hinein kritisch gefragt wurde, könnte wohl durch ähnliche Gleichgewichtsprobleme und -störungen in der jüdischen Glaubensgeschichte bestätigt werden, die doch eine analoge geschichtliche Struktur und Spannung aufweist. Nur schon auf dieser Basis – und nicht nur auf ihr – ist ein Gespräch und ein gemeinsames Bemühen möglich und nötig.

IV

Zur rabbinischen Interpretation das Offenbarungsglaubens

Von Jakob J. Petuchowski, Cincinnati/Ohio (USA)

So gewiß es ist, daß man im rabbinischen Zeitalter an Offenbarung geglaubt hat, so schwierig ist es auch, von *dem* Offenbarungsglauben zu reden, der von allen frühen Rabbinen geteilt wurde. Noch schwieriger ist es, von *der* rabbinischen Interpretation des Offenbarungsglaubens zu reden – als ob es tatsächlich nur *eine* autorisierte Interpretation, und nicht viele verschiedene Interpretationen gegeben hätte. Jedoch soll hier der Versuch gemacht werden, einen synoptischen Überblick zu vermitteln.

I.

In den ersten fünf oder sechs nachchristlichen Jahrhunderten, also in dem Zeitalter des klassischen Rabbinismus, stand dem kirchlichen Magisterium kein vergleichbares rabbinisches Magisterium gegenüber. Jedenfalls nicht in Sachen des Glaubens. In der Festlegung des Religionsgesetzes hat es sich natürlich anders verhalten. Hier bestimmten rabbinische Autoritäten, wie sich der Jude zu verhalten habe und wie der gesetzliche Teil der Bibel korrekt auszulegen sei. Hier gab es zwar auch ausgiebige Diskussionen, wofür die rabbinische Literatur ausführliche Belege liefert. Aber es wurde dennoch versucht, durch Mehrheitsbeschluß oder autoritativen Erlaß zu einer Norm zu gelangen. Bei dem nicht-gesetzlichen Teil der Bibel wurde das – mit ganz wenigen Ausnahmen – gar nicht erst versucht. Hier bietet die rabbinische Literatur ein buntscheckiges Nebeneinander der verschiedensten Meinungen, ohne daß es von vornherein – oder auch erst nur nach intensivem Studium – klar wäre, was hier die Meinung der Mehrheit und was nur die Idiosynkrasie eines einzelnen ist.

Heute ist es ja schon weit über die Fachkreise hinaus bekannt, daß im rabbinischen Judentum der Erlösungsglaube zum Beispiel die verschiedensten Formen angenommen hat und daß es weit mehr als nur *eine* Vorstellung vom Messias gegeben hat. Tatsächlich hat sogar ein Rabbi im vierten Jahrhundert das Kommen eines persönlichen Messias verneint. Er wurde zwar aufgrund biblischer Prophezeiungen zurechtgewiesen. Verketzert wurde er aber nicht[1].

Man lebte im rabbinischen Zeitalter eben noch in einem Stadium der direkten Glaubenserfahrung, die das rein theologische Nachdenken und die dogmatische Formulierung kaum aufkommen ließ. An Stelle des Dogmas gab es ein „Klima des Glaubens", und die Glaubensgemeinschaft war ohnehin durch die gemeinsame religiöse Tat, durch das Religionsgesetz vereint. Und täglich bekundete sie im Gebet – also in hymnischer, nicht in dogmatisierender Form – den ethischen Monotheismus, den Glauben an Schöpfung, Offenbarung und Erlösung.

Aber wir erwähnten bereits, daß es auch ganz wenige Ausnahmen gab. Die Ausnahme *par excellence* ist in der ersten Mischna des zehnten Kapitels im Mischnatraktat Sanhedrin zu finden. Hier wird zunächst einmal allen Israeliten ein „Anteil an der kommenden Welt" zugesagt. Dann werden jedoch diejenigen erwähnt, denen der „Anteil an der kommenden Welt" abgesprochen wird oder, christlich ausgedrückt, die ihre ewige Seligkeit verwirkt haben. Verschiedene Rabbinen nennen hier die Übertreter von verschiedenen Vorschriften, wie z.B. Leute, die apokryphische Schriften lesen, oder Leute, die den Namen Gottes so aussprechen, wie er geschrieben wird. Es erhellt aus dem Redaktionsprinzip der Mischna, daß es sich hier nur um Einzelmeinungen handelt. Anonym und unbeanstandet – und daher als verbindlich geltend – werden jedoch gleich am Anfang der Mischna drei rein theologische Vergehen aufgezählt, durch die man seinen Anteil an der kommenden Welt einbüßt. Genannt werden die Leugnung des Auferstehungsglaubens (oder zumindest die Leugnung, daß sich dieser Glaube aus dem Pentateuch beweisen läßt), die Leugnung, daß „die Tora vom Himmel" ist, und das Epikureertum.

Hier soll uns nur der Satz, daß „die Tora vom Himmel ist", beschäftigen, denn es geht dabei um eine dogmatische Formulierung des

---

[1] bSanhedrin 99a.

Offenbarungsglaubens. Wichtig ist das, was der Satz aussagt. Wichtig ist aber auch das, was der Satz *nicht* aussagt.

Um mit etwas Leichtem anzufangen, soll zunächst einmal bemerkt werden, daß hier, wie so oft im rabbinischen Schrifttum, „Himmel" metonymisch für „Gott" gebraucht wird – wie ja auch, in der rabbinischen Literatur und im Neuen Testament, das „Himmelreich" nicht auf die Stratosphäre hinweist, sondern mit „Gottesreich" gleichbedeutend ist.

Die Tora ist also von Gott. Was bedeutet nun „Tora"? Etymologisch heißt es soviel wie „Weisung" – worunter gesetzliche und religiöse Weisung schlechthin verstanden wird. Das Wort wird in erster Linie von den Rabbinen auf den Pentateuch angewandt. Aber nur in erster Linie, denn das Wort kann sich ebenfalls auf die gesamte hebräische Bibel beziehen – die, neben dem Pentateuch, auch die Propheten und die Hagiographen einschließt.

Damit ist schon eine Rangordnung ausgedrückt, die ihre historische wie auch theologische Bedeutung hat. Historisch gesehen, wurde der Pentateuch – in seiner jetzigen Form etwa im fünften vorchristlichen Jahrhundert redigiert – zuerst kanonisiert. Die Zeit, in der die prophetischen Schriften kanonisiert wurden, ist schwer zu ermitteln. Wahrscheinlich wurde aber der Prophetenkanon bereits vor dem ersten nachchristlichen Jahrhundert abgeschlossen. In diesem Jahrhundert und vielleicht sogar noch etwas später stritt man aber noch um einige Bestandteile – wie Prediger Salomo (Kohelet), Sprüche Salomos, Hohelied und Ester – des Hagiographenkanons[2].

Entsprechend dem Zeitpunkt der Kanonisierung eines jeden Teils der Bibel war dann auch der Autoritätsgrad, den ein jeder Kanon besaß. Die Rabbinen setzten die Kanonisierung des Pentateuchs schon zur Zeit des Mose an. Daher kann z. B. bei der Diskussion von gesetzlichen Fragen nur ein Text aus dem Pentateuch als Beweis herangezogen werden, aber kein Text aus den Propheten oder den Hagiographen[3]. Letztere können nur als *remez* oder *asmakhta*, als „Andeutung" oder „Anlehnung" fungieren, aber nicht als zwingender Beweis.

Überhaupt galt der Pentateuch als *der* Maßstab (was ja die eigent-

---

[2] Mischna Jadajim 3,5; Abhoth de Rabbi Nathan, A I und B I (ed. Schechter, 2–3); bSanhedrin 100a.
[3] bHagigah 10b; bBaba Qamma 2b.

liche Bedeutung des Wortes „Kanon" ist) für die Aufnahme oder die Ausschließung anderer biblischer Bücher. So bemerkte man z. B., daß sich die Opfer- und Tempelvorschriften des Buches Ezechiel nicht ganz mit denen der Priesterschrift im Pentateuch deckten. Die Weisen wollten daher das Buch Ezechiel für apokryphisch erklären. Da ließ sich Hananjah ben Hizqijah dreihundert Fässer Öl in seinen Söller liefern, und er verbrachte Tage und Nächte damit, die unterschiedlichen Vorschriften durch Erklärungen zu harmonisieren. Das Buch Ezechiel wurde dadurch für die Bibel gerettet[4]. So heißt es jedenfalls in einer talmudischen Erzählung.

Theologisch hatte das weniger mit dem Zeitpunkt der Kanonisierung zu tun, obwohl man natürlich immer dazu neigte, die früheren Quellen als autoritativer anzusehen, als mit dem direkten Anteil Gottes am Zustandekommen des Textes. Hier galt die Offenbarung, die Mose zuteil wurde, als sui generis, bei der, wie wir noch sehen werden, nichts „Mosaisches" beigemischt war, da diese Offenbarung „Mund zu Mund" (Num 12, 8) stattfand.

Von Mose heißt es: „Alle Propheten haben durch Glas geschaut, das undurchsichtig war, aber Mose, unser Meister, hat durch ein durchsichtiges Glas geschaut."[5] Interessanterweise wird hier für „Glas" das aramäische Wort *ispaqlarijah* gebraucht, eine aramäische Version des griechischen *speklarion*, das von Paulus in 1 Kor 13, 12 in einem nicht ganz unähnlichen Zusammenhang gebraucht wird: „Wir sehen jetzt durch ein *speklarion* in einem dunkeln Wort; dann aber von Angesicht zu Angesicht."

Bei den Propheten wird dann schon mit ihrer eigenen Persönlichkeit gerechnet. Die prophetische Offenbarung ist nicht mehr, wie die des Pentateuchs, „Mund zu Mund", sondern sie geschieht durch den Heiligen Geist, wie der „Geist der Prophetie" genannt wird. Aber der Heilige Geist wirkt auf eine bestehende menschliche Substanz ein, ohne sie dabei zu neutralisieren. So können z. B. zwei Propheten dieselbe Vision haben, wie es Jesaja und Ezechiel geschah, sie aber in ganz verschiedenen Arten, ihren Persönlichkeiten entsprechend, ausdrücken[6].

---

[4] bSchabbat 13b.
[5] bJebhamot 49b; vgl. Leviticus Rabbah I 14 (ed. Margulies, 30–31).
[6] bSanhedrin 89a.

Geschieht das schon bei den Büchern im Prophetenkanon, so ist das noch um so mehr beim Kanon der Hagiographen der Fall. Hier spielt das rein Menschliche noch eine größere, und das rein Göttliche eine kleinere Rolle als bei den Propheten. So kann von Salomo, dem man das Hohelied, die Sprüche Salomos und den Prediger Salomo zuschrieb, behauptet werden, daß er in seiner Jugend das Hohelied, im Mannesalter die Sprüche und im Greisenalter, als ihm alles eitel erschien, den Prediger verfaßte – wobei wohl kaum die allegorische Auffassung des Hohenlieds vorausgesetzt worden ist[7].

Der weite Begriff von „Tora" – also Pentateuch, Propheten und Hagiographen umfassend – wird von den Rabbinen sogar noch erweitert, indem sie neben die „schriftliche Tora" auch eine „mündliche Tora" stellen, ein Begriff, über den noch zu reden sein wird.

II.

Um aber auf die Formulierung „Die Tora ist von Gott" in Mischna, Sanhedrin 10,1 zurückzukommen, so ist hier höchstwahrscheinlich nur an „Tora" im engeren Sinn, also als Pentateuch, gedacht, denn die Diskussionen, die sich im Talmud an diese Stelle anschließen, beschränken sich darauf, gerade den göttlichen Ursprung des Pentateuchs hervorzuheben. Den *göttlichen*, nicht den mosaischen! Es heißt hier nämlich, daß derjenige als Häretiker zu betrachten ist, der behauptet: „Die ganze Tora stammt von Gott, bis auf diesen oder jenen bestimmten Satz, den Mose selbständig sprach."[8]

Das vergegenwärtigt uns auch, was in der dogmatischen Formulierung *nicht* gesagt wird. Es wird hier kein Dogma von der mosaischen Autorschaft des Pentateuchs aufgestellt. Es geht bei der Formulierung nur um den göttlichen, nicht um den mosaischen Ursprung. Ja, man kann sogar den mosaischen Ursprung behaupten und dennoch Häretiker sein, wenn man den göttlichen Ursprung verneint.

Natürlich wurde damals angenommen, daß Mose den Pentateuch niedergeschrieben hat – obwohl man über die letzten Verse im Deuteronomium, die den Tod und das Begräbnis Moses beschreiben, ver-

---

[7] Schir Haschirim Rabbah I, 1, x.
[8] bSanhedrin 99a; vgl. Siphre ad Numeros, Pisqa 112 (ed. Horovitz, 121).

schiedener Meinung war. Manche Rabbinen hielten Josua für den Autor dieser Verse. Andere dagegen meinten, daß Mose im prophetischen Voraussehen diese Verse mit einer Träne im Auge selbst niederschrieb. Aber diese Meinungsäußerungen waren eher literaturgeschichtlicher als theologischer und dogmatischer Art. Sie kommen nicht an der Stelle des Talmuds vor, bei der es um das Dogma „Die Tora ist von Gott" geht, sondern an einer ganz anderen Stelle, wo diskutiert wird, wer wohl die verschiedenen biblischen Bücher geschrieben hat[9]. Hier wiegt die Annahme, daß Mose den Pentateuch niederschrieb, nicht schwerer als etwa die Vermutung, daß Samuel das nach ihm benannte Buch und auch das Buch der Richter und das Buch Rut niedergeschrieben hat. Das waren nach dem Wissen jener Zeit begrenzte Versuche, die Bücher der Bibel literaturgeschichtlich einzuordnen. Dogmatik war es nicht.

Genausowenig wie im klassischen rabbinischen Judentum das Dogma von der göttlichen Offenbarung der Tora noch ein weiteres Dogma von der mosaischen Autorschaft des Pentateuchs miteinschloß, brachte es auch keine als autoritativ anerkannte Vorstellungen von der Art und Weise der Offenbarung mit sich. *Daß* die Tora offenbart wurde, war Dogma. *Wie* die Tora offenbart wurde, überließ man der Vorstellungskraft des einzelnen. So werden z. B. die Meinung, daß die Tora zu verschiedenen Zeitpunkten in voneinander getrennten Dokumenten, und die Meinung, daß die Tora als Ganzes auf einmal offenbart wurde, nebeneinander erwähnt, ohne daß es zu einer verbindlichen Entscheidung kommt[10]. Eine andere Meinung wiederum behauptet, daß die ersten zwei der Zehn Gebote vom ganzen Volk Israel direkt aus dem Munde Gottes vernommen wurden, daß aber die anderen Gebote durch Mose vermittelt wurden[11].

III.

Sind nun die Einzelheiten nicht dogmatisch festgelegt worden, so war doch immerhin der Glaube an die göttliche Offenbarung der Tora eine unabweisbare Voraussetzung des ganzen rabbinischen Judentums. Die

---

[9] bBaba Batra 14b, 15a.   [10] bGittin 60a.   [11] bHorajot 8a; bMakkot 24a.

Bibel wurde als göttliche Wahrheit vom rabbinischen Judentum übernommen. Der Gott, der sich in einer etwas anderen Weise immer noch den Rabbinen offenbarte, hatte sich zu früheren Zeiten den Vätern in der Tora offenbart.

Allerdings bedeutete das nun nicht, daß man im rabbinischen Judentum der Tora so gegenüberstand, wie man es im protestantischen Fundamentalismus an verschiedenen Orten bis zum heutigen Tage noch tut. Vom Hängen am Buchstaben kann hier nicht die Rede sein. Daß die Tora in der Sprache der Menschenkinder spricht, war hermeneutische Voraussetzung der Schule Rabbi Ismaels[12]. Daß es in den historischen Berichten der Tora kein genaues Früher oder Später gibt, wurde allgemein anerkannt[13].

Erst recht kann von einem Hängen am Buchstaben nicht die Rede sein, wenn es um die Auslegung der gesetzlichen Teile der Tora geht. Als man sich z. B. darüber geeinigt hatte, daß das „Auge um Auge, Zahn um Zahn" von Ex 21, 4 nicht wörtlich zu verstehen sei, sondern eine finanzielle Wiedergutmachung bedeutete[14], wäre es ein Zeichen der Ketzerei und keinesfalls ein Beweis der Frömmigkeit, wenn sich jemand an den rein wörtlichen Sinn des Bibelverses halten würde.

Gleiches gilt von der Auslegung des Wortes *schabbat* in Lev 23, 15, wo es heißt: „Von dem Tage nach dem *schabbat*, an dem ihr das Omer der Schwingung darbringt, sollt ihr zählen; sieben volle Wochen sollen es sein." Es handelt sich hier um die sogenannte Omer-Zählung, durch die man den Wochentag berechnet hat, an dem das Wochenfest gefeiert wird. Pharisäer und Rabbinen verstanden das Wort *schabbat* hier nicht in seinem gewöhnlichen Sinn von „Sabbat", d. h. Samstag, sondern als „Feiertag" irrespektive des Wochentags, an dem er gefeiert wird[15]. Sadduzäer und andere Sektierer nahmen das Wort *schabbat* wörtlich, so daß das Wochenfest, wie ja auch Pfingsten in der Kirche, immer auf einen Sonntag fällt. Für die Rabbinen galt das Festhalten am Buchstaben hier als Ketzerei und nicht als Frömmigkeit.

Auch konnten Gesetze der Tora zwar nie offiziell abgeschafft, aber immerhin doch durch Interpretation außer Kraft gesetzt werden. So

---

[12] Siphre ad Numeros, Pisqa 112 (ed. Horovitz, 121); bBerakot 31b u. o.
[13] bPesaḥim 6b und oft.
[14] Mekhilta, Neziqin, Kap. VIII (ed. Horovitz-Rabin, 277); vgl. bBaba Qamma 83b.
[15] Siphra, Emor, Kap. XII (ed. Weiß, 100d).

verhielt es sich mit dem Gesetz über den widerspenstigen Sohn, der, laut Dtn 21,18–21, vor die Richter zu bringen ist, um dann gesteinigt zu werden. Die Einzelheiten dieses Gesetzes wurden von den Rabbinen mit einer so haarspaltenden Kasuistik konstruiert, daß die Anwendung dieses Gesetzes beinahe unmöglich wurde[16]. Schließlich kam man sogar zu der Folgerung: „Eine Anwendung des Gesetzes über den widerspenstigen Sohn hat es weder in der Vergangenheit gegeben, noch wird es sie in der Zukunft geben."[17]

Den Rabbinen war ja der Unterschied zwischen dem Buchstaben der Tora und dem Geist der Tora völlig geläufig. So konnte z. B. ein Rabbi Simeon ben Laqisch behaupten: „Manchmal ist die Aufhebung eines Toragesetzes die wahre Befestigung der Tora."[18] Und Rabbi Nathan konnte – in Anspielung auf Ps 119, 126 – lehren: „Wenn es Zeit ist für Gott zu wirken, darf man das Gesetz der Tora verletzen."[19]

IV.

Die Berechtigung, mit dem Text der Tora so zu verfahren, fanden die Rabbinen in der Lehre von der „mündlichen Tora" begründet. Die Offenbarung am Sinai soll nämlich eine zweifache gewesen sein. Neben der „schriftlichen Tora", die wir im Pentateuch finden, offenbarte Gott auch eine „mündliche", die nie hätte aufgeschrieben werden dürfen. Nur die Tatsache, daß die Schüler nicht mehr gehörig studierten oder daß die notwendige Muße zum Studium in Zeiten der Verfolgung nicht mehr vorhanden war, führte die Rabbinen zu dem Entschluß, das Aufschreibeverbot der „mündlichen Tora" aufzuheben, so daß „die Tora in Israel nicht vergessen werde". Daher ist wenigstens ein Teil, wenn auch nicht das Ganze der „mündlichen Tora" heute in der rabbinischen Literatur schriftlich zu finden. So wurde jedenfalls von späteren Rabbinen der Ursprung und die Rezeptionsgeschichte der „mündlichen Tora" betrachtet[20].

---

[16] Siphre ad Deuteronomium, Pisqa 218–220 (ed. Finkelstein, 250–253).
[17] bSanhedrin 71a.   [18] bMenaḥot 99a.   [19] Mischna Berakot 9,5.
[20] Zum Ganzen vgl. etwa *G. F. Moore,* Judaism in the First Centuries of the Christian Era, Bd. I (Cambridge/Mass. 1927) 251–262; *R. Travers Herford,* Talmud and Apocrypha (London 1933) 63–108.

Ob sich dieser Begriff von der „mündlichen Tora" mit den von Josephus und vom Neuen Testament erwähnten „Traditionen der Ältesten oder der Väter" oder mit den Weisungen der Pharisäer vor dem Jahre 70 deckt, soll hier einmal dahingestellt bleiben. Oft ist es behauptet worden. Aber die Zweifel, die Jacob Neusner ins Feld geführt hat, lassen sich nicht so leicht beiseite schieben[21]. Es geht uns aber hier weniger um die Geschichte des Begriffs als um den Begriff selbst.

Was der Begriff ausdrücken will, ist zunächst einmal, daß Gottes Offenbarung weit umfangreicher ist als das, was innerhalb eines Buches, und sei es auch der Pentateuch, verzeichnet werden kann. Nach Rabbi Joḥanan wurde der größere Teil der Tora mündlich, und nur der kleinere Teil schriftlich offenbart[22]. Und der mündliche Teil enthält die Prinzipien, die hermeneutischen Regeln, nach denen der schriftliche Text auszulegen ist, wie auch Ausführungen zu den im schriftlichen Text erwähnten Gesetzen und Vorschriften, die zur Zeit Moses überhaupt noch keine Anwendung finden konnten. Ganz zugespitzt heißt es einmal: „Selbst die Entscheidung, die in der fernen Zukunft ein beflissener Schüler vor seinem Lehrer fällen wird, wurde dem Mose schon auf dem Berge Sinai offenbart."[23]

Dabei war man sich auch ganz der rein menschlichen Zutaten bewußt, die den Corpus der „mündlichen Tora" mit ausmachen. So wird die Geschichte von Mose erzählt, der seine eigene Lehre im Munde des viel später lebenden Rabbi Akiba nicht wiedererkennt[24]. Es gibt auch Kategorien der rabbinischen Gesetzgebung, *Taqqanot* (positive Maßnahmen) und *Gezerot* (negative Maßnahmen), deren rein menschlicher Ursprung schon in ihrer Namengebung liegt[25]. Und dennoch waren es Maßnahmen von Männern, die ihre eigene Autorität auf Dtn 17,8–13 zurückführten, auf eine Perikope, wie geglaubt wurde, göttlichen Ursprungs, die es dem Priester oder dem Richter (der, nach rabbinischer Erklärung, kein Priester zu sein braucht!) anheimstellt, Entscheidungen zu fällen da, wo die „schriftliche Tora" selbst keine klaren Vorschriften trifft[26]. So wird dann auch der Segensspruch am Makka-

---

[21] Vgl. *J. Neusner*, The Rabbinic Traditions about the Pharisees Before 70, Bd. III (Leiden 1971) 143–179.
[22] bGittin 60b.   [23] pPe-ah II, 6, p. 17a.   [24] bMenaḥot 29b.
[25] Vgl. *Z. H. Chajes*, The Student's Guide through the Talmud (London 1952) 35–37.
[26] Siphre ad Deuteronomium, Pisqa 153 (ed. Finkelstein, 206–207). Dazu *J. Z. Lauterbach*, Rabbinic Essays (Cincinnati 1951) 39–48.

bäerfest, der Gott dafür preist, daß er uns das Anzünden der Chanuk-kalichter befohlen hat, mit einem Hinweis auf Dtn 17 gerechtfertigt[27].

Obwohl man also den Offenbarungsbegriff in dem Bild der sinai-tischen Offenbarung konkretisierte, bedeutete die Lehre von der „mündlichen Tora" am Ende doch, daß Gott sich weiterhin offen-barte – und zwar durch die „Kette der Tradition", durch die Männer, die ihre Befugnis, die Bibel auszulegen und Verordnungen zu treffen, dadurch erlangten, daß sie in einer Tradition standen und einer Ordi-nation teilhaftig wurden, die, wie sie glaubten, ihren Anfang in Josuas Ordination durch Mose hatte[28]. Mutatis mutandis läßt sich die Rolle der Tradition im rabbinischen Judentum mit der Rolle der Tradition in der katholischen Kirche vergleichen – wobei aber zu bemerken ist, daß sich, wie bereits erwähnt, das rabbinische Magisterium hauptsäch-lich auf das Gesetz, und nicht auf die Dogmatik erstreckte. Klar sollte es nun jedenfalls sein, warum man im rabbinischen Judentum mit einem Wörtlichnehmen des biblischen Textes nicht viel anzufangen wußte.

V.

Eben weil das Magisterium auf rein gesetzlichem Gebiet im rabbini-schen Judentum eine so große Rolle spielt, haben wir ihm auch hier in unserer Darstellung eine verhältnismäßig große Aufmerksamkeit gewidmet. Dennoch wäre es ausgesprochen falsch, das Wort „Tora" einfach mit „Gesetz" wiederzugeben. „Offenbarung" wäre schon eine etwas bessere Übersetzung des hebräischen Wortes „Tora", wie es von den Rabbinen verstanden wurde. Denn Tora ist nicht nur das Gesetz, das an Israel erging. Tora ist auch der Plan, nach welchem Gott die Welt erschaffen hat, oder das Werkzeug, das er bei der Schöpfung be-nutzte[29]. Es zieht sich eine gerade Linie der Identifizierung von Tora mit kosmischer Weisheit, wie sie schon im zweiten vorchristlichen Jahrhundert im Buche Jesus Sirach vorausgesetzt ist[30], bis zu jener

---

[27] bSchabbat 23a.
[28] Mischna Abhot 1,1. Dazu *J. Newman,* Semikhah (Ordination). (Manchester 1950).
[29] Genesis Rabbah I, 1 (ed. Theodor-Albeck, 1–2).
[30] Vgl. Sir 1,26; 15,1b; 19,20.

Deutung des ersten Verses der Bibel, die ihn folgendermaßen versteht: „Mit der Tora schuf Gott Himmel und Erde"[31], und bis zum Prolog des Johannesevangeliums mit seiner Logostheologie der Schöpfung[32].

So liegt also die Offenbarung schon in der Schöpfung; und umgekehrt wird die Schöpfung von der Offenbarung abhängig gemacht, wenn es z. B. heißt: „Der Heilige, gelobt sei er, hat mit den Werken der Schöpfung eine Bedingung ausgemacht: ‚Wenn die Israeliten die Tora annehmen, dann werdet ihr bestehen. Nehmen sie aber die Tora nicht an, dann lasse ich euch in das Chaos zurückversinken.'"[33]

Vielleicht wäre es zu viel gesagt und mehr Eisegese als Exegese, wenn man behaupten würde, daß das rabbinische Judentum die Schöpfung als Schöpfung nur durch die Offenbarung versteht. Tatsache ist es jedoch, daß das vielsagende Wort vom Menschen als dem „Genossen des Heiligen, gelobt sei er, im Schöpfungswerk" in der ganzen rabbinischen Literatur nur in zwei Zusammenhängen gewagt wird: einmal im Zusammenhang mit dem Richter, „der ein wahres Urteil in Wahrheit fällt", und ein zweites Mal, und darauf kommt es uns hier an, im Zusammenhang mit dem Juden, der am Sabbateingang Gen. 2,1–3, d. h. das Ende der ersten Schöpfungsgeschichte, rezitiert und damit Gottes Rolle als Schöpfer bezeugt[34].

Gott, als Schöpfer anerkannt, ent-gottet die Natur. Die Berge sind keine Gottheiten mehr. Zwar mag der fromme Sänger in seiner Bedrängnis die Augen zu den Bergen aufheben; aber sie weisen über sich selbst hinaus. Des Sängers Hilfe „kommt von dem Herrn, der Himmel und Erde gemacht hat"[35]. „Die Himmel erzählen die Ehre Gottes, und die Feste verkündet seiner Hände Werk."[36] Diese Einsicht war schon biblisches Besitzgut und wurde als solches von den Rabbinen übernommen. Ist aber die Natur keine Gottheit mehr, sind Erde und Himmel, Sonne, Mond und Sterne nichts anderes als Gottes

[31] Genesis Rabbah, a. a. O., und Targum Jeruschalmi ad Genesis 1,1.
[32] Dazu *Leo Baeck*, Aus drei Jahrtausenden (Tübingen ²1958) 157–175, und *H. F. Weiß*, Untersuchungen zur Kosmologie des hellenistischen und palästinischen Judentums (Berlin 1966).
[33] bSchabbat 88a.
[34] Mekhilta, 'Amaleq, Kap. II (ed. Horovitz-Rabin, 196); Mekhilta de Rabbi Schimeʿon b. Joḥai, Jithro (ed. Epstein-Melamed, 132); bSchabbath 10a; Midrasch Leqaḥ Tobh, Jithro, X (ed. Buber, 62a); bSchabbat 119b.
[35] Ps 121,1–2.
[36] Ps 19,2.

Hände Werk, so offenbart die Natur auch nichts mehr. Es ist Gott, der sich in der Natur offenbart.

Wenn man in einer rabbinischen Quelle liest, daß es Gebote gibt, die der menschliche Verstand von selbst gefunden hätte, wenn sie nicht in der Tora geschrieben ständen (es geht hier um die Verbote von Diebstahl, Unsittlichkeit, Götzendienst, Gotteslästerung und Mord) [37], so mag man zwar an einen Widerhall des stoischen Begriffs vom agraphos nomos oder an ein lex naturalis denken. Aber es ist für das rabbinische Judentum charakteristisch, daß dieselben fünf Verbote – zusammen mit einem weiteren Verbot und einem Gebot – auch in einer anderen rabbinischen Liste auftauchen, nämlich in der Aufzählung der „Sieben Gebote der Söhne Noachs", die, nach rabbinischer Auffassung, Noach und seinen Söhnen, also den Vorfahren der gesamten Menschheit, von Gott bei der Bundesschließung nach der Sintflut gegeben wurden [38]. Also auch das, was auf den ersten Blick als natürlich, als Naturgesetz erscheinen mag, ist letzten Endes doch in einer göttlichen Offenbarung begründet. Schließlich ist ja die menschliche Vernunft selbst, nach rabbinischer Auffassung, eine Gabe Gottes, die man sich in der ersten Bitte des Achtzehngebets täglich erfleht [39]. So „natürlich" ist die menschliche Vernunft nun auch nicht.

VI.

Die Offenbarung, die Gott an Noach und seine Söhne ergehen ließ, soll uns übrigens darauf aufmerksam machen, daß sich, nach rabbinischer Ansicht, die göttliche Offenbarung nicht nur auf Israeliten und Juden beschränkt. Nicht nur hat Gott sich auch vor-abrahamitischen Menschen offenbart, wie in der Bibel zu lesen ist, sondern auch gerade da, wo, nach dem Bibelwort, die Offenbarung auf Israel abgezielt war, am Berge Sinai, wissen die Rabbinen darum, daß Gott sein Wort in allen siebzig Sprachen der Menschheit erschallen ließ [40], und auch

---

[37] Siphra, Aḥaré Moth, 13,9 (ed. Weiß, 86a).
[38] Quellen bei *J. J. Petuchowski*, Melchisedech – Urgestalt der Ökumene (Freiburg i. Br. 1979) 28, Anm. 50.
[39] Vgl. *J. J. Petuchowski*, Beten im Judentum (Stuttgart 1976) 59–60.
[40] bSchabbat 88b.

darum, daß Gott zuerst die Tora anderen, nicht-israelitischen Völkern anbot. Allerdings haben diese Völker die Tora abgelehnt[41]. Jedoch, denn das Buch Jesaja steht auch in der rabbinischen Bibel, wird einmal die Zeit kommen, da *alle* Völker sich dem Berge des Herrn zuwenden werden, indem sie sprechen:

> Kommt, laßt uns auf den Berg des Herrn gehen,
> zum Hause des Gottes Jakobs,
> daß Er uns lehre seine Wege
> und wir wandeln auf Seinen Pfaden.
> Denn von Zion wird Tora ausgehen,
> und das Wort der Herrn von Jerusalem! (Jes 2,2–3)

In diesem Sinne also vermittelt die Offenbarung zwischen Schöpfung und Erlösung. Besser ausgedrückt, die Offenbarung vervollständigt die Schöpfung nach Gottes ursprünglichem Plan, der ja, nach rabbinischer Auffassung, die Tora war.

Wie steht es aber um die Tora, wenn das Zeitalter der Erlösung erst einmal angebrochen ist? Die Antwort auf diese Frage ist höchst kompliziert und kann in diesem Rahmen nur angedeutet werden. Zunächst muß festgestellt werden, daß einerseits die rabbinische Eschatologie zwischen „den Tagen des Messias", die noch auf historischer Ebene erlebt werden, und der rein geistigen „kommenden Welt" unterscheidet, daß es sich aber bei eschatologischen Aussagen der Rabbinen nicht immer genau sagen läßt, ob es sich um das eine oder um das andere handelt.

W. D. Davies hat in einer Monographie zu diesem Thema die einschlägigen Quellen behandelt. Seine Schlußfolgerungen sind sehr vorsichtig gehalten: Im allgemeinen erwarten unsere Quellen, daß die Tora im messianischen Zeitalter fortbestehen wird. Die Unklarheiten der Tora werden dann klargemacht. Gewisse Abänderungen und Anpassungen werden vorgenommen, um die Tora den neuen Verhältnissen entsprechen zu lassen. Einige Quellen sprechen auch davon, daß die Nichtjuden dann das Joch der Tora auf sich nehmen werden. Schwierig ist es allerdings, immer zwischen den Aussagen über das messianische Zeitalter und den Aussagen über die kommende Welt zu unterschei-

---

[41] Siphre ad Deuteronomium, Pisqa 343 (ed. Finkelstein, 395–397); vgl. Pesiqta Rabbathi XXI (ed. Friedmann, 99b).

den. Es scheint aber die Ansicht zu geben, daß in der kommenden Welt alles menschliche Denken übertroffen wird und die Gebote der Tora aufgehoben werden. Da sich aber, nach einigen Quellen, Gott selbst noch in der kommenden Welt mit der Tora beschäftigen soll, wäre es verfehlt, in einer zu radikalen Weise die Tora von der kommenden Welt auszuschließen[42].

VII.

Hatten wir uns im Hinblick auf die Tora im Zeitalter der Erlösung mit ganz allgemeinen Bemerkungen zu begnügen, so können wir auch jetzt nur ganz stichwortartig auf weitere Offenbarungsbegriffe der Rabbinen hinweisen. Hier wäre an erster Stelle zu erwähnen, daß zwar für die Rabbinen „Tora" Offenbarung ist; aber nicht alle Offenbarung ist „Tora". Wenn Gott Tora offenbart, so offenbart er *etwas*. Die Offenbarung hat *Inhalt*. Manchmal aber, nach rabbinischer Auffassung, offenbart Gott nur sich selbst – und zwar denjenigen Menschen, die einer solchen Offenbarung würdig sind. Das heißt dann nicht *Tora min haschamajim* („Tora von Gott") oder *Mattan Tora* („Die Gabe der Tora"), sondern *Gilluj Schekhina* („Die Offenbarung der Gegenwärtigkeit Gottes")[43]. Es sind aber nicht nur die zünftigen Mystiker, denen eine derartige Offenbarung zuteil werden kann. Es liegt im Bereich der Möglichkeit eines jeden Juden; und gewisse fromme Taten, wie Torastudium und Gastfreundschaft, werden besonders als Vorbereitung dazu empfohlen. Max Kadushin spricht daher von der „normalen Mystik" des rabbinischen Judentums[44].

Auch von historischen Ereignissen kann es heißen, daß der Heilige, gelobt sei er, sich in ihnen offenbart. Das wird allerdings nicht von *allen* historischen Ereignissen behauptet, vielleicht sogar nur von den soteriologischen, wie etwa dem Auszug aus Ägypten oder der Durchschreitung des Schilfmeers[45]. Es wäre wichtig, einmal gerade von die-

[42] *W. D. Davies*, Torah in the Messianic Age and/or the Age to Come (Philadelphia 1952) 84.
[43] Vgl. dazu *A. M. Goldberg*, Untersuchungen über die Vorstellung von der Schekhinah in der frühen rabbinischen Literatur (Berlin 1969).
[44] *M. Kadushin*, The Rabbinic Mind (New York ²1965) 194–272.
[45] Vgl. z. B. Mekhilta, Baḥodesch, V (ed. Horovitz-Rabin, 219–220).

sem Gesichtspunkt aus die Quellen aufzuarbeiten. Es könnte sich unter Umständen herausstellen, daß man im rabbinischen Judentum bei der Identifizierung von Offenbarungsmomenten sehr wählerisch vorgegangen ist – was dann auch von der modernen jüdischen Theologie zu beachten wäre.

Die Tätigkeit des Heiligen Geistes als „Geist der Prophetie" war für die Rabbinen mit dem Tode der letzten kanonischen Propheten beendet[46]. Jedoch scheinen sie sich geweigert zu haben, die Offenbarung allein in der Vergangenheit zu belassen. Daher sprachen sie auch von Offenbarungen minderen Ranges, die teilweise aber ohne Autoritätsanspruch galten. So sprachen sie von der *Bat Qol*, wörtlich: „die Tochter einer Stimme", dem Echo einer himmlischen Stimme, die immerhin noch Gottes Willen kundtat[47], und von der Rolle des Propheten Elija, der ihnen hier und da als Bote Gottes erschien[48].

Gilluj Schekhina, Bat Qol und Elija waren die Offenbarungserfahrungsmöglichkeiten, die den Rabbinen aus eigener und persönlicher Erfahrung bekannt waren. Menschen, denen diese Formen der Offenbarung eine Sache der persönlichen Erfahrung war, konnten auch an die Offenbarung, die ihren Vätern zuteil wurde und von der die Bibel sprach, glauben.

Es war eben nicht *nur* ein Gebundensein an eine aus der Vergangenheit überlieferte Tradition, obwohl es auch das war. Vielmehr war es ein Leben in einer immer noch lebendigen Tradition, in der man behaupten konnte, daß „denjenigen, die dem täglichen Torastudium obliegen, die Tora so lieb ist wie an dem Tage, wo sie am Berge Sinai gegeben wurde"[49], und die in den Worten von Dtn 6,6 („Und diese Worte, die ich dir *heute* befehle, sollen in deinem Herzen sein") folgenden Sinn fand:

„,Die ich dir *heute* befehle'. Daß sie in deinen Augen nicht seien wie eine alte Verordnung, die niemand beachtet, sondern wie eine neue Verordnung, der alle entgegenlaufen."[50]

---

[46] Zum Thema vgl. *I. Abrahams*, Studies in Pharisaism and the Gospels, Bd. II (Cambridge 1924) 120–128; *P. Schäfer*, Die Vorstellung vom Heiligen Geist in der rabbinischen Literatur (München 1972) 89–111.
[47] bSanhedrin 11a.
[48] Vgl. M. Friedmann in seiner Ausgabe von Seder Elijahu Rabbah weSeder Elijahu Zuta (Jerusalem ²1960) Einleitung 1–62.
[49] bBerakot 63b.   [50] Siphre ad Deuteronomium, Pisqa 33 (ed. Finkelstein, 59).

V

Verkündigung und Entdeckung

Maimonides' Theorie der Offenbarung und Prophetie*

Von Barry S. Kogan, Cincinnati/Ohio (USA)

„Und Gott redete diese Worte: ..." (Ex 20,1). Auf diese und ähnliche Sätze berufen sich Judentum, Christentum und Islam in ihrem fundamentalsten Anspruch: Gott selbst ist in die menschliche Geschichte eingetreten und hat uns sein Wesen und auch seinen Willen, uns alle zu erlösen, offenbart. Dies ist zweifellos ein folgenschwerer Anspruch. Denn es wird damit ausgesagt, daß die Grenzlinie zwischen zwei gewöhnlich als getrennt betrachteten Bereichen – dem göttlichen einerseits und dem menschlichen andererseits – überschritten wurde. Zweitens wird der Mensch bezüglich dessen, was für ihn von größter Bedeutung ist oder sein sollte, angesprochen – sein Wohlergehen beziehungsweise sein Heil zu Lebzeiten. Schließlich werden davon alle Menschen innerhalb dieses Bereichs erfaßt, da wir ja alle zumindest potentielle Empfänger der Offenbarung sind, die sich an die Menschheit im allgemeinen richtet.

Nichtsdestoweniger war dieser Anspruch seit jeher ebenso problematisch wie folgenschwer. In der biblischen Periode bestand das Hauptproblem darin, zwischen den rivalisierenden Prophetien, die alle Anspruch auf Offenbarung erhoben, zu unterscheiden[1]. Welcher von

---

* Ich möchte Frau Eva Hosler für ihre unschätzbare Hilfe bei der Anfertigung dieser Übersetzung danken.
[1] Die Gesetzgebung im fünften Buch Mose ist bezüglich dieses Problems sehr empfindlich und legt die allgemeinen Kriterien fest, mit denen zwischen wahrer und falscher Prophetie unterschieden werden soll. So wird jeder Prophet oder Träumer, der die Verehrung fremder Gottheiten fordert, als falscher Prophet betrachtet. Auch die Nichterfüllung einer prophetischen Weissagung, die im Namen YHWHs gesprochen wird, stellt eine Vermutung von falscher Prophetie dar; siehe Dtn 13,1–5; 18,15–22. Dennoch sind die Kriterien zu allgemein, um in konkreten Situationen angewendet zu werden und dort, wo Zweifel existieren zwischen wahren und falschen Propheten, zu unterscheiden, wie dies aus verschiedenen Darstellungen ersichtlich wird; siehe 1 Kön 13,1–32; 22,1–38; Jer 28,1–17; 44,15. Sie sind hauptsächlich von rückblickendem Wert. Sie un-

jenen, zu denen Gott gesprochen haben soll, ist ein wahrer und welcher ein falscher Prophet? In der rabbinischen Periode wurde dieses Problem noch durch ein weiteres ergänzt: nämlich den Umfang und die Bedeutung der Offenbarung genau festzusetzen. Ist die Offenbarung ihrem Umfang nach den geschriebenen Wörtern aller oder nur einiger allgemein anerkannter heiliger Texte entsprechend? Sagt sie ferner nur das aus, was die Wörter explizite feststellen, oder darüber hinaus auch etwas, was in den Wörtern implizite enthalten ist? Und wenn die Offenbarung mehr mit einschließt, welche Verfahren und Kriterien sind dann anzuwenden, den Gehalt und das Verhältnis zum geschriebenen Gesetz zu bestimmen? Im Mittelalter rückte schließlich, durch den Zusammenprall mit der philosophischen Forschung, ein völlig anderes Problem in den Vordergrund – zu erklären, wie Offenbarung, oder genauer Prophetie, überhaupt möglich war. Vielen, die mit neoplatonischem und aristotelischem Gedankengut vertraut waren, erschien bei näherer Erwägung der Anspruch, daß Gott den Menschen zu bestimmten Zeitpunkten innerhalb der Geschichte seinen Willen verkündet haben soll, als unmöglich[2]. Die traditionelle Lehre, daß Gott „ewig" ist (Gen 21, 33), „ewig wohnt" (Jes 57, 15) und „sich nicht

---

terstützen zusätzlich die Beglaubigung derer, die bereits als „wahre Propheten" beurteilt wurden, sobald man sich darüber einig war, aus welchem Grund auch immer, daß ihre Mitteilung mit der Verehrung YHWHs übereinstimmte und ihre Weissagungen erfüllt wurden oder zumindest als erfüllt anerkannt wurden. Jedoch deuten einige Schrifttexte auch tiefgründigere Zweifel darüber an, ob Gott den Propheten bei allgemeinen oder besonderen Gelegenheiten seinen Willen mitteilt; siehe Ex 4,1; Jer 5,12–13. Zu dem Problem von Wahrheit und Falschheit in der Prophetie und damit verwandten Streitfragen siehe *J. Lindblom,* Prophecy in Ancient Israel (Philadelphia 1967) 210–215; und *R. P. Carroll,* When Prophecy Failed. Reactions and Responses to Failure in the Old Testament Prophetic Traditions (London 1979). Vgl. *G. Quell,* Wahre und Falsche Propheten (Gütersloh 1952).

[2] Die Annahmen, auf denen das Problem beruht, sind wahrscheinlich am knappesten in der Philosophenrede in Judah Halevis Kuzari ausgedrückt: I, 1, obwohl der Philosoph Offenbarung nicht generell verneint, zumindest nicht explizite. Später verweisen aber der Khazar König und der Rabbi auf die Schwierigkeit, daran zu glauben, daß Gott sich wirklich menschlichen Wesen auf deutlichere Weise verkündet. *Judah Halevi,* The Kuzari. An Argument for the Faith of Israel, übersetzt von Hartwig Hirschfeld (1905) I,6, 8, 49, 68, 87; II,2–3; V,12 (Ende) und 13. (Eine neue englische Übersetzung dieses wichtigen Werkes wird zur Zeit von Prof. Lawrence V. Berman von der Stanford University für die Yale Judaica Series vorbereitet.) Halevis eigene Lösung des Problems ist eng mit seiner Theorie des amr ilāhī verknüpft. Eine ausgezeichnete Erörterung dieser und ähnlicher Angelegenheiten bietet *H. Davidson,* The Active Intellect in the Cuzari and Halvi's Theory of Causality, in: Revue des Etudes Juives: Historia judaica, cxxxi, 3–4 (Juli – Dezember 1972) 350–396.

wandelt" (Mal 3,6), wurde zunehmend dahingehend verstanden, daß Gott selbst ewig ist. Jedoch bedeutet ewig zu sein in diesem Sinne nicht nur ohne Anfang und ohne Ende, sondern beständig, in jeder Beziehung aktuell und in keiner potentiell. Aber von so einem Sein läßt sich nicht behaupten, daß es zu bestimmten Zeitpunkten in die Geschichte „eintritt", indem es sich durch Sprechen oder auf andere Weise selbst verkündet; denn das würde eine Seinsveränderung einschließen, zumindest aber eine Beziehung dieses Seins zu bestimmten Augenblicken und besonderen Geschöpfen voraussetzen. Wenn also Offenbarung in einer Selbstverkündigung besteht, darin also, daß Gott etwas enthüllt und der Sicht freigibt, von dem man zuvor nichts wußte, so scheint dies unmöglich, weil es nicht mit dem, was uns unsere Vernunft über das Wesen Gottes lehrt, vereinbar ist.

Nehmen wir hingegen an, daß Offenbarung einleuchtender ist, wenn wir davon ausgehen, daß außergewöhnliche Individuen in den Bereich der Ewigkeit eindrangen und dabei die Gottheit entdeckten, so folgt daraus, daß diese Individuen, indem sie dies taten, ihren eigenen wandelbaren und zeitlichen Charakter, zumindest für die Dauer des Ereignisses, ablegten. Was aber noch wichtiger ist: selbst wenn solch eine Apotheose möglich wäre, würden sowohl die Beschreibung dieses Ereignisses als auch die darauf gründenden Ansprüche unvermeidlich erst darauf folgen, weil gerade ihre Formulierung und Äußerung zeitlich sind und deshalb nicht während des Ereignisses selbst haben stattfinden können. Doch das bedeutet, daß diese Beschreibungen Produkte des eigenen fehlbaren Geistes des Individuums sind und nicht von Gott selbst stammen. Wenn also Offenbarung in Entdeckung besteht, d.h. darin, daß zum ersten Male Kenntnis über etwas erlangt wird, was schon bestanden hat, aber bis dahin nicht wahrgenommen wurde, dann sind alle Berichte über die Entdeckungen, so interessant sie auch sein mögen, kaum von größerer Tragweite oder allgemeinerer Bedeutung als private Reisebeschreibungen. Sie lassen sich freilich auch nicht mit dem Eigenanspruch der Heiligen Schrift vereinen[3]. Das

---

[3] Eine etwas andere Formulierung dieser Reihe von Schwierigkeiten, die die Möglichkeit einer Offenbarung betreffen, besonders im Zusammenhang mit moderner jüdischer Theologie, wird von *E. L. Fackenheim* geboten in seinem Artikel Can There be Judaism Without Revelation?, in: Ind. Quest For Past And Future: Essays in Jewish Theology (Bloomington/Ind. 1968) 66–68.

Dilemma, in dem sich die mittelalterlichen Forscher befanden, ergab sich aus zwei sich gegenseitig ausschließenden Alternativen: Offenbarung als Verkündigung und Offenbarung als Entdeckung. Keine von beiden schien völlig glaubhaft, doch bot sich kein Mittelweg dazwischen an.

Die Ratlosigkeit, die diese und ähnliche Schwierigkeiten für religiöse, aber philosophisch wissensdurstige Individuen stiftete, war beträchtlich. Maimonides (1135–1204) beschreibt die Situation, in der sich solche Leute befanden, sehr treffend in der Zielfestlegung für sein Hauptwerk *Moreh Nebuchim* (Führer der Unschlüssigen), das er für seinen Schüler Joseph und ähnliche „Unschlüssige" verfaßte[4].

Ein solcher wird durch die wörtliche Auffassung des Schriftwortes und dadurch, daß er, weil er nun einmal entweder aus eigener Einsicht oder durch Belehrung von anderer Seite immerfort an den wörtlichen Bedeutungen dieser homonymen, metaphorischen und zweifelhaften Wörter festhält, in Unruhe versetzt und verbleibt darüber in Ungewißheit und Ratlosigkeit. Entweder folgt er seiner Vernunft und verwirft das, was er von dem Sinne dieser Wörter [traditionellerweise] weiß, und dann denkt er, er habe die Grundlehren der Religion preisgegeben, oder er wird bei seiner Auffassung bleiben, die er bisher festgehalten hatte, und seiner Vernunft nicht folgen, sie vielmehr hinter sich werfen und sich von ihr abkehren; dann wird er gewahr werden, daß er sich selbst einen Entgang und der Heiligen Schrift einen Nachteil zugezogen hat. Er wird, wenn er bei diesen eingebildeten Meinungen bleibt, ihretwegen in

---

[4] In seinem Widmungsbrief zum „Führer der Unschlüssigen" beschreibt Maimonides den Charakter und intellektuellen Hintergrund seines Schülers Joseph ibn Judah ibn Sha'mun. Dabei liefert er auch beträchtlichen Einblick in das größere Publikum derer, die gleich Joseph sind und für die sein „Führer der Unschlüssigen" ebenfalls beabsichtigt war; siehe *Moses Maimonides,* The Guide of the Perplexed, übersetzt von Shlomo Pines (Chicago 1963) Part I: Epistle Dedicatory 3–4. Pines' Übersetzung basiert auf dem jüdisch-arabischen Text, der von *S. Munk* eingeführt wurde, Le Guide des Égarés. 3 Bde. (Paris 1856–66) und mit verschiedenen Lesarten von Issachar Joel herausgegeben wurde („Dalalat al-ha'irin"; Jerusalem 5691 [1930/31]). Aus Gründen der Klarheit für einen mündlichen Vortrag bin ich z.T. von Pines' Übersetzung abgewichen. Dennoch basieren alle folgenden Zitate darauf. Im folgenden werde ich auf diese Übersetzung als Guide verweisen und alle zitierten Stellen mit folgenden Angaben, und zwar in dieser Reihenfolge, nachweisen: Teil, Kapitel, Seitenangabe, wie z.B. Guide I, 54, S. 123. Vgl. *Mose ben Maimon,* Führer der Unschlüssigen, Übersetzung und Kommentar von Adolf Weiß (Hamburg 1972) 1–2. Danach werde ich auf diese Übersetzung als Führer d. U. verweisen und alle zitierten Stellen mit folgenden Angaben in dieser Reihenfolge nachweisen: Bd., Buch, Kapitel, Seitenangabe, wie z.B. Führer d. U., Bd. I, I, 54, S. 177.

Furcht und in gedrückter Gemütsverfassung sein und unaufhörlich Herzeleid und arge Verlegenheit empfinden[5].

Das erste Ziel des „Morehs" ist es, diese Verlegenheit zu beseitigen, indem er das Verständnis der Tora ihrem wahren Sinn nach aufhellt, d. h. im Einklang mit der geheimen Lehre der Propheten und Weisen[6]. Bedeutend dabei ist aber, daß Maimonides diese Lehre mit naturwissenschaftlich und metaphysisch Nachweisbarem oder zumindest sehr Wahrscheinlichem belegt[7]. Das zweite Ziel ist es, verschleierte Gleichnisse zu bestimmen und zu erklären, die in den Büchern der Propheten auftauchen und die man ursprünglich nicht für Gleichnisse hielt, um so unser Verständnis darüber zu erweitern, was die Heilige Schrift wörtlich aussagt und was sie nur sinnbildlich, über unsere ursprüngliche Annahme hinausgehend, beansprucht[8]. Was die Offenbarung betrifft, stellt seine Auslegung, wie wir sehen werden, einen Versuch dar, zwischen den beiden ausschließenden Alternativen, wie sie zuvor umrissen wurden – entweder nur Verkündigung oder nur Entdeckung – zu vermitteln und gleichsam den Zwischenbereich, der beide verbindet und in dem beide angesiedelt sind, zu zeigen. In diesem Bestreben steht er ganz in der Tradition anderer bedeutender Persönlichkeiten der mittelalterlichen Philosophiegeschichte, die mit ähnlichen Konflikten zwischen Glaubens- und Vernunftansprüchen konfrontiert und deren grundsätzliche Vereinbarkeit zu zeigen bemüht waren, sobald diese Ansprüche erst hinlänglich verstanden wurden.

Zum leichteren Verständnis, wie im einzelnen Maimonides' Theorie eine Übereinkunft zwischen Offenbarung als Verkündigung und Offenbarung als Entdeckung herbeiführt, scheint es zunächst ratsam, um Vergleichs- und Unterschiedsmomente aufzeigen zu können, zwei andere Persönlichkeiten kurz zu betrachten, die er nicht kannte, die aber vor dem gleichen Problem standen: Augustinus von Hippo (354 bis 430) und Thomas von Aquin (1225–1274). Alle drei, wie ich sie verstehe, vertraten jene drei Forderungen, die das Problem, wie Offen-

---

[5] *Guide* I: Introduction, S. 5–6; Führer d. U., Bd. I, I: Einleitung, S. 4–5.
[6] *Guide*, a.a.O., S. 5–7; Führer d. U., a.a.O., S. 4–7.
[7] Guide, a.a.O., S. 6; Führer d. U. a.a.O., S. 6. Zum Teil ist es darauf zurückzuführen, warum Maimonides auf jede dieser Disziplinen als Naturwissenschaft bzw. ʿilm verweist.
[8] Guide, a.a.O.; Führer d. U. a.a.O., S. 5.

barung überhaupt möglich sei, herbeiführten: 1. Gott ist ewig und unwandelbar; 2. der Mensch ist zeitlich und wandelbar; 3. Offenbarung
bzw. Prophetie trat zu bestimmten Zeitpunkten innerhalb der
Geschichte ein und gewährte dem Menschen neue Erkenntnis über
göttliche Dinge. Die Tatsache, daß alle drei Berichte über Prophetie
anstatt Offenbarung darbieten, verweist wahrscheinlich, um das min-
deste zu sagen, darauf, daß sie davon überzeugt waren, daß aus der
offenbarenden Erfahrung mehr entnommen werden konnte, wenn
man sie vom menschlichen statt vom göttlichen Standpunkt aus unter-
suchte; dennoch sollten wir die Möglichkeit nicht ausschließen, daß
sie sich auch noch aus einem anderen Grund für Prophetie interessier-
ten, was möglicherweise mit ihrer relativen Betonung der menschlichen Entdeckung gegenüber der göttlichen Verkündigung in Zusammenhang mit ihrer Erklärung von Offenbarung zu tun hat. Jedenfalls
läßt sich überdies behaupten, daß alle drei bestrebt waren, das Dilemma
zwischen Verkündigung und Entdeckung zu beseitigen, indem sie eine
Position entwickelten, die es ermöglichte, beides gelten zu lassen, allerdings innerhalb eines neugeschaffenen philosophischen Systems,
wie es jedem dieser Denker eigen war.

Augustinus geht von drei Realitätsebenen aus. An der Spitze steht
Gott, der völlig unwandelbar ist. Unter ihm folgen Engel und menschliche Seelen, die zwar einem zeitlichen, aber keinem räumlichen Wandel unterworfen sind; und den untersten Rang nehmen Körper ein,
die völlig wandelbar sind. Nun weiß aber die menschliche Seele, obwohl sie einmalig und unteilbar ist, alles, was sie weiß, durch die eine
oder andere Art geistigen Sehens[9], die von dem Gegenstand, dem sie
sich zuwendet, abhängt. Augustinus gibt drei Sehweisen an, denen drei
Gegenstandsarten entsprechen[10]. Am niedrigsten ist die Wahrneh-

---

[9] *Augustinus*, De ordine, II, 3.10 (PL 32,999). „Das Verstehen ist für den Geist dasselbe,
was für die körperlichen Sinne das Sehen ist." Vgl. De immortalitate animae, 6,10 (PL
32, 1025–25). Hilfreiche Erörterungen von Augustinus' Metaphysik und Erkenntnis-
theorie finden sich in *V. J. Bourke*, Augustine's Quest for Wisdom (Milwaukee 1945);
E. Gilson, The Christian Philosophy of St. Augustine, übersetzt von L. Lynch (New
York 1960); *R. A. Markus*, Marius Victorinus and Augustine, in: The Cambridge
History of Later Greek and Early Medieval Philosophy, hrsg. von A. H. Armstrong
(Cambridge 1970); *ders.*, Augustine. A Collection of Critical Essays (Garden City –
New York 1972).
[10] De Genesi ad litteram XII, 6.15 – 11.22 (PL 34; 459–462). Augustinus' Erörterung
dieser drei Sehweisen stellen einen Teil einer größeren Abhandlung über Offenbarung

mung von Körpern. Hier nimmt die Seele körperliche Gegenstände durch das Medium des körperlichen Lichtes wahr, das sich vom Auge zum Gegenstand hin erstreckt. Sie sieht gemäß der aktiven Aufmerksamkeit, die sie den vom Auge zurückprallenden Lichteffekten zollt, und der eigenen inneren Vorstellung des Gegenstandes[11]. Die nächste Ebene nimmt das geistige Sehen ein, durch das wir körperliche Gegenstände „wahrnehmen", die nicht vorhanden sind. Hier sind die Gegenstände, die wir sehen, in Wirklichkeit Bilder, die der Geist von selbst erschafft, und das Licht, in dem wir sie sehen, ist gänzlich innerhalb unseres Geistes. Doch je nachdem, wie wir diese Bilder anordnen und interpretieren, können sie entweder wahre oder fiktive Vorstellungen sein[12]. Schließlich gibt es ein verstandesmäßiges Sehen. Dabei sieht die Seele, sowohl notwendige und allgemeingültige Wahrheiten der Logik und Mathematik als auch grundlegende Gewißheiten moralischer und ästhetischer Beurteilung[13]. Sie tut dies ohne Rückgriff auf Bilder und in einem Licht, das nicht von der Seele, sondern vielmehr von den durch die Vernunft erfaßbaren Gegenständen selbst ausstrahlt[14].

---

und mystische Theologie im zwölften und letzten Buch seines Wortkommentars zur Genesis dar. Der Ausgangspunkt für diese Erörterung der Offenbarung im Genesis-Kommentar ist der Bericht des Paulus über seinen Aufstieg in den dritten Himmel oder das Paradies, wo er eine ekstatische Vision erlebte (2 Kor 12,2–4). Der Genuß des Paradieses stellt so die Verbindung zwischen den Eingangskapiteln der Genesis und dem Bericht des Apostels her; siehe Sancti Aureli Augustini, De Genesi ad litteram. Liber duodecimus. Hrsg. mit einer Einführung, Übersetzung und Kommentar von *J. H. Taylor,* SJ (St. Louis, University Dissertation, 1948), S. xiv-xxi. Ich möchte mich bei dem Bibliothekar der St.-Louis-Universität und Rabbi Kenneth E. Ehrlich bedanken für ihre Beihilfe in der Sicherstellung eines Exemplars dieses Werkes.

[11] Ebd. XII, 6.15; 16.32 (PL 34,458 466); IV, 34.54 (PL 34,320); De Trinitate IX 3.3 (PL 42,962–963). Augustinus' Theorie von der aktiven Aufmerksamkeit der Seele (intentio animae) bei der Sinneswahrnehmung geht davon aus, daß die Seele dem Körper überlegen ist und dieser daher keinen Einfluß auf sie ausüben kann. Daher „ist es nicht der Körper, der wahrnimmt, sondern die Seele, die dies mittels des Körpers tut. Die Seele verwendet den Körper als eine Art Boten, um in sich selbst den Gegenstand der äußeren Welt, auf den sie aufmerksam wird, auszubilden." De Genesi ad litteram XII, 24 (PL 34,475).

[12] Ebd. XII,6.15; 8.19; 9.20; 12.25; 14.28–29,32; 16.33; 25.52 (PL 34,458 460–461 463 465 466 467 475–476).

[13] De libero arbitrio II, 9.25–10.29 (PL 32,1253–57); Vgl. De Genesi ad litteram XII, 3.6 (PL 34,456).

[14] De Genesi ad litteram XII, 6.15; 10.21–11.22; 14.29; 24.50–25.52 (PL 34,458–459, 461–462, 465–466, 474–476).

Dieser Bestandteil unseres Wissens, der weder von den physischen Gegenständen noch von uns selbst kommt, ist das Licht der Wahrheit, das den Geist erleuchtet. Da die durch die Vernunft erfaßbare Welt der Wahrheit aus eigenem Recht notwendig und ewig ist, setzt Augustinus sie mit dem göttlichen Geist gleich, der die archetypischen Ideen aller Schöpfungen beinhaltet. Sie ist seine Weisheit oder *Logos*. Gleich Platos Form des Guten handelt Gott als die „verständliche Sonne", die *ewig* sowohl die niederen Formen oder Ideen beleuchtet als auch die Abfolge des menschlichen Geistes, der sie begreift, indem er sie betrachtet[15]. Was aber von Augustinus' Standpunkt aus noch wichtiger ist, ist, daß Gott dies von der Seele aus und nicht von außen her bewirkt, und zwar unmittelbar, „nulla natura interposita"[16]. Deshalb beschreibt Augustinus die Erleuchtung als die dem Geiste innerliche Gegenwärtigkeit Gottes, als die Teilhaftigkeit des Geistes am göttlichen Werk und als den Wohnsitz Christi in der Seele, der uns als unser gemeinsamer Meister die Wahrheit lehrt[17]. „Das Licht sehen" läuft daher auf einen freiwilligen Akt göttlicher Gnade hinaus, der deshalb nicht weniger ewig ist, weil er individuell erfolgt, denn er ist für jeden Erkennenden in Gottes ewiger Erkenntnis unabänderlich vorherbestimmt. Das bedeutet, daß für das normale Erkennen Gott, der selbst die Ewigkeit ist[18], in der Zeit ist, nicht in dem Sinne, daß er wandelbar ist, sondern in dem Sinne, daß er *verkündet* wird und den wandelbaren, menschlichen Wesen innerhalb der Zeit sowie allen Geschöpfen *immerdar gegenwärtig* ist. „Er ist überall als Ganzes; und daher ist es in ihm, daß [der Geist] lebt, sich bewegt und sein Dasein hat und sich folglich an ihn erinnern kann", d. h., indem er sich ihm zuwendet[19]. Und wenn er sich ihm zuwendet, sieht er die Wahrheit in Augenblicken der Entdeckung.

Für Augustinus setzt Prophetie, gleich dem gewöhnlichen Erfassen intellektueller Wahrheiten, ein intellektuelles Sehen voraus. Auch die-

---

[15] De Trinitate IV,2.4; XII,15.4 (PL 42,889, 1011–12); De Civitate Dei XI,27.2 (PL 41,341); De diversis questionibus (De ideis) XLVI,2 (PL 40,30).
[16] De quantitate animae 34.77 (PL 32,1077).
[17] Soliloquia I,6.12; 8.15; 13.23 (PL 32,875–876 877 881–882): De Trinitate IV,20.28 (PL 42,907–908); De libero arbitrio II,13.36 (PL 32,1260–61); De magistro 11.38 (PL 32,1216).
[18] Enarrationes in Psalmos 101.10 (PL 37,1311).
[19] De Trinitate XIV,15.21 (PL 42,1051–52).

ses ist das Ergebnis der ewigen Gnade Gottes und tritt auf dem Wege der Erleuchtung durch Gottes innere Gegenwärtigkeit ein. Doch anstatt nur allgemeine Wahrheiten über erschaffene Gegenstände *im* göttlichen Lichte zu sehen, erblickt die Seele des Propheten das Licht selbst, wenngleich nur kurz und schwach.

Denn das Licht ist Gott selbst, während die Seele ein Geschöpf ist, die aber, da sie mit Vernunft und Verstand begabt ist, in seinem Ebenbild erschaffen ist. Und wenn sie es unternimmt, das Licht zu erblicken, erzittert sie in ihrer eigenen Schwäche und muß erkennen, daß sie dazu nicht ganz fähig ist. Dennoch entspringt alles Verstehen, das sie erlangen kann, dieser Quelle. Wenn sie daher in solcher Weise hingerissen wird und, nachdem sie sich von den körperlichen Sinnen befreit hat, dieser Vision in einer vollkommeneren Weise gewahr wird ... sieht sie auch über sich selbst dieses Licht, in dessen Erleuchtung sie alle Gegenstände, die sie wahrnimmt und in sich selbst begreift, zu sehen befähigt ist [20].

Indem sich der Prophet der Lichtquelle zuwendet, ist er fähig, sowohl besondere als auch allgemeine Wahrheiten zu begreifen, denn Gottes Wissen umfaßt sogar die Formen der Einzelwesen [21]. Deshalb kann ein Prophet genau wiedergeben, was Gottes Wille ist und was sich in der Zukunft ereignen wird. Darüber hinaus erscheint es besonders zweckmäßig, daß diese Dinge in konkreten Bildern der seelisch-geistigen Vision ausgedrückt werden. Dennoch reicht dies allein nicht aus für Prophetie. Noch notwendiger ist das Verständnis davon, was diese Bilder bedeuten. „Daher", sagt Augustinus, „ist jener weniger ein Prophet, der nur die Zeichen der Dinge sieht, die im Geiste durch Bilder von körperlichen Gegenständen dargestellt werden; jener ist mehr ein Prophet, der nur ein Verständnis von ihnen besitzt; aber am meisten ist der ein Prophet, der beides kann, so daß er im Geiste Bilder sieht, die körperliche Gegenstände darstellen und diese gleichzeitig kraft seiner Vernunft begreift." [22] Die höchste Ebene der Prophetie ist die Ekstase (raptus), ein Zustand der Begeisterung, in dem die Seele

[20] De Genesi ad litteram XII, 31.59 (PL 34, 479–480). Zur Interpretation dieses und damit verwandter Abschnitte siehe bes. *E. Gilson*, The Christian Philosophy of St. Augustine 92–96.
[21] Epistulae XIV, 4 (PL 33, 80).
[22] De Genesi ad litteram XII, 9.20 (PL 34, 461).

von den Sinneswahrnehmungen so völlig befreit wird, daß sie „hingerissen" wird, Gottes eigene Substanz zu sehen und die Ideen, die diese beinhaltet. Laut Augustinus hatten nur Mose (Ex 19,18; 33,9) und Paulus (2 Kor 12,3) solche Visionen[23]. Während aber auch diese Art prophetischer Vision, wie alle anderen auch, in der ursprünglichen und geleitenden Gnade Gottes wurzelt, hat es nichts zu besagen, daß Augustinus dennoch gewisse „Voraussetzungen" von denen fordert, die die Ideen erblicken. Unter diesen zählt er auf: Heiligkeit, Reinheit der Seele, Gesundheit des „geistigen Auges" oder Intellekts, Treue zu Gott in Liebe und, in einem Fall, Bemühen[24].

Dieser letzte Fall ist vielleicht der interessanteste, weil er in Augustinus' intellektueller Autobiographie „Confessiones" erscheint. Darin beschreibt er seine eigene ekstatische Vision während er mit seiner Mutter über die Weisheit Gottes sprach. „Während wir so über seine Weisheit sprachen und *mit allen Bemühungen unseres Herzens darnach lechzten, gelang es uns,* für einen Augenblick sie zu berühren... wir beide hatten uns gerade darnach *gestreckt,* und in einem plötzlichen Aufleuchten unseres Geistes *gelang es uns,* die ewige Weisheit zu berühren, die über uns allen wohnt."[25] Augustinus' *Theorie* der Prophetie beruht daher z. T. auf einem persönlichen Erlebnis.

Zusammenfassend können wir festhalten, daß Agustinus das Dilemma von Verkündigung gegenüber Entdeckung dadurch beseitigt, daß er den ewigen und unwandelbaren Gott von Anbeginn an in der Zeit sieht, insofern als er denen, die selbst ewige Wahrheiten sehen, immer gegenwärtig ist[26]. Auf diese Weise verkündet er sich ewig und ist immerzu entdeckbar. Aufgrund der vorherbestimmten Gnade

---

[23] Ebd. XII, 1.1; 27.55 (PL 34,453 477–478).

[24] De diversis questionibus (De ideis) XLVI, 2 (PL 40, 30 31). Eine sehr umfassende und hilfreiche Erörterung dieser Quelle und des platonischen Kontexts von Augustinus' Denkweise findet sich in *H. Meyerhoff,* On the Platonism of St. Augustine's Quaestio de Ideis, in: New Scholasticism XVI (1942) 16–45. Vgl. De Genesi ad litteram XII, 26.54 (PL 34,476), worin Augustinus andeutet, daß die Seligkeit der Ekstase ein Ziel ist, das mit spezifischen Mitteln verfolgt werden kann.

[25] Confessiones IX, 10. 24–25 (PL 32,774).

[26] Man könnte in diesem Zusammenhang fragen, wie Augustinus sich die göttliche Entscheidung zur Fleischwerdung dachte, zumal Gott den Menschen von Anbeginn an ewig gegenwärtig ist. Denn wenn wir von Gottes ewiger innerer Gegenwärtigkeit ausgehen, erscheint die Fleischwerdung überflüssig. Abgesehen von den üblichen theologischen Erklärungen der Inkarnation, die als Vermittlung zur Erlösung und Sündentilgung ange-

Gottes sind eindeutig die Propheten, die ihn am vollständigsten entdecken.

Thomas von Aquin entwickelt seine eigene Theorie von prophetischer Offenbarung auf der Grundlage, die Augustinus schuf, modifiziert diese aber radikal. Wir finden hier wiederum ein hierarchisches Realitätskonzept, obwohl weitaus differenzierter und umfangreicher als das von Augustinus. Auch hier ist Gott an der Spitze, selbst ewig und unwandelbar, und in absteigender Linie von Vollkommenheit finden wir unter ihm die ganze Mannigfaltigkeit endlicher und veränder-

---

sehen wird, schlägt Augustinus in einem Brief an Volusianus, der von der Inkarnation handelt, einige andere Möglichkeiten vor.

(1) Die Inkarnation hat einen Grund darin, die Blinden sehend zu machen, d. h. jene, die sich der inneren Gegenwärtigkeit Gottes weder zuwenden noch diese erblicken. „Man muß das Wort Gottes, durch das alle Dinge erschaffen wurden, verstehen, ohne zu glauben, daß etwas von Ihm verlorengeht oder sich von der Zukunft zur Vergangenheit verändert. *Doch Er kommt, wenn Er sich offenbart und geht, wenn Er verborgen bleibt. Jedoch ist Er anwesend, ob Er nun offenbart wird oder verborgen bleibt, so wie das Licht für die Augen des Sehenden als auch des Blinden da ist, aber nur dem Sehenden als etwas Wirkliches gegenwärtig ist, dem Blinden hingegen als etwas Fehlendes.*"

(2) Ein weiterer Grund der Inkarnation ist die Bestätigung und Erhellung von zuvor gesprochenen, aber nur vage verstandenen Wahrheiten. „Durch diesen selben Christus kam zu einer Zeit, die Er als die geeignetste erkannt und vor Anbeginn der Zeit geweiht hatte, ein Meister und Helfer zu den Menschen, damit wir ewige Erlösung erlangen könnten. *Er war in der Tat ein Meister, dessen Autorität, die sich hier im Fleische manifestierte, jene lebenswichtigen Wahrheiten bestätigen sollte, die zuvor gesprochen wurden, aber nicht nur von heiligen Propheten, deren Äußerungen gänzlich wahr waren, sondern sogar von Philosophen und Dichtern und Verfassern verschiedener Werke – und wer zweifelt daran, daß sich viele ihrer Wahrheiten mit Unwahrheiten vermengten. Und selbst bevor Er Mensch wurde, war Er allen, die Seine Wahrheit teilen konnten, gegenwärtig, um jener willen, denen es nicht möglich war, in die Tiefen Seiner Wahrheit einzudringen und diese zu erkennen ... Durch das Beispiel Seiner Fleischwerdung zeigte Er den Menschen, daß, während sie versucht hatten sich Ihm durch untergeordnete Wesen zu nähern, so als ob Er weit weg wäre, Er ihrem herzlichsten Wunsch doch so nahe war, daß Er herabstieg um selbst Mensch zu werden und sich mit ihnen zu vereinigen.*"

(3) Schließlich tritt die Inkarnation um der Folgerichtigkeit willen auf, damit Er selbst vollbringen konnte, was Er bislang durch andere vollbrachte. „... Sie [Mose und die Propheten] prophezeiten Sein Kommen, nicht als eines ihresgleichen oder eines, der ihnen in demselben Vermögen, Wunder zu wirken, nicht überlegen wäre, sondern als des höchsten Herrgotts aller, der um der Menschen willen Mensch wurde. *Der Grund, warum es Sein Wille war, solche Taten selbst auszuführen, war der, daß Er sich nicht widerspräche, indem Er nicht persönlich tue, was er durch Menschen getan hatte. Darüber hinaus aber mußte Er Taten vollbringen, die Ihm angemessen waren: aus einer Jungfrau geboren werden, von den Toten auferstehen, in den Himmel aufsteigen. Wenn nun jemand glaubt, das sei nicht genug für einen Gott, so weiß ich nicht, was man mehr erwarten könnte*": Epistolae 137,2.7; 3.12; 4.13 (PL 33,518 521 522).

licher Wesen – Engel, Menschen, Tiere, Pflanzen und schließlich Minerale und Elemente. Während aber für Augustinus Gott wahrhaftig *ist*, weil nur er unwandelbar ist, gleich einem platonischen „Sein", das niemals „wird", ist für Thomas Gott *unwandelbar*, weil nur er wahrhaftig ist. Das heißt, er allein ist identisch mit der reinen Wirklichkeit oder dem „Akt" der Existenz selbst, frei von Vermögen und daher auch frei von jedem Wandel[27].

Alle anderen Wesen in dem hierarchischen Aufbau unter ihm besitzen auch einen eigenen „Akt" der Existenz (esse), doch ist kein Wesen mit diesem identisch[28]. Jedes Wesen erhält diesen zur gegebenen Zeit, gemäß dem ewigen Willen Gottes, der sich freiwillig und auf alle möglichen, verschiedenen Weisen mitteilt[29]. Aber das bestimmte Maß, in dem ein Wesen seinen Daseinsakt erhält, bzw. die bestimmte Form, in der es ihn erhält, macht seine Wesenheit oder seine Beschaffenheit aus, und diese Beschaffenheit spiegelt eine der unendlichen göttlichen Ideen wider[30]. Bedeutend ist, daß die Beschaffenheit bzw. Wesenheit ein das Seiende begrenzender Faktor ist, der dessen besondere Vermögens- und Vervollkommnungsweisen bestimmt und alle übrigen ausschließt[31]. Während es aber stimmt, daß jede Wesenheit mit ihrem Daseinsakt eine wahre Verbindung eingeht, um ein konkretes Individuum zu bilden, ist der entscheidende Punkt der, daß diese Wesenheiten bzw. Beschaffenheiten an sich selbst *nichts* sind[32]. Auch sie hängen

---

[27] *Augustinus*, De Trinitate V,2.3; VII,5.10 (PL 42,912 942); *Thomas von Aquin*, Summa contra Gentiles I, 21, 22 und 52; Summa theologiae Ia, 9,1 und Ia, 13,11 (Sed contra). Vgl. Summa contra Gentiles I (Ende). Wertvolle Erörterungen der philosophischen und theologischen Ansichten Thomas' von Aquin finden sich bei *E. Gilson*, The Christian Philosophy of St. Thomas Aquinas, übersetzt von L. K. Shook (New York 1956); *ders.*, Elements of Christian Philosophy (New York 1960); *ders.*, Being and Some Philosophers (Toronto 1952); *J. Owens*, An Elementary Christian Metaphysics (Milwaukee 1963); *A. Kenny*, Aquinas. A Collection of Critical Essays (New York 1969).

[28] *Thomas von Aquin*, Summa theologiae, Ia, 8, 1. Es ist „das, was in allem am innersten ist und in den Dingen am tiefsten sitzt, weil es wesentlich ist in bezug auf alles, was man an einem Ding findet". Aber wie vertraut ein Wesen auch mit dem Existenzakt, den es besitzt, ist, so ist dieser dennoch nicht mit dem Wesen identisch; siehe De ente et essentia, V.

[29] De potentia Dei II,1.   [30] Summa theologiae Ia, 15, 2. Vgl. De veritate III, 8.

[31] De ente et essentia V, 4, 8–10.

[32] De potentia Dei III, 5, ad 2. Eine Wesenheit muß deshalb durch einen Existenzakt verwirklicht werden in rerum natura oder in einem Geist, der sie erfaßt; sonst hat sie überhaupt kein Sein.

ihrer Existenz halber gänzlich von Gottes ursprünglicher Gabe des *esse* ab, also von dem uneingeschränkten Daseinsakt. Die Bedeutung der ontologischen Unterscheidung, die Thomas hier trifft, ist folgende: er begründet dadurch sozusagen ein zweistöckiges metaphysisches Universum. Dessen untere Dimension umfaßt den gesamten Bereich der Wesenheiten und Beschaffenheiten, die die übliche Ordnung der Natur, wie wir sie kennen, ausmachen. Doch hängt diese Ordnung gänzlich von einer buchstäblich übernatürlichen Ordnung reiner Existenz ab, deren Ursprung Gott ist. Da er allein die übliche Ordnung der Natur *bestimmt*, kann er sie auch durch einen Gnadenakt wieder aufheben, um die Natur zu vervollkommnen, und beides geschieht durch seine *ewige* Gnade und seinen *ewigen* Willen[33].

Diesen zwei Realitätsordnungen entsprechend, unterscheidet Thomas auch zwischen natürlichen und übernatürlichen Ordnungen der Erkenntnis und Prophetie. Aristoteles folgend, behauptet er, daß unsere gesamte natürliche Erkenntnis bei sinnlich wahrnehmbaren Dingen beginnt und abstrahierend voranschreitet[34]. Wir betrachten die Dinge sozusagen gemäß ihren Gemeinsamkeiten und ziehen das, was sie gemeinsam haben, von dem, was sie unterscheidet, ab (abstrahere). Wenn also bei der Sinneswahrnehmung körperliche Gegenstände oder deren Eindrücke auf unsere Sinnesorgane wirken, abstrahieren wir ihre Form von ihrem Stoff und bilden durch Erinnerung und Einbildungskraft Vorstellungen von ihnen aus. Indem wir sie begreifen, holen wir aus diesen besonderen Vorstellungen oder Phantasmen das heraus, was an ihnen im eigentlichen begreifbar ist, nämlich ihre allgemeine Form,

---

[33] Thomas behandelt die Prophetie als eine freiwillige Gnade oder Gabe, die willkürlich erteilt wird. Wenn sie richtig verstanden wird, vervollkommnet sie unsere natürliche Erkenntnis insofern, als sie menschliche Wesen dazu befähigt, weiter zu sehen und mehr zu wissen, als sie dies möglicherweise auf natürliche Weise tun könnten. Doch, wie jede andere Äußerung göttlicher Gnade auch, zerstört sie weder, noch unterdrückt sie die Natur, sondern fügt ihr etwas hinzu und vervollkommnet sie; siehe Summa contra Gentiles II, 150.5–7 und Summa theologiae IIa IIae, 171–178, Einleitung, und IIa IIae, 63, 3. Weil Gott unwandelbar ist, müssen solche Gaben so verstanden werden, daß sie in Übereinstimmung mit Gottes ewigem Willen erteilt werden und seinem zeitlosen Wissen von denen, die sie letztlich empfangen. Denn jede Handlung oder Beziehung, die wir Gott zuschreiben, doch die in Zeit und Raum ihre Wirkung zeitigt, macht keine neue Realität oder Wesenheit auf seiten Gottes notwendig, der eine unveränderliche Wirklichkeit darstellt, sondern auf seiten des erschaffenen Universums.
[34] Summa theologiae Ia, 84,6 resp. (Ende); I,85, 1 resp. und ad I,2.

und rufen uns diese ins Gedächtnis[35]. Auf diese Weise gelangen wir zu den Begriffen, durch die wir das wahre Wesen der Dinge begreifen. Wenn wir ferner darangehen festzustellen, was existiert und was nicht bzw. was der Fall ist und was nicht, beziehen sich unsere Urteile nicht auf die Wesenheiten, sondern vielmehr auf die individuellen Daseinsakte, und im Idealfall gelangen wir zur Wahrheit[36].

Was aber alle diese intellektuellen Vorgänge einleitet und aufrechterhält, ist nicht die dem Geiste innerliche Gegenwärtigkeit Gottes, sondern ein aktiver Aspekt unseres eigenen Geistes, den Thomas unsere aktive Vernunft nennt (intellectus agens)[37]. Nun kann aber bei außergewöhnlichen Individuen die Einbildungskraft so stark und der Verstand so hell sein, daß solche Leute detaillierte Kenntnisse von zukünftigen Ereignissen erlangen, sei es im Traum oder als Vision[38]. Dieses Vorhererkennen macht die natürliche Prophetie aus und gründet auf vergangener Erfahrung natürlicher Ursächlichkeit. Es ist dem Vorhererkennen eines Arztes über den bevorstehenden Tod oder eine bevorstehende Genesung eines Patienten vergleichbar, geht aber darüber hinaus, was die Entfernung des Vorhergesehenen sowie die Umstände, unter denen diese Erkenntnis eintritt, betrifft[39]. Denn was der Prophet voraussieht, wird nicht bewußt abgeleitet, sondern geschieht durch eine plötzliche Eingebung wie die durch Engel und stofflose Substanzen[40]. Der detaillierte und anschauliche Charakter der Vorhersagen des Propheten entspringt seiner ungewöhnlichen Einbildungskraft, während sein intellektueller Scharfsinn die Zutrefflichkeit dieser Vorhersagen erklärt. Nichtsdestoweniger vertritt Thomas die Meinung, daß Prophetie dieser Art ihren Namen zu Unrecht trägt. Sie ist höch-

[35] Ebd. Ia, 85,2 ad 3; I, 85,3 ad 1; De veritate X, 5 resp.
[36] In I Sententiarum I, 19, 5, 1 ad 7; In De Trinitate V, 3; Summa theologiae 1, 16, 2. Siehe *G. B. Phelan*, Verum Sequitur Esse Rerum, in: Mediaeval Studies I (1939) 11–22.
[37] Summa theologiae Ia, 79, 3 und 4.
[38] Ebd. IIa IIae, 172, 1 resp. und ad 1. „Es helfen ihnen dann ihre natürlichen Anlagen, insofern als ihre Einbildungskraft vollkommener und ihre Vernunft klarer ist." (Vgl. De veritate XII, 3 resp.)
[39] Ebd.
[40] De veritate XII, 3 resp.: „Überdies wird der Geist des Menschen bei beiden Arten von Prophetie [der natürlichen und der übernatürlichen] erhoben, so daß er auf eine ähnliche Weise wie die stofflosen Wesen begreift, die die Grundsätze und Schlußfolgerungen [was die Eröffnung zukünftiger Ereignisse betrifft] mit größter Sicherheit durch eine gewöhnliche Intuition verstehen, ohne das eine von dem anderen abzuleiten."

stens eine ungewöhnliche Art natürlicher Entdeckung. Sie ist auf die menschliche Erfahrung natürlicher Ursachen beschränkt; sie ist ungeeignet, Menschen bezüglich der Gottesverehrung zu lenken, und sie ist in sich fehlbar[41].

Strenggenommen ist Prophetie eine freiwillige Gunst oder besondere Gabe Gottes[42]. Sie besteht in der Erkenntnis von Sachverhalten, die jenseits dessen liegen, was das menschliche Denkvermögen erreichen oder bestätigen kann und ist deshalb dem Geist des Propheten durch göttliche Offenbarung aufgeprägt[43]. Kurz, es handelt sich um eine übernatürliche Verkündigung, die keine positiven Vorausbedingungen hat[44]. Im Gegensatz zur natürlichen Prophetie belehrt sie über göttliche Mysterien (wie die Dreifaltigkeit), die Macht seelischer Substanzen, die eigentliche Bestimmung menschlichen Handelns über dem Naturgesetz und jenseits des Naturgesetzes sowie über die Art zukünftiger Ereignisse[45]. Mehr noch, Thomas behauptet, daß diese Lehre unfehlbar ist, da sie Gottes eigene Erkenntnis oder seinen eigenen Willen widerspiegelt. Solch eine Mitteilung wird dem Propheten nur dann zuteil, wenn sein Geist, um die Wahrheit zu erkennen, „erhoben" wird

---

[41] Summa theologiae Ia, 172, 1 resp. und ad 4; vgl. De veritate XII, 3 resp.

[42] Daher ordnet Thomas es unter den „gratiae gratis datae" ein und nennt es „donum Spiritus Sancti" und „revelatio a Deo". Summa theologiae IIa IIae, 171 (Einleitung); 172,1; 172,2 ad 2; De veritate XII, 3, ad 6; XII, 4, resp.; XII, 5, ad 4; XII, 8, ad 2, 3, 5. Siehe auch A. Altmann, Natural or Supernatural Prophecy, in: AJS Review III (1978) 1–19.

[43] Summa theologiae IIa IIae, 171, 1 resp.; 171,6 resp.

[44] Ebd. 172, 3 und 173, 4. Vgl. De veritate XII, 4 und XII, 5. Thomas behauptet, daß, während moralische Schlechtigkeit ein Hindernis für Prophetie darstellt, da sie die Seele einer übermäßigen Beanspruchung unterwirft und die Fähigkeit zu richtigem Handeln verdirbt, Gott dieses Hindernis beseitigen kann, wenn er einem Individuum die Gabe der Prophetie verleiht. Ja, „die regelmäßige Verleihung dieser Gabe schließt mit ein, daß sie manchmal auch jenen erteilt wird, die dafür am wenigsten geeignet scheinen, so daß es auf diese Weise der göttlichen Macht zugeschrieben wird…": ebd. XII, 4, ad 6. In dieser Hinsicht kommt Thomas' Position der der ersten der drei Ansichten über Prophetie, die Maimonides erörtert, nahe. Siehe Guide II, 32, S. 360–361; Führer d. U., Bd. II, II, 32, S. 221.

[45] Summa theologiae IIa IIae, 171 (Einleitung). Vgl. De veritate XII, 3, ad 11. Natürliche Prophetie ist nicht notwendig, um die Grundsätze bürgerlichen Rechts zu lehren, um so das allgemein Gute zu fördern. Die natürlichen Prinzipien, die die menschlichen Wesen bereits besitzen, reichen dafür aus. Jedoch ist übernatürliche Prophetie notwendig insofern, als die menschliche Gesellschaft ein ewiges Leben zum Ziel hat. Dafür reicht nur göttliche Lehre aus.

oder „mit Licht durchtränkt", was durch eine „Bewegung des Heiligen Geistes" geschieht[46].

Den verständlichen Einwand, daß Thomas Offenbarung als Verkündigung nur um den Preis der Einführung von Wandelbarkeit in die Göttlichkeit aufrechterhalten kann, weist dieser folgendermaßen zurück: „Daß eine göttliche Person [nämlich der Heilige Geist] in jedem Individuum von neuem existieren kann oder vorübergehend von diesem besessen werden kann, hat seine Ursache nicht in einer Veränderung in der göttlichen Person, sondern in einer Veränderung im Geschöpf."[47] Diese Veränderung innerhalb des Geschöpfes wird durch eine „Beseitigung der Schleier der Unwissenheit und der Dunkelheit" bedingt, die ihn normalerweise umgeben[48]. Dies wird durch die Offenbarung selbst herbeigeführt, während die Offenbarung durch Gottes unwandelbaren Willen und seine unwandelbare Gnade herbeigeführt wird, wenn er sich vorgenommen hat, die Natur auf eben diese Weise zu vervollkommnen.

Der Prophet ist durch das ganze Erlebnis hindurch passiv, und seine Erleuchtung ist vorübergehend. „Sein Geist bedarf neuer Offenbarung, genauso wie ein Schüler, der die Grundsätze seiner Disziplin nicht meistert, Unterweisung in jedem einzelnen Punkt benötigt."[49] Die besondere Art seines Verständnisses erhält er daher von Gott, aber mit dem Beistand der Engel, die dem menschlichen Geist das göttliche Licht endgültig und klarmachen, so wie die Wesenheiten dem Daseinsakt seine Grenzen und seine Faßbarkeit verleihen[50]. Solche unter den Propheten bestehenden Unterschiede spiegeln den Grad wider, zu dem sie bestimmte übernatürliche Wahrheiten unverfälscht (nude) wirkungsvoll erfassen und bekanntmachen[51]. Daher behauptet Thomas, im Gegensatz zu Augustinus, daß „die Art von Prophetie, die ein rein

---

[46] Summa theologiae IIa IIae, 171, 1, ad 4 und 173, 4 resp.
[47] Ebd. Ia, 43, 2 ad 2; vgl. ebd. Ia, 12, 7 resp. und Ia, 43, 1, ad 2.
[48] Ebd. IIa IIae, 171, ad 4.
[49] Ebd. 171, 2 resp.; 171, 4 resp. und De veritate XII, 3, ad 18.
[50] De veritate XII, 8 resp. und ad 3: „... Die Macht des göttlichen Lichtes ist höchst einfach und höchst universal. Es besteht zwischen ihm und seiner Rezeption durch die menschliche Seele in diesem Leben kein Verhältnis, es sei denn, daß es begrenzt und auf das engelhafte Licht eingeschränkt wird, das von geringerem Ausmaß und dem menschlichen Geist angemessener ist"; vgl. Summa theologiae IIa IIae, 172, 2 resp. und ad 3.
[51] Summa theologiae IIa IIae, 174, 2 resp. und De veritate XII, 12 resp.

intellektuelles Sehen ist, wertvoller ist als jene, bei der zu dem intellektuellen Sehen auch ein imaginatives hinzutritt"[52]. Jedoch in Übereinstimmung mit Augustinus stellt auch Thomas Mose und Paulus auf die höchste Ebene der Prophetie, wobei er Mose sowohl imaginatives als auch intellektuelles Sehen zuschreibt, dabei aber das Letztgenannte betont. Dementsprechend wird beiden eine ekstatische Vision der wahrhaftigen Substanz Gottes zugesprochen, Mose als dem „ersten Kirchenvater der Juden" und Paulus als dem „ersten Kirchenvater der Nichtjuden"[53]. Dennoch überragt dieser den ersteren, weil Mose, obschon er der größte der Propheten war, dennoch weniger gelten sollte als ein Apostel[54].

Im ganzen löst Thomas von Aquin das Dilemma von Verkündigung gegenüber Entdeckung dadurch, daß er Gott als den einen ewigen und unwandelbaren Akt der Existenz gänzlich außerhalb der Natur- und Wesensordnung ansetzt und dann so argumentiert, daß Gott nicht nur die gegenwärtige Naturordnung, wie sie ist, sondern auch wie sie durch Gnade vervollkommnet werden soll, *ewig* gewußt und aus freien Stükken gewollt hat. Auf diese Weise wird Gott dem, den er ewig erwählt hat, periodisch verkündet, und in diesen Verkündigungen wird er als deren Ursache entdeckt. Propheten und Apostel sind deshalb nicht nur die Empfänger göttlicher Gnade, sondern deren vorherbestimmte Werkzeuge zur Vervollkommnung der Natur.

Maimonides' Lehre von der Prophetie spricht dasselbe Dilemma von einem noch anderen Standpunkt aus an; jedoch ist dieser in gewisser Weise weniger leicht zu bestimmen und zusammenzufassen als die Ansichten von Augustinus und Thomas. Das hat seinen Grund darin, daß Maimonides' Theorie, in der er versucht, „das Verständnis der Tora der Wahrheit nach" zu erhellen – d. h. im Einklang mit den festgesetzen Lehren der Naturwissenschaft und der Metaphysik –, mit dem neo-platonischen Aristotelianismus seiner Vorgänger auf das engste verknüpft ist, sowohl in diesen Disziplinen selbst als auch in der Erkenntnislehre. Doch ist nicht immer mit Gewißheit festzustel-

---

[52] De Veritate XII, 12 resp. (Ende).
[53] Summa theologiae IIa IIae, 175, 3, ad 1; 174, 4 resp. und ad 1.
[54] Ebd. 175, 6 resp. „Was den Glauben an die Menschwerdung Christi betrifft, so zeigt sich deutlich, daß jene, die Christus nahe waren, sei es vor oder nach Ihm, ganz allgemein gesprochen, besser unterrichtet waren. Doch nach Ihm mehr als vor Ihm"; vgl. ebd. 174, 5, ad 1.

len, welche ihrer Ansichten er als bewiesen erachtete[55]. Auch weil Maimonides „das Verständnis der Tora der Wahrheit nach" und besonders die Erklärung darüber, „wie" Prophetie eintritt, als geheime Lehre betrachtete, war er überaus vorsichtig in seinen Darstellungen davon, und zwar so sehr, daß jede Zusammenfassung davon notwendig eine Interpretation und Rechtfertigung in vielen Punkten verlangt[56]. Wenn wir uns dieser Überlegungen völlig bewußt sind, können wir nun darangehen, seine Theorie zu umreißen.

Auch Maimonides stellt sich die Realität als hierarchischen Aufbau vor. Doch entspricht in seinem Fall die Hierarchie der Wesen ziemlich genau dem vorherrschenden astronomischen Modell der Weltordnung als eines multi-sphärischen Gebildes mit der Erde als Zentrum. Sehr allgemein gesagt, ist Gott wieder auf der höchsten Realitätsebene. Jene Engel, denen die Bewegung der himmlischen Sphären zugeschrieben wird, d. h. die stofflosen Vernunftswesen, kommen als nächstes. Ihnen entsprechen, obwohl niedriger im Rang, die Sphären selbst, die Maimonides als lebendige Wesen aus eigenem Recht beschreibt. „Unterhalb" dieses Systems von konzentrischen, beweglichen Sphären aber

---

[55] Eine erhellende Diskussion über Maimonides' Gebrauch griechischer und islamischer Quellen findet sich in der Einleitung des Übersetzers des „Führers der Unschlüssigen", Shlomo Pines', Eine jüngere Studie desselben Autors, die aber auf ein einziges Thema beschränkt bleibt, ist: The Limitations of human Kowledge according to Al-Farabi, ibn Bajja, and Maimonides, in: Studies in Medieval Jewish History and Literature, hrsg. von I. Twersky (Cambridge 1979). Andere grundlegende Werke zur Interpretation Maimonides' im Lichte seiner Vorgänger umfassen L. Strauss, Philosophie und Gesetz: Beiträge zum Verständnis Maimunis und seiner Vorläufer (Berlin 1935), und L. V. Berman, Ibn Bajja and Maimonides. A Chapter in the History of Political Philosophy (Hebräisch; Dissertation, Jerusalem 1959). Eine ausgezeichnete Bibliographie zur Studien über mittelalterliche jüdische Philosophie, die zwischen 1933 und 1972 erschienen, findet sich in G. Vajdas Les études de philosophie juive du moyen âge depuis la synthese de Julius Guttmann, in: HUCA 43 und 45 (1972, 1974) 125–148 205–242. Das Anwachsen solcher Studien ist eine willkommene Entwicklung, zumal die Beziehung Maimonides' zu seinen Vorgängern als auch die Art seines Aristotelianismus problematisch bleiben.
[56] Guide I, Introduction, S. 6–7, 9–10, 17–18, 20; S. 80–81; Führer d. U., Bd. I, I, Einleitung, S. 5–6, 10–11, 20–22, 24–25; I, 35, S. 110–111. In der folgenden Erörterung von Maimonides' Lehre werde ich versuchen, so viel Rechtfertigung für meine Lesart bereitzustellen, wie es der begrenzte Rahmen dieser Darstellung erlaubt, sowohl innerhalb der Abhandlung als auch in den Fußnoten. Viele meiner Behauptungen werden zugegebenerweise strittig sein. Während ich nicht annehme, daß die Interpretation, der zu folgen ist, die einzige mögliche Lesart von Maimonides' Lehre ist, bin ich überzeugt, daß sie nicht nur den Beweis, den ich dafür einbringe, in Betracht zieht, sondern auch viel von dem Beweis, der normalerweise dagegen angebracht werden könnte.

gibt es einen Engel, die Aktive Vernunft, die Maimonides als die bewirkende Ursache von allem bezeichnet, was auf der Erde, und zwar nicht nur ausschließlich aufgrund stofflicher Faktoren, geschaffen wird[57]. Im Gegensatz zu Thomas ist es nicht einfach ein aktiver Aspekt unserer eigenen Vernunft. An nächster Stelle kommen menschliche Wesen, die als rationale Tiere verstanden werden und denen die verschiedenen Arten von Tieren, Pflanzen, Mineralien, Elementen und die materia prima folgen.

Innerhalb dieses Schemas wird Gott als ewig und in sich selbst unwandelbar betrachtet, aber aus folgendem Grund: Er ist vollkommen frei von Materie[58]. Für Maimonides bedeutet das, daß sich solch ein Sein von allem, was wir in der Natur vorfinden, grundlegend unterscheidet; ja diese Tatsache systematisch und im einzelnen darzustellen ist eines der Ziele seiner berühmten Theorie von den verneinenden Eigenschaften.

Dennoch gestattet er sich eine einzige bedingte Analogie – zwischen einem stofflosen Wesen und der abstrakten Form natürlicher Dinge, denen, indem wir sie verstehend betrachten, in unserem Geiste „Der Stoff abgestreift worden ist". Darauf aufbauend, charakterisiert Maimonides an einer Stelle Gott als „die letzte Form in allem Seienden" oder „die Form aller Formen", was wir als die rationale Form alles Seienden überhaupt bezeichnen können[59].

---

[57] Guide II, 4, 6, 12, S. 257–258, 264, 278; Führer d. U., Bd. II, II, 4, 6, 12, S. 46–47, 59, 84–85.

[58] Guide II, Introduction, Premises 5, 7, 16, 24, II, 1, S. 236–239, 249–252; Führer d. U., Bd. II, II: Philosophische Leitsätze, 5, 7, 16, 24, und II: 1, S. 5–7, 10–11, 15, 34–37.

[59] Guide I, 68, 69, S. 163–166, 168–169; Führer d. U., Bd. I, I, 68, 69, S. 253–262, 266–269. Viele Leser des „Führers der Unschlüssigen" bemerkten, daß die Theorie der verneinenden Eigenschaften und die Theorie von Gott als der selbst-denkenden Form des Universums völlig unkonsequent aufscheinen. Erstere scheint jede positive Charakterisierung von Gott selbst auszuschließen, da ihn dies den Dingen in der Natur angleichen würde, während letztere offensichtlich eben solch eine Charakterisierung bietet. Jedoch wenn dies einen der Widersprüche des „Führers der Unschlüssigen" darstellt, so ist er sicherlich zu offensichtlich, als daß man ihn unter den siebenten Typus einreihen könnte, bei dem ein Geheimnis gehütet werden muß. Ich glaube, er repräsentiert vielmehr den fünften Typus von Widersprüchen, bei dem die Inkonsequenz den Bedürfnissen des Unterrichtens entspringt. Denn die Verneinung, in bezug auf Gott, von spezifischen Eigenschaften, die den Dingen in der Natur zukommen, wie es von der Theorie der verneinenden Eigenschaften gefordert wird, wird grundsätzlich schwieriger erfaßt als die Charakterisierung Gottes als „die Form der Formen". Das hat seinen Grund darin, daß der Prozeß der Verneinung ausführliche Erkenntnis dieser Eigenschaften, wie sie

Weil nun Gott als immaterielle Form weder Stoff noch Vermögen besitzt, ist er zugleich völlig aktuell und ständig aktiv[60]. Im Einklang mit der Analogie bezeichnet Maimonides diese Aktivität als intellektuelles Verstehen oder Betrachten, das gleich dem der selbst-denkenden Gottheit des Aristoteles ist. Anders als bei Aristoteles aber, endet für Maimonides die betrachtende Tätigkeit Gottes nicht einfach bei sich selbst. Sie drückt sich vielmehr äußerlich aus. Das impliziert, daß der Akt der göttlichen Vernunft so überreich ist, daß sich ihr formaler Vorstellungsgehalt über Gott hinaus „ergießt" und dadurch alles Seiende in Übereinstimmung mit seiner Weisheit und seinem Willen schafft, unterweist und erhält[61]. Daher entspringt letztlich alles, was eine rationale Struktur aufweist, die es zu einem Seienden oder einem Vorkommnis *spezifischer Art* macht, dem ewigen göttlichen Akt des Wissens seiner Form. Insofern aber, als Seiende und Vorkommnisse ihre Form zu bestimmten Zeitpunkten erhalten, wird ihr Hervortreten durch die Aktive Vernunft oder die Geberin der Formen vermittelt, die sich ständig aus eigenem Recht ergießt. Als solche verleiht sie jedem Materialsubstrat, das dazu bestimmt ist, seine spezifischen Formen, einschließlich des formalen Gehalts der Erkenntnis selbst, sowohl der natürlichen als auch der prophetischen[62].

---

sich in der Natur ereignen, voraussetzt. Man mag vollständige Wissenschaften beherrschen müssen, um eine einzelne Eigenschaft zu verneinen. Also, wenn auch der Prozeß mit den besonderen und geläufigen Charakteristika gewöhnlicher Dinge in der Natur beginnt – materieller Gegenstände, Tiere, Menschen und sogar Sphären – und diese in bezug auf Gott negiert, so befähigt nur das Anwachsen der Erkenntnis der Wissenschaften und ihrer systematischen Beziehungen dazu, solche Negationen auf unterrichtete Weise beizubringen. Wenn man dieses Verfahren anwendet und auf diese Weise mehr über die Formen der Dinge in der Natur lernt, werden einige wenige Individuen fähig sein, auf indirekte Weise das zu erfassen, was man unter dem Begriff Gott als „die Form der Formen" versteht. Auch wird dies Gott nicht an irgend etwas in der Natur angleichen, da es in der Natur überhaupt nichts gibt, was eine Form der Formen wäre in der Art, wie Gott es ist. In diesem Sinne kann die Theorie der verneinenden Eigenschaften als programmatisch für ein Verständnis von Maimonides' Lehre im „Führer der Unschlüssigen" ausgelegt werden: I, 68–69. Eine einsichtsvolle Erörterung des gesamten Problems erscheint in *E. Schweids* The Apprehension of God through Thought (Hebr.: Ta'am V' Hakashah (Feeling and Speculation) (Israel 1970) 105–148.
[60] Guide I, 28, 44; vgl. II, 18, S. 61, 95, 300; Führer d. U., Bd. I, I, 28, 44, 82, 131; vgl. Bd. II: 18, S. 118–120.
[61] Guide II, 11, 12; I, 69, S. 275–279, 166–171; Führer d. U., Bd. II, 11, 12, S. 80–88; Bd. I, I, 69, S. 262–271.
[62] Guide II 4, 6, 12, 18, 36, S. 257–258, 264, 278–279, 300, 369; Führer d. U., Bd. II, 4, 6, 12, 18, 36, S. 46–47, 59, 84–85, 118–120, 238.

Wie Thomas verweist auch Maimonides darauf, daß wir, wenn wir etwas gewöhnlich verstehen, die Formen konkreter Einzelwesen von ihrem Stoff abstrahieren und diese in unseren Geist aufnehmen. Wiederum bilden die inneren Sinne der Erinnerung und Einbildungskraft Bilder von dem aus, was wir auf diese Weise begriffen haben[63]. Doch kommt die allgemeine Form, die wir schließlich erfassen, im Gegensatz zur besonderen Form dieses oder jenes Einzelwesens, nicht von den Einzelwesen, die wir begreifen, wie bei Thomas, weil sie nicht in ihnen existiert, weder potentiell noch anderweitig[64]. Auch wird sie uns nicht von innen her mitgeteilt wie bei Augustinus. Sie kommt vielmehr von der Aktiven Vernunft, wenn immer wir bereit sind, sie zu empfangen.

---

[63] Guide I, 68, II, 36, S. 163–164, 370; vgl. Eight Chapters, hrsg. von *R. L. Weiss* and *Ch. E. Butterworth* (New York 1975) 63; Führer d. U., Bd. I, I, 68, S. 256–259; Bd. II, II, 36, S. 239–240.

[64] Guide III, 18; II, 4, 6, 12, S. 474, 257–258, 264, 278; Führer d. U., Bd. II, III, 17; S. 109; Bd. II, 4, 6. 12, S. 46–47, 59, 84–85. Maimonides verleugnet ohne Einschränkung, daß Universalia außerhalb des Geistes überhaupt eine Existenz haben. Und wenn, so können wir das Allgemeine als solches nicht von konkreten Einzelheiten via Abstraktion ableiten. Von wo kommt es aber dann dem Geist zu, der es erfaßt? Insofern, als das Allgemeine eine Form ist, kommt es dem Wissenden wahrscheinlich durch die Aktive Vernunft zu, die Maimonides, wieder ohne Einschränkung, als die Geberin *aller* Formen beschreibt. Wenn diese Ansicht richtig ist, dann ist Maimonides' Doktrin der Aktiven Vernunft Avicenna näher als die Al-Fārābīs; vgl. *Davidson* (Anm. 2). Fazlur Rahman faßt in bewundernswerter Weise Avicennas Ansicht wie folgt zusammen:
„Für ibn Sīna kann das Allgemeine nicht aus Sinnesbildern hervortreten, da es nicht dort liegt. Ferner ist die Wesenheit, wie wir schon gesehen haben, laut ibn Sīna, nicht wirklich ein Allgemeines: sie benimmt sich nur als solches, wenn sie in unserem Geist ist. Außerdem würde keine Anzahl von besonderen Beispielen ausreichen, die allgemeine Wesenheit hervorzuholen, die auf *unendliche* Beispiele anwendbar ist. Er erklärt deshalb, daß es die Aufgabe unseres Geistes ist, die Einzelheiten der Sinneswahrnehmung ‚ins Auge zu fassen' und darüber nachzudenken. Diese Tätigkeit bereitet den Geist auf die Aufnahme der (allgemeinen) Wesenheit vor, die von der Aktiven Vernunft durch einen Akt direkter Intuition erfolgt. Die Wahrnehmung der allgemeinen Form ist dann eine einzigartige Bewegung der intellektiven Seele, die nicht reduzierbar ist auf die Wahrnehmung von Einzelheiten, weder im einzelnen noch im ganzen, und das Auffinden ihrer gemeinsamen Wesenheit, denn wenn dem so wäre, wäre es nur eine unechte Art eines Allgemeinen" (Ibn Sina in: A History of Muslim Philosophy I, hrsg. von M. M. Sharif [Wiesbaden 1963] 495–496, vgl. *F. Rahman*, Prophecy in Islam. Philosophy and Orthodoxy [London 1958] 11–29).
Eine weitere Konsequenz dieser Interpretation ist die Idee, daß das Erlangen abstrakter und unverfälscht allgemeiner Erkenntnis mehr Erfolg zulassen könnte, als es eine Fārābīanische Erkenntnistheorie gestatten würde. Vgl. *Shlomo Pines*, The Limitations of Human Knowledge according to Al-Fārābī, ibn Bajja, and Maimonides (Anm. 55) 82–109.

Daher *entdecken* wir alles, was wir durch unsere Vernunft begreifen, durch unser ständiges Vorbereiten und durch die ständige *Verkündigung* der Aktiven Vernunft. Wie steht es dann mit der prophetischen Offenbarung: wird sie auf diese natürliche Weise herbeigeführt oder durch besondere Verkündigungen Gottes, die unsere natürliche Erkenntnis übersteigen?

Maimonides erwägt drei verschiedene Ansichten über Prophetie und verweist auf seine Beurteilung von jeder, indem er ihre Quelle nachweist [65]. Die erste Ansicht ist die der unwissenden Menge als auch einiger ungebildeter Leute des Judentums. Sie geht davon aus, daß Gott einfach einen beliebigen Menschen wählt, ihn zu einem Propheten macht und als Boten ausschickt. Die einzige Bedingung, die dieser erfüllen muß, ist: ein Minimum an sittlich-guten Werten zu besitzen. Jedoch wird diese Auffassung von Prophetie als übernatürliche Verkündigung, wie sie Thomas später rehabilitieren sollte, hier abgelehnt aufgrund ihrer Verknüpfung mit Leuten, die von den Naturwissenschaften und der Metaphysik nichts verstehen. Wie kann Gott überhaupt jemanden wählen, ohne seine Beziehung zu diesem zu verändern? Die zweite Ansicht ist die „der Philosophen", im besonderen Alfarabis und Avicennas. Diese geht davon aus, daß Prophetie eine gewisse Vollkommenheit in der menschlichen Natur ist, die in erhabenen Individuen durch besondere natürliche Ursachen und Bedingungen herbeigeführt wird, vorausgesetzt natürlich, daß keine inneren oder äußeren verhindernden Umstände auftreten. Diese kausalen Bedingungen umfassen eine ausgeglichene Gemütsart, Vollkommenheit in moralischen Charaktereigenschaften und in Vernunfterkenntnissen sowie eine vollkommene Einbildungskraft. Wenn alle diese Bedingungen erfüllt sind, wird das Individuum notwendigerweise prophezeien, so wie jeder wahren Ursache eine Wirkung folgt. Dieser Auffassung nach ist Prophetie einfach eine außergewöhnliche Art der natürlichen Entdeckung. Solch eine „Offenbarung" erfordert zwar keine Veränderung in Gott, schreibt ihm aber auch keine eindeutige Rolle in ihrer Herbeiführung zu. Hier wird keine Wahl Gottes erwähnt, sondern nur natürliche Notwendigkeit. Daher lehnt sie Maimonides ab, oder zumindest scheint es so.

---

[65] Guide II, 32, S. 360–363; Führer d. U., Bd. II, II, 32, S. 220–227.

Die dritte Ansicht nun wird als die unseres Gesetzes bezeichnet: „Sie entspricht der Ansicht der Philosophen im wesentlichen bis auf einen Umstand ... nämlich, daß der zur Prophetie Geeignete, der sich darauf vorbereitet hat, möglicherweise durch Gottes Willen (bi-mashiati Allah) kein Prophet wird. Wie ich glaube", fügt er hinzu, „geschieht dies ähnlich wie bei allen Wundern und richtet sich nach dem, was bei diesen üblich ist." Er führt dann drei Beispiele aus der Heiligen Schrift an, in denen der natürliche Verlauf der Dinge auf „wunderbare" Weise verhindert wird. Erstens kann Jerobeam b. Nebat, der König Israels, seine Hand nicht mehr bewegen, nachdem er einen wahren Propheten Gottes (1 Kön 13, 4) einkerkern ließ. Zweitens wird die Armee König Arams daran gehindert, den Propheten Elischa zu sehen und gefangenzunehmen (2 Kön 6,18). Und drittens wird Baruch b. Neriah, der Schreiber Jeremias, am Prophezeien gehindert, obwohl er sich sehr viel Mühe gibt und auch umfassend darauf vorbereitet war. Ja, Baruch erfährt von Jeremia inmitten seiner großen Enttäuschung, daß er keine großen Dinge (wie Prophetie) für sich selbst erstreben darf (Jer 45,1 ff).

Zunächst scheint diese dritte Ansicht die Vorteile der beiden ersten zu vereinen. Sie nimmt alle die Vorausbedingungen für Prophetie, die in der zweiten Ansicht angegeben wurden, in sich auf und sichert auch dem Eingreifen des göttlichen Willens seinen Platz, wie dies in der ersten Ansicht vertreten wurde, indem man Gott der Prophetie entweder zustimmen läßt, wenn sie eintritt, oder indem man ihn sie verhindern läßt, wenn sie nicht eintritt. Doch ist dieser Eindruck irreführend. Denn die dritte Ansicht stellt Gott nicht als Bewirker der Prophetie in irgendeiner direkten Weise dar. Darüber hinaus erfordert das Verhindern des natürlichen Verlaufs der Dinge auch keinen übernatürlichen Eingriff. Das Wunder kann ebensoleicht einer „Naturabweichung" zugeschrieben werden, d. h. unerwarteten natürlichen Umständen, wie dem Zufall oder unvorhergesehenen Ergebnissen der ursprünglichen menschlichen Annahmen. So kann Jerobeams Lähmung als Angstreaktion auf des Propheten Vorhersage des Untergangs verstanden werden. Auch die Soldaten Arams müssen nicht wörtlich geblendet worden sein. Da sie sich auf unbekanntem Gelände aufhielten, gelang es ihnen einfach nicht, Elischa zu erkennen, wie dies der Text selbst andeutet (2 Kön 6,19). Schließlich hält Maimonides selbst fest, daß Prophetie für Baruch ein zu hohes Ansinnen war. Dies ist besonders deswegen einleuchtend, da ihm die Zufriedenheit als Vorausbedingung der Gemütsart fehlte[66]. Analysiert stellt daher „die Ansicht unseres Gesetzes" nach der Darstellung Maimonides' Prophetie als natürliche, wenngleich außergewöhnliches Ereignis dar, das nur dann eintritt, wenn alle erforderlichen Voraussetzungen erfüllt worden sind, das aber nichtsdestoweniger jederzeit verhindert werden kann. Soweit ist Prophetie *Entdeckung*, obgleich eine gebrechliche. Auf welche Weise verkündet sich dann, wenn überhaupt, die Göttlichkeit?

In erster Linie verkündet sich die Göttlichkeit in einer Kette gleichzeitiger Ursachen, die ihren Ursprung in Gott nimmt und die Prophetie bewirkt. Wie Maimonides in seiner allgemeinen Definition feststellt, „ist das Wesen der Prophetie und ihr wahrer Begriff die Emanation, welche von Gott durch die Vermittlung der Aktiven Vernunft sich zuerst auf das Denkvermögen und dann auf die Einbildungskraft ergießt..."[67] Freilich bleibt Gottes *unmittelbare* Aktivität auf die Erschaffung des ersten stofflosen Vernunftwesens beschränkt[68]. Weil aber der Vorgang der Emanation, der bei Gott beginnt, letztlich den formalen Charakter alles Existierenden ausdrückt und bewirkt, die neue Erkenntnis des Propheten mit eingeschlossen, macht es laut Maimonides keinen Unterschied, wie viele Vermittler dazwischen sein mögen. „Jede im Seienden vorkommende Wirkung wird Gott zugeschrieben, wenn sie auch... was immer für eine unmittelbare bewirkende Ursache bewirkt haben mag."[69] Daher stellen all diese Ausdrücke der Schrift, die Gott als einen darstellen, der etwas „sagt" oder „spricht", „befiehlt", „verheißt" oder jemanden als Boten „aussendet", eine Art literarischer Kurzschrift dar. Sie lassen einfach

---

[66] Guide, a. a. O. 362; Führer d. U., a. a. O., S. 224. Vgl. *Moses Maimonides*, Eight Chapters, Kap. 7, in: Ethical Writings of Maimonides, hrsg. von R. L. Weiss und Ch. Butterworth (New York 1975) 81, und Musa Maimuni's (Maimonides') Acht Kapitel, hrsg. von *M. Wolff* (Leiden 1903) S. 50: „...‚reich' bezeichnet eine moralische Tugend, ich meine die Genügsamkeit; denn den Genügsamen nennen sie reich, wie es zur Begriffsbestimmung des Reichen bei ihnen heißt: ‚Wer ist reich? Der sich eines Teiles freut', d. h., der zufrieden ist mit dem, was ihm das Glück zuteilt hat, und das nicht schmerzlich vermißt, was es ihm nicht zuteilt." Siehe auch Mishneh Torah, Hilkhit Yesodei Ha-Torah VII, 4, hrsg. von M. Hyamson (New York 1937) 42b.

[67] Guide II, 36, S. 369; Führer d. U., Bd. II, II, 32, S. 238.

[68] Guide II, 11, S. 275; Führer d. U., Bd. II, II, 11, S. 80.

[69] Guide I, 69; vgl. I, 23, 65, II, 48, S. 168, 53, 158–159, 409–412; Führer d. U., Bd. I, I, 69, S. 266; vgl. Bd. I, I, 23, 65, Bd. II, II, 48, S. 70, 242–246, 308–313.

die dazwischenliegenden Ursachen, die zur Erkenntnis des Propheten führen, außer acht und betonen den Hauptpunkt, nämlich, daß die Gedanken, die seine Vernunft erfaßt, letztlich von Gott stammen. Sie sind weder „allein ihre Gedanken und Erfindungen" noch Worte, die von Gott gesprochen werden „mittelst der Laute von Buchstaben und der Stimme"[70].

Zweitens verkündet sich die Göttlichkeit in dem begreifbaren Gehalt der Emanation, der ständig von Gott ausgeht. Dieser Gehalt bildet Gottes eigenes Wissen in den Formen, die er allen Dingen zuweist, nach, wenngleich nur auf entfernte und unvollständige Weise. Entsprechend manifestieren die Beschaffenheiten der Dinge und ihr Zusammenhang miteinander Gottes wahre Herrschaft über das Universum, und die Werke der Natur sind nichts anderes als die Werke Gottes[71]. Insofern als ein Prophet sie begreift, werden sie zum Ursprung dessen, was immer wir von Gottes Wirkungseigenschaften wissen. Auf diese Weise ist der Gehalt der Emanation, die einen Propheten erreicht, diesem ständig zugänglich, genauso wie er allem anderen in der Natur zugänglich ist. Die Frage ist nur, ob er vorbereitet ist, den Gehalt zu empfangen, und wenn, in welchem Maße. Dies hat Maimonides scheinbar im Sinn, als er Elihu, seinen literarischen Stellvertreter in der Geschichte Ijobs, beschreibt.

Es tritt ferner auch noch hinzu, was er vor diesem Gegenstande zu schildern begonnen hat, nämlich, die Qualität der Prophetie mit den Worten: *„Denn einmal redet Gott, und ein zweites Mal, ohne daß man es gewahr wird,* im Traume, im Nachtgesichte, wenn tiefer Schlaf die Menschen befällt (Ijob 33,14.15). *Dann sucht er diese Meinung zu bekräftigen und Gottes Wege durch die Schilderung zahlreicher Naturerscheinungen darzustellen."*[72]

Daher verkündet sich Gott als erste und formale Ursache aller Dinge in der Natur, Prophetie mit eingeschlossen, immer wieder und zu allen Zeiten. Doch wenige werden auch nur eines Bruchteils dessen, was er zeigt, gewahr.

Jedoch sollten wir, um genauer zu sein, vielmehr sagen, daß Gott dies seit dem Moment, da die Emanation eingetreten ist, tut. Denn

---

[70] Guide II, 48 und I, 65, S. 158–159, 409–412; Führer d. U., Bd. II, II, 48, S. 308–313; Bd. I, I, 65, S. 243–244.
[71] Guide III, 32, S. 525; Führer d. U., Bd. II, III, 32, S. 197.
[72] Guide III, 23, S. 495; Führer d. U., Bd. II, III, 23, S. 148.

wenn die Welt erschaffen ist, beginnt eindeutig seine Selbst-Verkündigung mit der Schöpfung selbst, was im Einklang mit seinem unwandelbaren Willen geschieht, doch wenn die Welt ewig ist, dann muß auch die göttliche Selbst-Verkündigung ewig sein. Maimonides' Auffassung von Prophetie läßt sich in jedem Fall aufrechterhalten, gerade weil sie so naturalistisch ist. Wie er selbst in seiner Erörterung der Kontroverse Welt als Schöpfung bzw. Welt als Ewigkeit festhält, „kann die Prophetie selbst nach der Meinung derjenigen, die an die Ewigkeit der Welt glauben, nicht widerlegt werden", womit er natürlich Prophetie in seinem Sinne meint [73].

Die Propheten entdecken einfach mehr von der göttlichen Verkündigung als andere menschliche Wesen. Was sie aber von den anderen unterscheidet, ist die gleich ausgezeichnete ursprüngliche Kraft ihrer Vernunft und ihrer Einbildung, vorausgesetzt, daß alle anderen Vorausbedingungen erfüllt wurden. Denn würde die göttliche Emanation allein ihre Vernunft ansprechen, wären sie Philosophen oder Naturwissenschaftler; würde sie hingegen allein ihre Einbildungskraft ansprechen, wären sie Staatsregenten, Gesetzgeber, Wahrsager und Zauberer oder solche, die wahre Träume haben [74]. Doch weil die Emanation zuerst ihre Vernunfts- und dann ihre Einbildungskraft anspricht und beides zu intensiver Aktivität anregt, werden sie statt dessen Propheten. Das heißt, sie erfassen intuitiv göttliche Wahrheiten, die in ihrer gedachten Form auf Philosophie und Naturwissenschaft basieren, und verwenden daraufhin dieses Wissen, um die Menge aufzurütteln, sie zu belehren und der Erlösung zuzuführen [75]. Da die Geschwindigkeit der Abfolge und der Umfang ihrer Eingebungen so außergewöhnlich sind, behauptet Maimonides, daß ihr Erfassen zukünftiger Ereignisse als auch spekulativer Angelegenheiten bei weitem das übertrifft, was einfache Vermutung, Weissagung oder gewöhnliches Denken hervorbringen kann. In diesem Sinne darf man natürliche Prophetie nicht mit natürlicher Erkenntnis verwechseln [76].

Im besonderen ist die Einbildungskraft dafür verantwortlich, wie

---

[73] Guide II, 16, S. 294; Führer d. U., Bd. II, II, 16, S. 109.
[74] Guide I, Introduction, II, 37, S. 7, 374–375; Führer d. U., Bd. I, I, Einleitung; Bd. II, II, 37, S. 7, 248–251.
[75] Guide II, 36, S. 372; Führer d. U., Bd. II, II, 36, S. 244–245.
[76] Guide II, 38, S. 377; Führer d. U., Bd. II, II, 38, S. 253–254.

die prophetische Erfahrung aufgenommen und wie sie ausgedrückt wird. Wie Maimonides wiederholt betont, ist die Einbildungskraft während der Prophetie *aktiv*. Daher stellt sich bei prophetischer Vorhersage der Zukunft die Einbildung als Weissagungsvermögen dar, das im Gegensatz zu Augustinus und Thomas allen Menschen zukommt, den Propheten aber in höherem Maße[77]. Wiederum tritt Prophetie bezeichnenderweise nur im Traum oder in Visionen auf, dann also, wenn die Sinnestätigkeit am schwächsten und die Einbildungstätigkeit am stärksten ist[78]. Das bedeutet, daß jene, die der Prophet sieht oder hört, bzw. das, was er tut, egal, wie wirklich es auch scheinen mag, der Vision oder dem Traum angehören und nicht dem Wachsein, wie z. B. Jakobs Ringen mit dem Engel oder Bileams Episode mit dem Esel[79]. Andererseits befähigt die Einbildungstätigkeit den Propheten, auch sein Verständnis von kosmologischen Wahrheiten sowie kausalen Abfolgen und Bedingungen für die Erlösung in Gleichnissen und Metaphern auszudrücken. Da eine solche Art von Sprache dem Propheten dient, Menschen zum Handeln zu bewegen, kann die Einbildungskraft als politische Fähigkeit par excellence bezeichnet werden[80].

Angesichts der bedeutenden Rolle, die Maimonides der Einbildung bei der Prophetie und im politischen Leben zuschreibt, könnte man mit Hobbes einwenden, daß es keine Garantie dafür gibt, daß ein Prophet sich nicht täuscht. Wenn jemand kommt und sagt, Gott habe in einem Traum oder in einer Vision zu ihm gesprochen, so können wir allenfalls mit Gewißheit daraus entnehmen, daß ihm träumte oder daß er sich einbildete, Gott habe zu ihm gesprochen, denn er kann sich entweder irren oder lügen[81]. Doch war Maimonides dem Problem der Verifizierung gegenüber genauso feinfühlig wie wir und erhob deshalb Vollkommenheit der Vernunft, Beherrschung der spekulativen Wissenschaften, sittliche Vortrefflichkeit und ausgeglichene Gemütsart zu Vorausbedingungen für Prophetie. Denn diese sind alle allgemein verifizierbar. Darüber hinaus muß der Prophet, selbst wenn er alle diese

---

[77] Guide II, 38, S. 376; Führer d. U., Bd. II, II, 38, S. 252.
[78] Guide II, 36, S. 370; Führer d. U., Bd. II, II, 32, S. 239–241.
[79] Guide II, 42, 46, S. 388–390, 403–407; Früher d. U., Bd. II, II, 42, 46, S. 272–278, 298–304.
[80] Guide, Translator's Introduction, S. lxxxix–xci.
[81] *Th. Hobbes*, Leviathan, hrsg. von Michael Oakeshott (Oxford 1960) Teil III, Kap. 32, S. 243–244.

Bedingungen erfüllt hat und Prophetie eintritt, seinen Anspruch ferner unter Beweis stellen, indem er unwiderrufliche Vorhersagen macht, die sich bewahrheiten müssen. Wenn er sich in diesen Angelegenheiten irrt oder lügt, so tut er dies auf Kosten seines Lebens, wie es die Heilige Schrift selbst festgesetzt hat[82].

Bislang wurde die Offenbarung am Sinai im allgemeinen und die mosaische Prophetie im besonderen stillschweigend übergangen. Und zwar deswegen, weil Maimonides beide als Sonderfälle behandelt, die nicht genau mit seiner allgemeinen Darstellung von Prophetie übereinstimmen. Dennoch weichen sie auch nicht völlig davon ab. Wenn behauptet wird, daß Gott vom Berge Sinai „herabsteigt", bedeutet das nicht, daß er sich in irgendeiner Weise verändert, sondern daß der Prophet der prophetischen Inspiration bzw. der inneren Gegenwart Gottes gewahr wird, gemäß dem ewigen Willen Gottes[83]. In diesem einen Fall ist jedoch die Art ihres Auftretens einzigartig und auch ihr Gehalt.

Erstens vertritt Maimonides seine eigene Ansicht, die im Gegensatz zur weithin anerkannten Tradition steht und in der er feststellt, daß nur Mose der Sprache teilhaftig wurde[84]. Unter Sprache versteht er faßbare Gedanken[85]. Die Menge hingegen wurde nur des außergewöhnlichen Anblicks des großen Feuers und furchterregender Stimmen bzw. Laute gewahr, aber keiner artikulierten Sprache. Allerdings, diese außerordentlichen Phänomene spielten eine bedeutende Rolle bei der Offenbarung am Sinai, besonders für die Menschenmenge. Sie zeigen ihnen an, daß die Tora, die Mose lehrt, ja von Gott seinem Willen gemäß gekommen ist. Das heißt, die Glaubwürdigkeit der Tora hing für die Menge von ihrem Verstehen der außerordentlichen Erscheinungen am Sinai ab, wie sie von Gottes Willen bewirkt wurden. Jedoch, die Offenbarung selbst wird nicht von solchen sinnlichen Phänomenen gebildet, sondern von den Wahrheiten und Geboten, die nur der Prophet begreifen kann. Selbst wenn Maimonides fortfährt, eine andere Tradition in Betracht zu ziehen, die besagt, daß sowohl Mose als auch die Menschenmenge die ersten beiden der Zehn Gebote erfaß-

---

[82] Dtn 13,1–5. Vgl. *Moses Maimonides*, Mishnahᶜim Perush Ha-Rambam, hrsg. von Yosef Kafiḥ (Jerusalem 1963) I, S. 6–8; Vgl. *Zvi Lampel*, Maimonides' Introduction to the Talmud (New York 1975) 48–52.

[83] Guide I, 10, S. 36; Führer d. U., Bd. I, I, 10, S. 48–49.

[84] Guide II, 33, S. 363–364; Führer d. U., Bd. II, II, 32, S. 227–228.

[85] Guide I, 65, S. 158–159; vgl. II, 5, S. 259–260; Führer d. U., Bd. I, I, 65, S. 243–244.

ten, ist er dabei darauf bedacht, zu erklären, daß es sich bei diesen Geboten nur um solche handelt, die die Existenz und die Einheit Gottes geltend machen. Und als solche ist ihre Wahrheit durch die Vernunft beweisbar und hätte deshalb von den Leuten, auch ohne daß sie eine Prophetie erlebten, erfaßt werden können[86]. In keiner der beiden Interpretationen werden am Sinai die maßgebenden Vorausbedingungen aufgehoben, und die Überlegenheit Moses wird bestätigt. Worin besteht dann also diese Überlegenheit?

Maimonides zählt vier Unterschiede, die zwischen der Prophetie Moses und der aller anderen Propheten bestehen, auf[87]. Mose prophezeite im Zustand des völligen Wachseins, alle anderen im Traum oder in trance-ähnlichen Visionen. Mose prophezeite ohne die Vermittlung durch einen Engel, während alle anderen dieser Vermittlung bedurften; Mose prophezeite ohne Furcht, Verwirrung oder Schwäche, während alle anderen von diesen Gefühlen befallen wurden. Und schließlich prophezeite Mose zu einem Zeitpunkt, den er selbst wählte, was die anderen nicht vermochten. In einer Vielzahl verstreuter Hinweise macht Maimonides klar, daß das, was alle diese Unterschiede ausmacht, die An- bzw. Abwesenheit der einbildenden *Tätigkeit* bei der Prophetie ist, die auf den Propheten wirkt[88]. Sie fehlt in der mosai-

---

[86] Guide II, 33, S. 364; Führer d. U., Bd. II, II, 33, S. 228–229.

[87] *Moses Maimonides,* Introduction to Perek„ in: „Mishnah'im Perush Ha-Rambam", hrsg. von Yosef Kafiḥ (Jerusalem 1964) Bd. 3–4, S. 142–143, Art. 7. Vgl. den arabischen Text in: *J. Holzer,* zur Geschichte der Dogmenlehre in der jüdischen Religionsphilosophie des Mittelalters. Mose Maimunis' Einleitung zur Chelek (Berlin 1901) 23–26, und englische Übersetzung in: *I. Twersky,* A Maimonides Reader (New York 1972) 419–420. Siehe auch: Mishneh Torah, Hilkhot Yesodei Ha-Torah VII, 7.

[88] Maimonides setzt eindeutig den Engel, der in der mosaischen Prophetie fehlt, mit der Einbildungskraft gleich: Guide II, 45, S. 403; vgl. II, 36, S. 373; Führer d. U., Bd. II, II, 45, 36, S. 298, 245–246. An einer anderen Stelle erklärt er, daß es die Einbildung ist, die Furcht und Erzittern bei der Prophetie herbeiführt, obwohl beides in der mosaischen Prophetie fehlt. Guide II, 41, S. 385; Führer d. U., Bd. II, II, 41, S. 268. Wiederum zeigt sich uns, daß, weil die Einbildungskraft eine körperliche Fähigkeit ist, ihre Aktivität durch Störungen ihres Körpers und ihrer Gemütsart beeinträchtigt wird. Dies würde die Unfähigkeit gewöhnlicher Propheten erklären, darin zu prophezeien, wenn sie es wünschen, im Gegensatz zu Mose während des größten Teils seiner Laufbahn: Guide II, 36, S. 372–373; Führer d. U., Bd. II, II, 36, S. 245. Schließlich stellt sich heraus, daß die Einbildungskraft am aktivsten ist, wenn sie ihre Tätigkeit aufgeben, z. B. in Träumen oder in Trancen. Moses Zustand des Wachseins bringt daher mit sich, daß seine Sinne voll aktiv waren, während seine Einbildungskraft völlig passiv oder ruhend war: Guide II, 36, S. 370, vgl. II, 41, S. 385; Führer d. U., Bd. II, 36, 41, S. 240, 268.

schen Prophetie, doch ist sie laut Definition bei allen anderen vorhanden. Daraus geht klar hervor, daß Moses Überlegenheit im rein intellektuellen Charakter seines prophetischen Auffassungsvermögens besteht[89]. Dieses allein ist frei von verzerrenden Effekten, die sonst vom *unwillkürlichen* Wirken der Einbildungskraft herbeigeführt werden können. Ja, Maimonides scheint dies durch den Hinweis darauf zu bekräftigen, daß Mose allein eine tatsächliche *Vereinigung* (ittiḥād) mit der Aktiven Vernunft einging, während die anderen Propheten bestenfalls nur in *Berührung* (ittisāl) mit ihr kamen[90].

Das bedeutet aber nicht, daß Mose dadurch das innerste Wesen Gottes erfaßte. Für Maimonides liegt diese Erkenntnis, im Gegensatz zu Augustinus und Thomas, einfach außerhalb des Fassungsvermögens eines lebendigen Menschen. Deshalb bleibt es auch Mose trotz seines Verdienstes und ausdrücklichen Wunsches versagt. Was er durch die Vereinigung mit der Aktiven Vernunft begreift, ist der gesamte faßbare Gehalt ihrer Emanation – das Wesen aller Dinge in ihren gegenseitigen Verbindungen und die Einsicht, wie Gott diese lenkt und aufrechterhält[91]. Es ist diese klare und umfassende Erkenntnis, die Mose dazu berechtigt, Gesetzgeber und Prophet in einem zu sein. Denn wenn Herrschaft darin besteht, daß die Beherrschten erhalten und vervollkommnet werden im Einklang mit ihren Wesensarten und den besonderen Umständen, in denen sie sich befinden, dann ist nur einer, der

---

[89] *A. Altmann* (Anm. 42) 16.

[90] Guide III, 51, S. 623–624; Führer d. U., Bd. II, III, 51, S. 349. Maimonides spricht in diesem Zusammenhang von der „Vereinigung" *(ittiḥād)* des Geistes Moses und der Patriarchen im Begreifen Gottes, als auch der „Vereinigung mit Gott". Das Miteinbeziehen der Patriarchen ist besonders rätselhaft angesichts der nachdrücklichen Betonung der Einzigartigkeit Moses. Nichtsdestoweniger scheint die Vorstellung der Vereinigung, die hier angesprochen wird, eine Vereinigung mit der Aktiven Vernunft einzuschließen eher als eine Vereinigung mit Gott, weil man die Wesenheit Gottes nicht erkennen kann. Dies bedeutet, daß die, die die Vereinigung erlangen, (a) den formalen Gehalt wissen, den sie weiß, (b) auf dieselbe Weise wie sie wissen, d. h. durch eine spontane und umfassende Intuition, und (c) dadurch ein neues und höheres Niveau von Existenz überhaupt erreichen. Maimonides nennt diese Ebene der Existenz „engelhaft". Berührung hingegen bedeutet nur, einen Teil dessen zu wissen, was die Aktive Vernunft weiß, durch intuitive Einblicksmomente, aber ohne die engelhafte Ebene zu erreichen. Vgl. Introduction to Perek Helek (Anm. 87) Bd. 3–4; Art. 6, S.142; Eight Chapters, Kap.7 (Anm. 66), S. 80–83; Mishneh Torah, Hilkhot Yesodei Ha-Torah VII; 6 (Anm. 66), S. 43a; Guide, Translator's Introduction, S. lxxxi, lxxxix–xcii; *A. J. Reines*, Maimonides' Concept of Mosaic Prophecy, in: Hebrew Union College Annual XL–XLI (1970/71) 325–361.

[91] Guide I, 45, S. 123–125; Führer d. U., Bd. I, I, 54, S. 177–181.

außerordentlich gut und sich dieser Dinge völlig bewußt ist, auch dazu geeignet, gut zu herrschen. Insofern, als nur Mose mit der Aktiven Vernunft vereint wurde, verkörpert er allein dieses Ideal und ist deshalb am besten geeignet, die Gesetzgebung abzufassen. Mose wird sozusagen zu einem Sekretär Gottes, wenn dessen Weisheit in der Natur ihn beherrscht und dessen Vorschriften er aufzeichnet[92].

Aber die Tora, die er schreibt, ist nicht einfach ein Kompendium abstrakter allgemeiner Regeln. Sie stellt vielmehr Verstandesgebote dar, angewandt auf die besonderen Umstände, in denen sich die Menschen befinden. Daher ist ihre Lehre in der gewöhnlichen „Sprache der Menschensöhne" dargestellt und häufig mit Gleichnissen und Metaphern versehen[93]. Ihre Vorschriften für die Gottesverehrung tragen den bestehenden Konventionen der Menschen durchaus Rech-

---

[92] Introduction to *Perek Helek* (Anm. 87) Bd. 3–4, Art. 8, S. 143–144; *J. Holzer* (Anm. 87) 26–27; *I. Twersky* (Anm. 87) 420. Das berühmte Bild von Mose als treuer Schreiber oder Kopist, der jedes Wort, das Gott zu ihm spricht, niederschreibt, wird gewöhnlich dahingehend interpretiert, daß Mose auf wunderbare Weise verbale Offenbarung zuteil wurde. So verstanden, stimmt dieses Bild mit den meisten anderen Elementen in Maimonides' Bericht über Offenbarung nicht überein. Jedoch wenn wir es als ein Bild verstehen, das die Juden im allgemeinen, und nicht nur die Philosophen oder potentiellen Philosophen unter den Juden, über den göttlichen Ursprung und die Glaubwürdigkeit der Tora unterrichten soll, so besteht kein offenbarer Grund dafür, warum es nicht für die Letztgenannten im Einklang mit den Hauptpunkten seiner Theorie der Prophetie, wie sie im „Führer der Unschlüssigen" entwickelt wird, interpretiert werden soll. Dieses Verfahren scheint besonders dann gerechtfertigt, wenn wir uns ins Gedächtnis rufen, daß der „Kommentar zur Misˤna", in dem dieser Abschnitt aufscheint, und der „Führer der Unschlüssigen" nicht für genau dasselbe Publikum verfaßt wurden.

[93] Guide I, 26, S. 56–57; Führer d. U., Bd. I, I, 26, S. 74–76. Während Moses prophetisches Erfassen von dem Einfluß der Einbildung frei ist, wird das Ergebnis dieses Erfassens lebhaft in einer Sprache der Einbildung ausgedrückt, nämlich in den fünf Büchern Moses selbst. Im Grunde genommen bezeugt jedes Kapitel des „Führers der Unschlüssigen" Maimonides' Überzeugung, daß die Heilige Schrift im allgemeinen und die fünf Bücher Moses im besonderen in metaphorischer Sprache verfaßt sind. Die unvermeidliche Frage ist natürlich, warum Maimonides darauf bestehen sollte, daß die Einbildungskraft bei der mosaischen Prophetie keine vermittelnde Rolle spielt, während ihr im Pentateuch eben diese Rolle zukommt, wo sie zwischen der verborgenen Bedeutung der Erzählungen und dem Verständnis des Volkes vermittelt. Die Antwort scheint z.T. darin zu bestehen, daß Mose einen völlig klaren Realitätsbezug haben muß, wenn er a) ohne Verzerrung die Muster natürlicher Vorhersehung erfassen soll, die von Gott in den Geist überfließen, und b) diese auf die wirkungsvollste Weise ausdrücken soll, um sowohl den einzelnen als auch die politische Gemeinde zu lenken.

nung[94]. Die sittlichen und politischen Richtlinien dienen dazu, die Unterschiedlichkeit ihrer Charakterzüge zu verringern, so daß die Menge in eine zusammenhaltende Einheit verschmilzt[95]. Wenngleich alle diese Dinge darauf hinweisen, daß Mose bei der Abfassung der Tora von seiner Einbildungskraft Gebrauch machte, so muß dies keinen Widerspruch zu Maimonides' Behauptungen über die Einzigartigkeit der mosaischen Prophetie beinhalten. Denn sobald Mose eine Vereinigung mit der Aktiven Vernunft einging, wirkte seine Einbildungskraft nicht mehr von selbst auf ihn ein, wie dies bei gewöhnlicher Prophetie der Fall ist. Im Gegenteil, Mose bzw. die göttliche Emanation, die in ihm wirksam wurde, wirkte ihrerseits auf diese ein und verwendete sie mit vollkommener Klarheit zur Formulierung jener

---

[94] Es ist z. T. deswegen, weil das Gesetz die Konventionen widerspiegelt, daß Maimonides behauptet, das Gesetz sei nicht natürlich, und den Gesetzgeber als „Bringer des nomos" bezeichnet. Die bekannteste Stelle, in der Maimonides behauptet, daß das Gesetz die bestehenden Konventionen der Israeliten berücksichtigt, ist vielleicht seine Erklärung über die Einbeziehung des Opfersystems in den Pentateuch. Obwohl dies eine Konzession an die Volksgewohnheiten darstellt und nicht als wesentlich wertvolle Form der Gottesverehrung hingestellt wird, ist es dennoch in das Gesetz eingefügt und wird in messianischen Zeiten neuerlich eingeführt, gerade weil die Berücksichtigung der Konvention so bedeutend ist für die Aufrechterhaltung einer Gemeinschaft. Das setzt aber voraus, daß solche Konventionen dazu geeignet sind, die Gottesverehrung zu verstärken. Wenn sie davon ablenkten, müßten solche Konventionen abgeschafft werden. Siehe Guide II, 40; III, 32, S. 382, 525–581; Führer d. U., Bd. II, II, 40, S. 262–263; Bd. II, III, 32, S. 199–208.

[95] Guide II 40, S. 381–382; Führer d. U., Bd. II, II, 40, S. 261–264. Obwohl das Gesetz nicht natürlich ist, mündet es ins Natürliche ein: siehe *A. Altmann* (Anm. 42) 17–18. „Mit anderen Worten, Konventionen werden dafür geschaffen, der Natur gegen die Natur beizustehen." Ich verstehe dies so, daß Prof. Altmann meint, das Gesetz als Verkörperung gewisser Konventionen unterstütze die Aufrechterhaltung der Menschen, indem es ihnen eine eindeutige Lebensordnung vorschreibt, um die natürliche Verschiedenheit ihrer sittlichen Gebräuche zu verringern und so eine einheitliche Gemeinschaft zu bilden. Das ist sicherlich richtig. Jedoch könnte man hinzufügen, daß das Gesetz nicht nur durch die Ausgleichung menschlicher Verhaltensweisen zugunsten konventioneller Eintracht in die Natur einmündet, sondern in gewisser Weise auch durch die Vervollkommnung natürlicher Sachverhalte. Denn die Natur besitzt weder ein Denkvermögen noch ein Verständnis, wobei *Das Gesetz die bestimmende Herrschaft und Kontrolle der Gottheit ist, das allen seinen Besitzern Vernunft zukommen läßt;* Guide III, 43, S. 571; Führer d. U., Bd. II, II, 43, S. 268–269. Daher mündet das Gesetz, als Gesamtheit von Konventionen, in harmonischer Ausgeglichenheit auch in die Natur ein, indem es die Entwicklung der menschlichen Vernunft selbst fördert durch Zügelung extremer Leidenschaften, sowohl in der Seele als auch in der Gesellschaft, und durch Verweisung auf philosophische Angelegenheiten in imaginärer Form: Eight Chapters, Kap. 4 (Anm. 66) 67–74; Guide I, 26, S. 56–57, 79–81; Führer d. U., Bd. I, I, 26, 35, S. 74–76, 108–112.

Meinungen und Regeln, die zur Aktualisierung der Vernunft und so zur Erlösung führen[96].

In diesem Sinne ist die Tora göttlich, nicht nur weil sie ihren Ursprung in der göttlichen Emanation hat, sondern auch weil sie so bedacht darauf hin entworfen ist, *beides*, unsere materiellen und sittlichen Verhältnisse *und* unsere Rechtgläubigkeit, in einer harmonischen Ausgewogenheit zu vervollkommnen[97]. Indem die Gebote Übermä-

---

[96] Diese Interpretation könnte Maimonides' Behauptung, daß der Terminus „Prophet" sowohl Mose als auch anderen Propheten auf amphibolische Weise zukommt, verstehen helfen: Guide II, 35, S. 367; Führer d. U., Bd. II, II, 35, S. 234. Ein amphibolischer Ausdruck, wie er ihn definiert, ist einer, der „auf zwei oder mehrere Gegenstände anwendbar ist, weil diesen etwas gemeinsam ist, was aber nicht ihr Wesen ausmacht. Ein Beispiel dafür ist die Bezeichnung ‚Mensch', die Reuben, dem vernunftbegabten Tier, einem bestimmten Menschen, der tot ist, als auch einem Menschen, der in Holz gehauen oder gemalt worden ist, verliehen wird. Dieser Begriff wird auf sie angewendet, weil sie eine Sache gemeinsam haben, nämlich Form und Umriß eines Menschen. Doch machen Form und Umriß nicht die Bedeutung von ‚Mensch' aus": *I. Efros*, Maimonides' Treatise on Logic. Introduction and Translation, in: Proceedings of the American Academy for Jewish Research VIII (1938) 60. Vgl. PAAJR XXXIV (1960) 36. Auf der Grundlage dieser Definition und dem beigefügten Beispiel würde ich behaupten, daß das unwesentliche und äußere Merkmal, die das mosaische und die gewöhnliche Prophetie gemeinsam haben, ihre äußere Darlegung durch eine Sprache der Einbildung ist, wenn tatsächlich die Emanation, die sie erreicht, ausreicht, um die äußere Ausdrucksweise herbeizuführen, die andere vervollkommnen kann: Guide II, 37, S. 373–375; Führer d. U., Bd. II, II, 37, S. 247–251. Entsprechend hat das, was an beiden wesentlich ist, nichts miteinander gemeinsam. Nun scheint das Wesen der gewöhnlichen Prophetie einen Emanationserguß von der Aktiven Vernunft auf das Vernunftsvermögen als Gattung zu haben. (Die Tatsache, daß diese Emanation letztlich von Gott stammt, ist allen Dingen, die in der Zeit entstanden, gemeinsam und kein Unterscheidungsmerkmal der Prophetie als solches.) Der spezifische Unterschied ist die Emanation von dem Vernunftvermögen auf die Einbildungskraft. Wie lautet aber dann die Definition der mosaischen Prophetie? Meines Wissens bietet Maimonides dafür keine formale Definition, wie er dies für die gewöhnliche Prophetie tut. Wenn wir aber solch eine Definition rekonstruieren können auf der Grundlage von Hinweisen, die er uns liefert, dann wäre die Gattung der mosaischen Prophetie einleuchtend als: ein Emanationserguß von Gott auf die Aktive Vernunft. Der spezifische Unterschied, der die Definition vervollständigt, wäre: eine Emanation der Aktiven Vernunft, *die das Vernunftvermögen damit vereint*. Weder die Gattung noch der spezifische Unterschied der beiden Definitionen sind identisch; in gleicher Weise überlagern sie sich auch nicht. Daher ist das Wesen der mosaischen Prophetie anders als das der gewöhnlichen, wie Maimonides vorschlägt, während die äußere Darlegung ihrer Prophetien durch eine Ausdrucksweise der Einbildung ähnlich, aber nicht identisch ist. Offensichtlich ist es deshalb, daß der Terminus „Prophet" sowohl auf Mose als auch auf alle anderen Propheten amphibolisch angewendet wird.

[97] Guide II, 39, 40, S. 381, 383–384; Führer d. U., Bd. II, II, 39, 40, S. 260–261, 265–266. Maimonides spricht von dem Gesetz als einem „göttlichen" in einem anderen Sinne, als daß es letztendlich von Gott, als der ersten Ursache, stammt.

119

ßigkeiten unseres Charakters reduzieren und seine Mängel ausfüllen, dienen sie dazu, psychische Harmonie im kleinen und bürgerlichen Frieden im großen herzustellen. Da sie weiters von unserem Geist verlangen, Gott, so wie er wahrhaftig ist, zu lieben, führen sie uns zum Verständnis und einer möglichst genauen Nachahmung der göttlichen Herrschaft in der Natur[98]. Indem die Tora so, aus der Perspektive unserer Vernunftnatur, jedem Aspekt des menschlichen Lebens seine Pflicht zuweist, manifestiert sie für Maimonides eine eigene Gleichmäßigkeit, die nie verbessert oder ersetzt werden kann[99]. Sie kann lediglich durch nachfolgende Generationen deutlicher gemacht werden. Als solche stellt die Tora die endgültige Lehre Moses dar, des vollkommenen menschlichen Kenners, wie er letztlich von Gott, dem vollkommenen Kenner, simpliciter herstammt.

Zusammenfassend löst Maimonides das Dilemma von Verkündigung gegenüber Entdeckung dadurch, daß er Gott als ewige und unwandelbare Vernunft außerhalb des Bereiches von Stoff, Vermögen und Veränderung festsetzt. Ein solches Wesen ist völlig aktiv, und seine Aktivität besteht aus vernünftigem Denken. Aus diesem Grund ist der Akt seiner Vernunft so überreich, daß er entsprechend seinem ewigen Willen überfließt und letztlich die menschliche Vernunft, die uns mit ihm verbindet, schafft. Wenn diese einmal aktualisiert wird, kann sie den unwandelbaren Aspekt von Gottes eigenem Handeln begreifen – die rationalen Grundmuster seiner Herrschaft in der Natur und in der Geschichte – und dadurch das, was immer von Gott und seinem Willen erfahren werden kann, entdecken. Daher wird Gott, gleichgültig ob die Welt erschaffen oder ewig ist, vom Einsetzen der Emanation an ständig verkündet durch sein Handeln und ist ständig entdeckbar, besonders von denen, die nach Maimonides' Theorie Philosophen und Propheten in einem sind.

Das Dilemma von Verkündigung gegenüber Entdeckung beginnt, wie wir gesehen haben, als intellektuelles Rätsel. Dieses erhebt die Frage, wie göttliche Offenbarung möglich ist, und antwortet darauf mit zwei Alternativen, die davon ausgehen, daß sie überhaupt nicht möglich ist und daher gar nicht eintrat. Für mittelalterliche Denker,

---

[98] Guide III, 52, 54, S. 629–630, 632–638; Führer d. U., Bd. II, III, 52, 54, S. 355–358, 361–369.
[99] Guide II, 39, S. 380; Führer d. U., Bd. II, II, 39, S. 258–260.

die gleichzeitig innig religiös und philosophisch überlegend waren, konnte solch ein Dilemma keineswegs einfach ein intellektuelles Rätsel bleiben. Es war von grundlegender existentieller Bedeutung für sie, weil es ihr Urteil über menschliche Erlösung herausforderte, die begrifflichen Grundlagen ihrer Gesellschaft untergrub und die Vereinbarkeit ihrer persönlichen Verpflichtungen dem Leben, dem Glauben und der Vernunft gegenüber zweifelhaft machte. So wurde das Dilemma entweder zu einem Umstand tiefgreifender persönlicher Verwirrung oder zu einem Anstoß für erneuernde philosophische Reflexionen, und sicherlich war es für einige beides.

Die Theorien, die wir untersucht haben, von Augustinus zu Thomas von Aquin und Maimonides, stellen alle erneuernde Versuche dar, die intellektuellen und existentiellen Dimensionen dieser Streitfrage zu entscheiden. Jeder geht so vor, daß er die Alternativen des Dilemmas als weder ausschließend noch vollständig darstellt. Offenbarung ist weder reine Verkündigung noch reine Entdeckung. In gewissem Sinne ist sie beides. Über diesen Punkt hinaus jedoch weichen die Standpunkte der Denker voneinander ab, gemäß ihrer philosophischen Bindung, indem sie entweder die Immanenz Gottes (Augustinus) oder die Transzendenz (Thomas und Maimonides) betonen und infolgedessen entweder eine periodisch auftretende Verkündigung Gottes (Thomas) oder eine periodisch eintretende Entdeckung durch den Menschen (Augustinus und Maimonides), im Einklang mit Gottes unwandelbarem Willen, betonen. Interessanterweise stehen Maimonides und Augustinus nach dieser Analyse einander näher als Maimonides und Thomas, da für beide göttliche Erleuchtung immer denen zugänglich ist, die sich darauf vorbereiten, sie zu sehen.

Zweifellos werden auch unsere eigenen Bewertungen dieser Lösungen ihrerseits die metaphysischen und erkenntnistheoretischen Voraussetzungen, denen sie verpflichtet sind, widerspiegeln, die sich wahrscheinlich stark von denen des Mittelalters unterscheiden werden. In vieler Hinsicht aber ist das grundlegende Dilemma, daß sie in Angriff nahmen, bis heute noch vorhanden, auch wenn sich dessen Konturen und Leitsätze weitgehend verändert haben. Wenn wir zu einer Lösung dieses Dilemmas etwas beitragen können, so wird dies wahrscheinlich darin bestehen, einen neuen Mittelbereich zwischen den beiden unannehmbaren Alternativen zu finden. Wenn wir danach streben, würden wir gut daran tun, wie mir scheint, die Karten zu konsultieren, die unsere mittelalterlichen Vorgänger zur Absteckung des Geländes angefertigt haben. Denn wir werden in unserem Bemühen um eine solche Basis in unserer Zeit mindestens ebensoviel philosophische Einsicht und Tiefsinnigkeit benötigen, wie unsere mittelalterlichen Vorgänger sie in ihrer Zeit entfaltet haben.

VI

Expression und Offenbarung

Spinozas radikale Frage

Von Peter Eicher, Paderborn

„Gott, der absolut frei existiert, erkennt und handelt, er existiert, erkennt und handelt notwendig, d. h. aus der Notwendigkeit seiner Natur."

Spinoza[1]

Spinoza gehört zur geringen Zahl der Philosophen, die viel gedacht und wenig geschrieben haben. Im wesentlichen hat er nur zwei Werke verfaßt: die „Ethik", die postum in seinem Todesjahr 1677 erschien, und den „Theologisch-politischen Traktat", der 1670 anonym herausgegeben wurde. Das übrige und nicht sehr umfangreiche Schrifttum gehört entweder als *Vorarbeit* zur „Ethik" (so die „Prinzipien der Philosophie René Descartes'" mit ihrem „Kurzen Traktat von Gott, dem Menschen und dessen Glückseligkeit" und die „Abhandlung über die Berichtigung des Verstandes") oder aber zur *Konsequenz* dieser Schriften, so der unvollendete „Politische Traktat", den er im letzten Lebensjahr verfaßte[2]. Wie jedes tiefe Denken letztlich nur einen Gedanken zu fassen vermag, so verläßt sich Spinoza auf die eine not-

---

[1] *B. Spinoza*, Tractatus politicus, c. II, § 8; hier zit. nach der neusten krit. Ausg. Spinoza, Traité politique. Texte, traduction, introduction et notes. Hrsg. von *S. Zac* (Paris 1968) 42; die Übersetzungen stammen – wenn nicht anders angegeben – vom Autor.

[2] Zur vollständigen Bibliographie bis 1966 vgl. *J. Préposiet*, Bibliographie spinoziste (Paris 1967). Soweit vorhanden, wird im folgenden zitiert nach *Spinoza*, Opera – Werke. hrsg. von *G. Gawlick, F. Niewöhner*. Bd. 1: Tractatus Theologico-Politicus (Darmstadt 1979), im folgenden zitiert: TTP; Bd. 2: Tractatus de intellectus emendatione. Ethica (Darmstadt 1978), im folgenden zitiert: T de int.; Ethik; das übrige nach *Spinozas* Opera im Auftrag der Heidelberger Akademie der Wissenschaften. 4 Bde. Hrsg. von *C. Gebhardt* (Heidelberg 1924); die Korrespondenz nach *B. de Spinoza*, Briefwechsel. Hrsg. von *C. Gebhardt* (Hamburg 1977). In deutscher Übersetzung ist am leichtesten zugänglich die Ausgabe *Baruch de Spinoza*, Sämtliche Werke in sieben Bänden. Hrsg. von *C. Gebhardt*. Meiners philosophische Bibliothek, Bd. 91–96 b (Hamburg 1965–1977). Verfaßt wurde der erst seit 1852 wieder edierte Text der „Korte

wendige Wahrheit, auf die absolut unendliche Wirklichkeit, ohne die nichts sein und nichts begriffen werden kann, d. h. auf das adäquate Begreifen Gottes. Im Gott-Denken liegt das menschliche Glück, weil es den Menschen von der unendlichen Auslieferung an die undurchschauten Kausalitäten befreit. Vor dem Tribunal dieser Aufklärung über das adäquate Gott-Denken erscheint die biblische Religion von Judentum und Christentum als inadäquate Gotteserkenntnis, als bloße Einbildung, und das heißt: als Auslieferung des Menschen an die unbegriffenen Wirkmächte der Natur. Jeder Staat, der die Freiheit solchen affirmativ-kritischen Denkens beschränkt, verhindert das adäquate Erkennen der wahren und unendlichen Ursachen aller Handlungen, und das bedeutet: er verhindert das menschliche Glück. Spinoza, in seiner Lebensführung so schlicht und konstant wie in seinem Philosophieren, hat seinen tiefsten Gedanken von der Notwendigkeit des unendlichen göttlichen Wirkens nicht nur spekulativ ohne Furcht bis zu seinen letzten Konsequenzen durchgehalten, sondern er hat diesen seinen Gottesgedanken zugleich mit einer solchen Fülle empirischer Beobachtungen angereichert, daß er bis heute den einen als Mystiker und jüdisch-christlicher Idealist, den anderen als herrlicher Empiriker und erster Materialist erscheint.

In der Tat ist die ganze Auslegungs- und Wirkungsgeschichte Spinozas von einer tiefen Ambivalenz durchzogen, und zwar in der christlichen Apologetik des Barock (Bayle, Malebranche, Fénelon und Leibniz) und in der Aufklärung (Lessing, Jacobi, Mendelssohn, Herder und Kant) nicht weniger als im deutschen Idealismus (bei Fichte, Schelling, Hegel) und in der marxistischen Kritik (von Engels und Plechanov bis zum orthodoxen Marxismus heute). Der jüdische Bann, der den Vierundzwanzigjährigen aus der Synagoge ausstieß und die inoffizielle Lösung des Banns durch einen jüdischen Denker (Klausner) gibt dieser Ambivalenz einen dramatischen Ausdruck. Wenn hier einleitend so knapp wie nötig der Hauptpunkt im geschichtlichen Streit um die Auslegung von Spinozas Gott-Denken zu nennen sein wird, dann nur, um

---

verhandeling van God, de Mensch en deszelfs welstand" um 1660, der „Tractatus de intellectu emendatione" um 1661, die „Renati des Cartes principiorum philosophiae", Pars I et II, 1663; die „Ethik" entstand in den Jahren 1661–65 und 1670–75, da ihre Ausarbeitung unterbrochen wurde durch die Arbeit am „Theologisch-politischen Traktat" von 1665–70; im letzten Lebensjahr entstehen 1676–77 der „Politische Traktat", die „hebräische Grammatik" und die „Algebraische Berechnung des Regenbogens".

zu zeigen, wie wirkmächtig Spinoza die Frage um Offenbarung oder natürliche Expressivität der unendlichen Wirklichkeit gestellt hat – und wie präzise damit der Kernpunkt des neuzeitlichen Streites um „Gott oder die Natur" für das konfessionell verfaßte Judentum und Christentum ebenso wie für das davon emanzipierte bürgerliche Bewußtsein und für das marxistische Denken bis heute benannt worden ist.

Der jüdisch-christliche Dialog bliebe völlig abstrakt, wenn er sich in seiner inneren Problematik nicht selber in Frage stellen ließe von der neuzeitlichen Konkretion im Streit um die Bestimmung des Menschen, seiner Gesellschaft und dem, der in diesem Streit für „Gott" gehalten wird. Spinozas Aufhebung der mosaischen Gesetzgebung in die Weisheit Christi und damit in ein entkonfessionalisiertes Gott-Denken ist der erste Ausdruck jener europäisch-bürgerlichen Welt, deren Spätfolgen die Problematik unseres gesellschaftlichen Daseins bestimmen. Spinoza bleibt in der Tat, wie Hegel meinte, „Hauptpunkt der modernen Philosophie"[3], wenn „Philosophie" noch heißt, unsere eigene Zeit in der sie tragenden Abgründigkeit zur Sprache zu bringen. Die Artikulation des Offenbarungsproblems durch Spinoza bündelt das metaphysische Gott-Denken seit der europäischen Antike in den Brennpunkt einer neuen Optik, die gerade die religiöse Artikulation des fortschrittlichsten Frühbürgertums scharf zu erfassen erlaubt.

In der bewußten Intention, den jüdisch-christlichen Dialog in den Kontext einer Aufklärung über die von Spinoza inaugurierte neuzeitliche Aufklärung aller Religion zu stellen, wird deshalb im folgenden

1. der Hauptpunkt der ambivalenten Wirkungs- und Auslegungsgeschichte genannt („Der größte Atheist – der höchste Christ");

2. der Text Spinozas konzentriert auf die Offenbarungsfrage hin ausgelegt („Die Offenbarungskritik des universalen Expressionismus");

3. versucht, über die gesellschaftliche Funktion von Spinozas Gott-Denken aufzuklären („Die religiöse Artikulation des frühen Bürgertums"), und

4. das im jüdisch-christlichen Dialog unverzichtbar Gemeinsame gegenüber Spinozas radikaler Frage angezeigt („Der ohnmächtige Gott der Gnade vor dem allmächtigen Gott der Neuzeit".)

---

[3] *G. W. F. Hegel*, Theorie-Werkausgabe, Bd. 20. Vorlesungen über die Geschichte der Philosophie, III (Frankfurt 1971) 163.

1. Der größte Atheist – der höchste Christ

Wer von der immensen Forschungsgeschichte her den Text Spinozas verstehen will, hat sich zuerst vom gelehrtesten Zweig der Spinoza-Forschung, jener positivistischen Sippenforschung nach der Tradition von Begriffen und Einzelgedanken frei zu machen, welche Punkt für Punkt minutiös nachzuweisen vermag, daß es bei Spinoza kein Wort, kein Problem und keine Denkfigur gibt, welche nicht schon vorgegeben wären in der Bibel, bei Plato, Aristoteles und der Stoa, im jüdischen Neuplatonismus von Philo bis zur hebräischen Renaissance von Leone Ebreo, im Aristotelismus des Maimonides, der Kabbalah, der sadduzäischen Kritik der Marranen bei Uriel da Costa und natürlich in der zeitgenössischen Philosophie des Barock von Giordano Bruno über Herbert von Cherbury, Hobbes und Descartes. Im Blick von Spinoza zurück erscheint sein Werk – je nach Kenntnissen des Autors – bald als die Wahrheit der Kabbalah („Was die Kabbalah in orientalisch-allegorischer Form vorträgt, das lehrt die Ethik in mathematisch-ontologischer Weise")[4], bald als der Text eines „Volljuden", der „weit mehr Jude war, als andere dachten, ja – mehr als er selber dachte"[5]; dann wiederum darf Spinoza nur die logischen Konsequenzen von Descartes ausziehen[6] oder schließlich nach Harry Wolfson[7] nur das Puzzle jener Elemente zusammenfügen, welche in der griechischen, lateinischen, arabischen, hebräischen und zeitgenössischen Philosophie von Aristoteles bis Descartes ausgeschnitten wurden[8]. Wer in der Diskussion um Spinozas Kritik aller Offenbarung von diesem Blick zurück fasziniert

---

[4] *S. Gelbhaus*, Die Metaphysik der Ethik Spinozas im Quellenlichte der Kabbalah (Wien 1917) 108; zu einer ähnlichen Transformationsthese mit der Mystik von Jakob Boehme vgl. *A. Dyroff*, Zur Entstehungsgeschichte der Lehre Spinozas vom Amor Dei intellectualis, in: Archiv für Geschichte der Philosophie 24 (1918) 1–28.

[5] *J. Klausner*, Der jüdische Charakter der Lehre Spinozas, in: S. Hessing (Hrsg.), Spinoza. Dreihundert Jahre Ewigkeit. Spinoza Festschrift 1632–1932 (Den Haag ²1962) 109–133. 128f.

[6] So schon Leibniz und für die Gegenwart *K. Fischer*, Geschichte der neueren Philosophie. Bd. I, T. II (München 1880) 144–265. Zum Ausgleich in der Verhältnisbestimmung zu Descartes vgl. *P. Lachièze – Rey*, Les origines cartésiennes du Dieu de Spinoza (Paris 1950).

[7] Vgl. *H. Wolfson*, The Philosophy of Spinoza, unfolding the latent processes of his reasoning. 2 Bde. (Cambridge/Mass. 1934).

[8] Vgl. *H. Wolfson* (Anm. 7) 3; vgl. die kritische Rezession von *E. Levinas*, Spinoza, Philosophie Médiéval, in: Revue des Études Juives (1937) 114–119.

bleibt, gleicht Lots Weib: Er kann keinen Schritt nach vorwärts tun, schon gar nicht jenen Schritt, der Spinoza aus der Synagoge trieb und der ihn im Blick der Zeitgenossen, der Aufklärung, des Deutschen Idealismus und des marxistischen Denkens zum größten Überwinder der jüdisch-christlichen Theologie gemacht hat. Bezüglich der Traditionsgeschichte, der Spinoza verpflichtet war, kann nur gelten, was Carl Gebhardt als Ceterum censeo ans Ende seiner mannigfaltigen Studien zu den sogenannten Vorläufern Spinozas zu bemerken pflegte: „Von *hier aus* hat der größte Versuch zur Religion, den die Neuzeit kennt, *seinen Ausgang* genommen."[9]

Sowenig eine nur traditionsgeschichtliche Auslegung die Bedeutung der religionsphilosophischen Überwindung alles Offenbarungsdenkens durch Spinoza zu erhellen vermag, so viel zeigt umgekehrt die Ambivalenz der Wirkungsgeschichte gerade im Blick auf die fundamentale Kategorie der „Offenbarung" für das jüdische und christliche Selbstverständnis in der Neuzeit. Ich kann für jede Epoche dieser Auseinandersetzung nur die für unsere Fragestellung bedeutsamsten Punkte nennen:

a) Im zeitgenössischen Barock

Für die Zeitgenossen – die calvinistischen zumal – ist vordringlich die Frage aufregend, wie ein Mensch außerhalb der konfessionellen Gnadengemeinschaft ein ethisch so guter Mensch sein könne, wie Spinoza es offensichtlich gewesen ist. Er war – wie Kortholt bezüglich seiner selbstlosen Lehrweise und seiner ärmlichen Lebensart bemerkt – „unentgeltlich ein schlimmer Atheist", der zudem noch „seine unreine

---

[9] *L. Ebreo*, Dialoghi d'amore. hrsg. von C. Gebhardt (London – Paris – Amsterdam 1929) 110, Hervorhebungen von mir; vgl. *C. Gebhardt*, Die Schriften des Uriel da Costa (Amsterdam – Heidelberg – London 1922) XXXIX: „Spinoza beginnt da, wo da Costa endet"; *ders.*, Einleitung, in: B. de Spinoza, Theologisch-politischer Traktat. Hrsg. von C. Gebhardt (Hamburg ⁵1965) V–XXXVII, XIV–XXVIII. Vgl. auch die mittlere Position, die *S. Zac*, Spinozisme et judaïsme, in: Foi et vie 5 (1958) 225–239, in dieser Frage vertritt: „On ne saurait pas expliquer le spinozisme à partir du judaïsme, car le spinozisme est une transposition philosophique, sans aucun compromis avec les grandes religions révélées, de la nouvelle conception de la nature, définie comme enchaînement nécessaire des phénomènes, qui prédomine dans la pensée européenne depuis Galilée. Mais pour établir cette philosophie, il retrouve quelques intuitions de la pensée juive" (239).

Seele ... ruhig ausgehaucht hatte"[10]. Kann ein Leben, das praktisch und theoretisch die Gnade und damit die Sünde verwirft, ein gutes Leben sein, ist – nach Camus formuliert – der Heilige ohne Gott denkbar?

Strukturell tiefer hat diese lebensgeschichtliche Frage nicht nur den eifrigen Apologeten eines universalen Christentums, Leibniz (1646–1716), bedrängt, sondern auch den „christlichen Spinoza", Malebranche (1638–1715) und den bischöflichen Seelenführer Fénelon (1651–1715). Leibniz sieht in Spinozas Gott-Denken den Nerv eines christlichen Universums getroffen, weil der Gott, dessen Freiheit im *notwendigen* Handeln nach seiner unendlichen *Notwendigkeit* besteht, sowenig einen Willen haben, als mit seiner Schöpfung ein Ziel verfolgen kann. Wenn Gott nicht frei die Welt als beste mögliche schafft, so könnte er als Gott im christlichen Sinne nicht gerechtfertigt werden, dann wären auch Wunder nicht mehr denkbar, die Eschatologie, Erlösung und also Offenbarung müßten entfallen. Die Logik der Offenbarung, das wird bei Leibniz deutlich, muß das *Mögliche* denken können; denn wenn es, wie bei Spinoza, nur das Wirkliche als von Gott notwendig Gewirktes gibt, so bricht die christliche Metaphysik und damit auch ihre Moral in sich zusammen[11]. Malebranche argumentiert, was die Denknotwendigkeit eines göttlichen Wollens für den Schöpfungsbegriff betrifft, ganz ähnlich: „Les créatures supposent donc en Dieu des décrets libres qui leur donnent l'être"[12], und das heißt, daß er auch nichts hätte schaffen *können*, was wiederum zeigt, daß sich an der Logik des *Möglichen* die Frage von Schöpfung, Offenbarung und Erlösung im christlichen Sinne entscheidet. Fénelon spitzt diese Frage noch zu, weil nach ihm Gott nicht nur gemäß der besten aller Möglichkeiten, d.h. gemäß seiner Natur, die Welt frei erschafft, wie

---

[10] *Ch. Kortholt*, De tribus imposteribus magnis liber. Kiloni 1680 (Hamburg ²1700), in: C. Gebhardt (Hrsg.), Spinoza – Lebensbeschreibungen und Gespräche (Hamburg 1977) 41; zum letzteren fügt er a. a. O. hinzu: „Ob ein derartiges Hinscheiden zu einem Atheisten passen könne, ist von den Gelehrten vor nicht so langer Zeit zur Diskussion gestellt worden."

[11] Vgl. *G. Friedmann*, Leibniz et Spinoza (Paris ²1962) 68–113. Auch der beste deutsche Kenner Spinozas zur Zeit der Aufklärung in Deutschland, *Christian Wolff*, legt Spinoza nur dar, um ihn in allen Hauptpunkten einer christlichen Metaphysik zu widerlegen, vgl. Theologia naturalis. Paris I,1 (Frankfurt – Leipzig 1739) § 671–716.

[12] *N. Malebranche*, Traité de morale I, 1,5, in: Œuvres complètes, T. XI. Hrsg. von *M. Adam* (Paris 1977) 18.

Leibniz und Malebranche spekulierten, sondern weil er sie in seiner Allmacht auch so schaffen könnte, wie es ihm beliebt[13]. Dies zeigt, daß für die Zeitgenossen die tiefste Frage an Spinoza gemäß der nominalistischen Tradition die Frage nach dem Willen Gottes, nach der Prädestination und also nach der Intelligibilität aller Wirklichkeit war; denn wenn alles, was ist, als notwendiger Ausdruck von Gottes wirkmächtiger Substantialität gefaßt werden muß, dann wird mit der Aufklärung über die Wirkursachen der Welt Gott selber vollständig aufgeklärt, und das heißt: als transzendenter Herr der Geschichte im Sinne der christlichen Metaphysik aufgelöst. Die verhängnisvolle Karikatur, die Pierre Bayle (1647–1706) von dem „größten Atheisten, der jemals gelebt hat"[14], zeichnete, gibt noch durch die Verzeichnung dem Grundproblem beredten Ausdruck: Wenn die Geschichte (Bayle spricht von der Tötung von 10000 Türken durch die Deutschen) notwendiger Ausdruck von Gottes Wirkkraft ist, dann kann weder Gott gerechtfertigt noch der Mensch für seine Geschichte verantwortlich gemacht werden. Das jüdische und christliche Offenbarungsdenken hatte demgegenüber sowohl die Verborgenheit des göttlichen Willens als auch die selbständige Verantwortlichkeit des Menschen zu wahren gesucht. Der Barock diskutiert mit Spinoza die Grundprobleme von Anthropologie, Ethik und Religion noch streng metaphysisch, als Probleme von Gottes An-und-für-sich-Sein. Wir werden zu fragen haben, was diese Diskussion um Offenbarung oder kausale Notwendigkeit geschichtlich zum Ausdruck bringt.

b) Aufklärung

Ganz im Gegensatz zu Lessing (1729–1781), der sich nach einem 1785 von Jacobi (1743–1819) veröffentlichten Gespräch freimütig zu Spinoza bekannte („Wenn ich mich nach jemand nennen soll, so weiß

---

[13] *F. Fénelon*, Lettres sur la métaphysique, IV. Deuxième question: De la liberté de Dieu pour créer ou pour ne créer pas, in: Œuvres philosophiques de Fénelon. Hrsg. von *A. Jacques* (Paris 1863) 259.
[14] *P. Bayle*, Aus den „Verschiedenen Gedanken über die Kometen" vom Jahre 1680, in: C. Gebhardt (Hrsg.), Spinoza – Lebensbeschreibungen und Gespräche (Hamburg 1977) 50; vgl. das Pamphlet Bayles gegen Spinoza in: *P. Bayle*, Dictionnaire historique et critique (Rotterdam 1697); dt. Übers. der 4. Aufl. 1740. 4 Bde. (Leipzig 1741–44), Bd. 4 (1744) 260–279.

ich keinen andern" und „Es gibt keine andere Philosophie als die Philosophie des Spinoza") [15], verwahrt sich Kant gegen den Vorwurf, die Kritik der reinen Vernunft leiste dem „Spinozism" Vorschub [16]. Jacobis gezielte Enthüllung über Lessings Spinozismus setzte nicht nur die Zeit der erstarrten Aufklärung mächtig in Bewegung, sie entfachte nicht nur jenen Pantheismusstreit, der Mendelssohn (1729–1786) ins Grab gebracht haben soll und der Herders (1744–1803) und Goethes (1749–1832) Naturgefühl mächtig beflügelte, sondern diese Stellungnahme Lessings darf auch als die Geburtsstunde des idealistischen Gott-Denkens betrachtet werden. Kant machte angesichts dieses ganzen Streites die sonderbare Bemerkung, „die Spinozism" führe „gerade zur Schwärmerei", und zwar seines dogmatischen Charakters wegen, der mit einer „über alle Grenzen gehenden Anmaßung" in mathematischer Strenge die Erkenntnis übersinnlicher Gegenstände behaupte [17]. In der Tat wußte sich Jacobi selbst vor der rationalistischen Strenge des spinozistischen Kausaldenkens, das er in allem für unwiderlegbar hielt, nicht anders zu retten als durch den Sprung in einen Glauben, der sein Fundament im Gefühl hat. Die schwärmerische Übertreibung der Konsequenz, mit der Spinoza den göttlichen Willen und die Finalität der Weltordnung durch die Notwendigkeit der vollständig erkannten göttlichen Natur aufgelöst hatte, führte ihn selber zur schwärmerischen Antithese eines persönlichen und sich offenbarenden Gottes auf blinden Glauben hin [18]. Aber Kants Hinweis auf die durch den Spinozismus ausgelöste Schwärmerei bliebe bedeutungslos, wenn sie sich nur auf Jacobi bezöge: Sie erhält Tiefenschärfe erst im Blick auf Herder, Goethe und auch Moses Mendelssohn.

Die systematische Bedeutung von Herders und Goethes Spinoza-

---

[15] *F. H. Jacobi,* Über die Lehre des Spinoza in Briefen an den Herrn Moses Mendelssohn, zitiert nach der 2. verm. Aufl. in: Jacobis Spinoza-Büchlein nebst Replik und Duplik. Hrsg. von *F. Mauthner* (München 1912) 52–190. 66 f. Zum Pantheismusstreit vgl. *H. Scholz,* Die Hauptschriften zum Pantheismusstreit zwischen Jacobi und Mendelssohn (Berlin 1916).

[16] *I. Kant,* Was heißt: Sich im Denken orientieren? in: ders., Werke in zehn Bänden. Hrsg. von W. Weischedel, Bd. 5: Schriften zur Metaphysik und Logik (Darmstadt 1968) 265–291. 279.

[17] *I. Kant* (Anm. 16); vgl. gleichfalls *ders.,* Einige Bemerkungen von Herrn Professor Kant, in: a. a. O., 287–291. 287.

[18] Vgl. die Kritik von Jacobis Spinoza-Verständnis durch *A. Hebeisen,* Friedrich Heinrich Jacobi. Seine Auseinandersetzung mit Spinoza (Bern 1960).

„Schwärmerei" liegt darin, daß sie Spinozas metaphysischen Natur- und Kausalitätsbegriff empirisch auffassen und damit sein Gott-Denken selber zu einer Offenbarungsphilosophie werden ließen. Im Hinblick darauf, daß im folgenden gerade die Differenz zwischen Spinozas universalem Expressionismus und der christlichen Offenbarungstheologie herausgestellt wird, sollen zwei längere Zitate zeigen, was eine Inanspruchnahme Spinozas für das Offenbarwerden Gottes in dem diffus christlichen Bürgertum der Neuzeit bedeutet. Herder schreibt 1784 über Spinoza an Jacobi:

„... lieber, bester extramundaner Personalist... Was Ihr, lieben Leute, mit dem ,ausser der Welt existieren' wollt, begreife ich nicht: existiert Gott nicht in der Welt, *überall* in der Welt, und zwar überall ungemessen, ganz und unteilbar (denn die ganze Welt ist nur eine Erscheinung seiner Größe...), so existiert er nirgend...: er ist das höchste lebendigste, tätigste Eins – nicht *in* allen Dingen, als ob die was ausser Ihm wären, sondern *durch* alle Dinge, die nur als sinnliche Darstellungen für sinnliche Geschöpfe erscheinen"[19]... „Ich fürchte, Bester, nicht ich, sondern Du irrest Dich in dem, was *Spinoza* will... was soll Dir der Gott, wenn er nicht in Dir ist und Du sein Dasein auf unendlich innige Art fühlest und schmeckest und er sich selbst auch in Dir als einem Organ seine tausend Millionen Organe geniesset! Machst Du mir diesen inningsten, höchsten, alles in eins fassenden Begriff zum leeren Namen, so bist Du ein Atheus, und nicht *Spinoza*... Du geniessest also Gott nur immer nach Deinem innersten Selbst, und so ist er als Quelle und Wurzel des geistigen, ewigen Daseins unveränderlich und unaustilgbar in Dir. Dies ist die Lehre Christus' und Moses', aller Apostel, Weisen und Propheten."[20]

Doch nicht genug damit, daß Spinozas offenbarungskritisches Gott-Denken ausdrücklich für diese neue „Offenbarung" beansprucht wurde[21], Spinoza selbst wird nun gleichsam zum Offenbarer für dieses naturfühlende Christentum, wie der Generalsuperintendent Herder schon acht Jahre früher schrieb:

„Je tiefer, reiner und göttlicher unser Erkennen ist, desto reiner, göttlicher und allgemeiner ist auch unser Würken, mithin desto freier unsere Freiheit... So werden wir... bekommen, was jener Philosoph suchte, in uns einen Punkt,

---

[19] *H. Düntzer,* F. G. v. Herder, Aus Herders Nachlaß. Bd. II (Frankfurt 1857) 254f, zit. in: H. Scholz (Anm. 15) XCIf.
[20] *H. Düntzer* (Anm. 19) 263ff, zit. bei *H. Scholz* (Anm. 15) XCIVf.
[21] Der Ausdruck „Offenbarung" wird von *J. G. Herder,* Gott. Einige Gespräche über Spinozas System (Gotha 1787) zur Auslegung Spinozas strapaziert.

die Welt um uns zu überwinden, ausser der Welt einen Punkt, sie mit allem was sie hat, zu bewegen. Wir stehen auf höherem Grunde und mit jedem Ding auf seinem Grunde, wandeln im großen Sensorium der Schöpfung Gottes, der Flamme alles Denkens und Empfindens, der *Liebe*. Sie ist die höchste Vernunft, wie das reinste, göttlichste Wollen; wollen wir dieses nicht dem hl. Johannes, so mögen wir denn ohne Zweifel dem noch göttlicheren *Spinoza* glauben, dessen Philosophie und Moral sich ganz um diese Achse bewegt."[22]

Herders Gespräche über Spinoza und seine Ideen zur Philosophie der Geschichte der Menschheit, die sich aus Gesprächen mit Goethe über Spinoza entwickelt hatten, waren Goethe „das liebste"[23] und das „liebwerteste Evangelium"[24]. Nachdem er schon ein Jahr vor dem Ausbruch des Pantheismusstreites mit Frau von Stein die Ethik seines „Heiligen" im lateinischen Original als sein „metaphysisches Leibgericht"[25] gelesen hatte, schrieb er nach Jacobis Enthüllungen an diesen: „Er beweist nicht das Dasein Gottes, das Dasein ist Gott. Und wenn ihn andere darum Atheum schelten, so möchte ich ihn theissimum, ja christianissimum nennen und preisen."[26] Dieser Preis gilt nicht mehr dem, was Lessing bewog, sich Spinoza am nächsten zu fühlen, es gilt also nicht mehr der strahlenden Toleranz jenes Gott-Denkens, nach welchem alles in Ewigkeit von der Vorsehung bestimmt bleibt und in dem kein freier Wille mehr den Menschen ängstet (denn in der Leugnung des freien Willensvermögens fühlte sich Lessing „als echter Lutheraner"[27] Spinoza am meisten verpflichtet). Goethes Preisen von Spinoza bezog sich vielmehr bei seiner, wie er bekennt, „reinen, tiefen, angeborenen und geübten Anschauungsweise, die mich Gott in der Natur, die Natur in Gott zu sehen unverbrüchlich gelehrt hatte"[28],

---

[22] *J. G. Herder*, Sämtliche Werke. Hrsg. von B. Suphan. Bd. VIII (Berlin 1877–1913) 202.

[23] *J. W. Goethe*, Brief vom 8. 10. 87 an J. G. Herder; vgl. *G. Schneege*, Zu Goethes Spinozismus (Breslau 1910) 15–19; zu Goethes Spinoza-Aufsatz vgl. *B. Suphan*, Aus der Zeit der Spinoza-Studien Goethes 1784–85, in: Goethe-Jahrbuch 12 (1891) 3–12; zum ganzen vgl. die Analyse von *M. Bollacher*, Der junge Goethe und Spinoza, Studien zur Geschichte des Spinozismus in der Epoche des Sturms und Drangs (Tübingen 1969).

[24] *J. W. Goethe*, Brief vom 12. 10. 1787.

[25] Brief vom 28. 12. 1784 und vom 4. 12. 1783 an Frau von Stein.

[26] Brief vom 9. 6. 1785 an Jacobi.

[27] Vgl. *F. H. Jacobi* (Anm. 15) 77.

[28] *J. W. Goethe*, Tag- und Jahreshefte (unter 1811, Ausgang), zit. in: G. Schneege (Anm. 23) 12.

auf die „Gottesverehrung des Atheisten"[29], in dessen Ethik er sein „Asyl" fand[30].

Wie gesagt: Kant hielt all dies nüchtern für „Schwärmerei". Und für nicht viel besser hielt er auch des „scharfsinnigen" und „subtilen" Moses Mendelssohns[31] Ehrenrettung Spinozas. Mendelssohn machte zwar aus Spinoza keinen christianissimum, aber er glaubte zeigen zu können, daß sich der von ihm „geläuterte Spinozismus hauptsächlich mit dem Judenthume sehr gut vereinigen lässt", denn: „Die Lehre des Spinoza kömmt dem Judenthume offenbar weit näher, als die orthodoxe Lehre der Christen"[32]. Und sie kommt ihm näher durch die praktische Konsequenz ihrer Religions- und Sittenlehre, wenn, ja wenn eben nur Spinozas spekulative Lehre geläutert wird. Mendelssohn ändert dazu im wesentlichen nur *einen* Punkt an Spinozas System, wie er es verstand, nämlich als die Lehre des ἕν καὶ πᾶν, des „Eins ist Alles, Alles ist Eins" – und dieser Punkt liegt in der klaren Unterscheidung von Gott und Welt, also der Rettung einer für sich bestehenden endlichen Welt und darin eines für sich bestehenden Bewußtseins außerhalb der göttlichen Selbständigkeit[33]. Sehr zum Mißvergnügen von Kant geschieht eine solche Läuterung dadurch, daß Mendelssohn in dieser – Spinoza zu einem jüdischen Theisten beschneidenden – Auslegung alles auf einen bloßen Streit um Worte zurückführt: „im Grunde" meinte Mendelssohn, „ist es Missdeutung derselben Metapher, die bald Gott zu bildlich in die Welt, bald die Welt zu bildlich in Gott versetzt ... Thuet auf Worte Verzicht, und Weisheitsfreund", ruft er Spinoza zu, „umarme deinen Bruder."[34] Kants Spott über diese Wortverdrehungen zum Zwecke der durchsichtigen Aneignung sind für eine Spinoza-Auslegung, die sich um das Verhältnis von jüdisch-christlichem Offenbarungsbegriff zu Spinozas Expressionsdenken bemüht, bis heute heilsam: „Es ist ... als ob er den Durchbruch des Oze-

---

[29] Brief vom 5.5.1786 an Jacobi.
[30] Tag- und Jahreshefte (Anm. 28).
[31] *I. Kant*, Einige Bemerkungen (Anm. 17) 288f.
[32] *M. Mendelssohn*, An die Freunde Lessings. Ein Anhang zu Herrn Jcobis Briefwechsel über die Lehre des Spinoza (Berlin 1786), in: H. Scholz (Anm. 15) 283–325.295.
[33] Vgl. bes. *M. Mendelssohn*, Morgenstunden oder Vorlesungen über das Dasein Gottes, in: ders., Schriften zur Philosophie und Ästhetik. Bd. III, 2,1–176, vgl. bes. die Vorlesungen 13–15, 104–137.
[34] Ebd. 124.

ans mit einem Strohwisch stopfen wollte ... es ist aber zu besorgen: dass, indem er künstelt, allenthalben Logomachie zu ergrübeln, er selbst dagegen in Logodädalie verfalle, über welche der Philosophie nichts Nachteiligeres widerfahren kann." [35] Nota bene: um wieviel mehr der Theologie!

c) Idealismus

Wenn Spinozas Philosophie der Freiheit unter materialistischem Gesichtspunkt als ein Ausdruck der Emanzipation von der Feudalität zum kolonialistischen Handelsbürgertum im goldenen Zeitalter der Niederlande des siebzehnten Jahrhunderts verstanden werden muß, so erstaunt nicht, daß das von der Französischen Revolution entzündete Freiheitspathos im Deutschen Idealismus zu Beginn des neunzehnten Jahrhunderts in Spinoza jene „verschlossene Knospe" sah, die sich jetzt im bürgerlichen Denken Deutschlands „zur Blume entfalten" sollte (Schelling) [36]. Fichte (1762–1814), Schelling (1775–1854) und Hegel (1770–1831) verstehen ihre absolute Philosophie der Freiheit gleichermaßen als das zu sich selbst gekommene Bewußtsein jener noch unbegriffenen Notwendigkeit, in welcher Spinoza Freiheit begründet sah. Spinoza gehört – so der frühe Fichte – zu jener ersten Stufe der Menschheit, die sich noch nicht zum vollen Gefühl ihrer Freiheit und absoluten Selbständigkeit erhoben hat, weil sie sich noch dogmatisch als „Product der Dinge" sieht. „Wer aber", so beansprucht es Fichte für sein Zeitalter, „seiner Selbständigkeit und Unabhängigkeit von allem, was ausser Ihm ist, sich bewusst wird, – und man wird dies nur dadurch, dass man sich, unabhängig von allem, durch sich selbst zu etwas macht, – der bedarf der Dinge nicht zur Stütze seines Selbst ..." [37] Obwohl auch für Hegel gilt, daß „wenn man anfängt zu philosophieren ... man zuerst Spinozist sein muss" [38], so ist doch auch für ihn „das Empörende, was das Spinozistische System in sich hat" [39],

[35] *I. Kant*, Einige Bemerkungen (Anm. 17) 289.
[36] *F. W. J. Schelling*, Zur Geschichte der neueren Philosophie. Münchener Vorlesungen (1827) (Darmstadt 1975).
[37] *J. G. Fichte*, Erste Einleitung in die Wissenschaftslehre (1797), in: Fichtes Werke. Hrsg. von *I. H. Fichte*. Bd I (Berlin 1971) 417–450. 433.
[38] *G. W. F. Hegel*, Vorlesungen über die Geschichte der Philosophie (Anm. 3) 165.
[39] Ebd., 193.

die Bewußtlosigkeit des Substanzdenkens. In der „Vertilgung des Moments des *Selbstbewußtseins* im Wesen" liegt der Mangel von Spinozas Philosophie[40], der die idealistische Reflexion über diese hinaustreibt. Dies heißt nichts anderes, als daß die expressive Substanz Spinozas zum sich offenbarenden Selbstbewußtsein geworden ist oder – plakativer gesagt – daß Spinozas Philosophie Gottes in der Philosophie der Offenbarung aufgehoben wird. Dieser Übergang in die idealistische Offenbarungsphilosophie ist gerade deshalb sorgfältig zu notieren, weil sie ihre „absolute Grundlage" (Hegel)[41], ihren „tiefsten Grund" (Schelling)[42] und das einzig zu überwindende „völlig consequente System" (Fichte)[43] in Spinoza hat. Die idealistische Aufhebung Spinozas zeigt die wesentlichen Momente der Differenz zwischen dem reinen Gott-Denken und einer Philosophie der Offenbarung.

Die allgemeine Differenz des idealistischen Denkens zum Kausaldenken Spinozas liegt dabei hauptsächlich im Übergang von der Substanz zum Subjekt. Substantiell ist für die Idealisten nicht mehr das absolut Unendliche der causa sui, sondern das sich reflektierend entwickelnde Selbstbewußtsein. Sehr deutlich läßt sich dieser Übergang an Fichtes Auslegung von Spinozas *conatus suum esse conservandi*[44], dem „Streben, sein Sein zu erhalten", beobachten; Fichte übersetzt: „Sein Selbst im Raisonnement nicht zu verlieren, sondern es zu erhalten und zu behaupten, dies ist das Interesse", welches alles Denken der Philosophie leitet. Das Selbst im Raisonnement, d.h. in der Reflexion, tritt an die Stelle des bloßen „Seins", das Reflexionssystem an die Stelle des Seinsdenkens. Während sich in Spinozas Gott-Denken das Denken selbst als ein *notwendiger* Ausdruck des nur in seinem Ausdruck wirklichen Gottes begreift, *offenbart* sich im Reflexionsdenken das Absolute durch die Setzungen des denkenden Subjekts, und zwar in folgenden Differenzen zu Spinoza:

– Für *Fichte* übergeht Spinoza das Ich, weil er dieses nur als Modifikation (nicht als Offenbarung!) der göttlichen Substanz auffaßt, und das heißt: von außerhalb seiner selbst her begründet, d.h. unter kriti-

---

[40] Ebd., 185.
[41] Ebd., 165.
[42] *F. W. J. Schelling*, Philosophie der Offenbarung. Bd. 1 (Darmstadt 1974) 157.
[43] *J. G. Fichte*, Grundlage der gesammten Wissenschaftslehre (1794), in: Werke Bd. I (Anm. 37) 83–328.101.
[44] Vgl. *B. Spinoza*, Ethik (Anm. 2) 414ff.

schem Gesichtspunkt nicht begründet, sondern dogmatisch setzt. Spinoza zeige keinen Übergang vom Sein zum Bewußtsein, und so gerate sein konsequenter Dogmatismus zum „Materialismus"[45]. Wer vom Begriff des ens, vom Ding ausgeht, kommt nie zum freien Selbstbewußtsein, sondern bleibt der Materialität der Dinge verhaftet[46]. Dagegen läuft Fichtes späte Philosophie in eine transzendental-mystische Offenbarungsphilosophie aus, nach welcher sich das frei setzende Selbstbewußtsein als Metapher eines absoluten Grundes von schöpferischer Freiheit denken muß[47]. Die große Alternative heißt deshalb Materialismus oder transzendentale Offenbarungsphilosophie.

– „Der Anfang und das Ende aller Philosophie", dies dekretiert auch der frühe *Schelling*, „ist *Freiheit*"[48], wenn auch nicht im einseitigen Sinne von Fichtes freier Bewußtseinstat. Denn – und darin folgt Schelling ausdrücklich Spinoza – „mit absoluter Freiheit ist auch kein Selbstbewußtsein mehr denkbar"[49], so daß alles Bewußtsein des Absoluten und also auch Offenbarung in einer absoluten Freiheit gründen müssen, die selber – spinozistischer geht es nicht – nach ihrem notwendigen Sein handelt: „Wer über Freiheit und Notwendigkeit nachgedacht hat, fand von selbst, daß diese Principien im Absoluten *vereinigt* seyn müssen – *Freiheit*, weil das Absolute aus unbedingter Selbstmacht, *Nothwendigkeit* weil es eben deswegen nur den Gesetzen seines Seyns, der inneren Nothwendigkeit seines Wesens gemäss handelt."[50]

Schelling bleibt darin genuiner Schüler Spinozas, daß er einen Willen und eine Finalität im Absoluten ausschließt und das Absolute selbst auch nicht durch Reflexion entstehen, sondern in der „intellektualen Anschauung"[51] sich selbst affirmieren läßt, also durch den unmittelbaren ontologischen Gotteserweis[52]. Aber er trennt sich von Spinoza, insofern er die unendliche potentia, die Mächtigkeit der göttlichen

[45] *J. G. Fichte*, Erste Einleitung (Anm. 37) 437f.
[46] Vgl. *ders.*, Grundlage (Anm. 43) 119f.
[47] Vgl. bes. *W. Janke*, Fichte. Sein und Reflexion – Grundlage der kritischen Vernunft (Berlin 1970).
[48] *F. W. J. Schelling*, Vom Ich als Princip der Philosophie (1795), in: ders., Schriften von 1794–1798 (Darmstadt 1975) 29–124.57.
[49] *Ders.*, Philosophische Briefe über Dogmatismus und Kriticismus (1795), in: *ders.*, Schriften von 1794–1798 (Darmstadt 1975) 161–222.204.
[50] Ebd., 211.   [51] Vom Ich als Princip (Anm. 48) 61.
[52] Vgl. Philosophische Briefe (Anm. 49) 189.

Substanz, als eine „*Selbst*macht" auslegt. Hier liegt der tiefste Ansatz der Differenz zwischen einer Philosophie der Offenbarung und dem expressiven Gott-Denken Spinozas: Schellings Gott ist nicht unendliche Substanz, sondern das, was „schlechterdings nicht als Ding gedacht werden kann", also weder als Objekt noch als darauf bezogenes Subjekt, sondern allein als „ein absolutes ICH"[53]. Die beträchtlichen Konsequenzen dieser Differenz zeigen sich erst im Spätwerk Schellings. Jetzt (1827) heißt es im Blick auf die Philosophie der Offenbarung, daß in Spinozas Substanz das Subjekt ganz verlorengehe[54], daß er die Art und Weise des notwendigen Zusammenhangs zwischen Gott und den Dingen nicht zeige[55], weil – und hier kehren wir zu Leibniz zurück – er „mit Ausschließung aller Potenz" Gott als Ursache ganz in seinen Wirkungen aufgehen lasse: „die Möglichkeit ist hier verschlungen von dem Sein"[56]. Weil hier Schelling Spinozas Differenz zum Offenbarungsdenken am tiefsten erfaßt hat, sei das Zitat ausgeführt:

„Gott ist (bei Spinoza; P.E.) nicht der frei schaffende oder hervorbringende Geist, der außer sich, außer seinem unmittelbaren Sein zu wirken vermag, er ist ganz eingeschlossen in sein unvordenkliches Sein, also können auch die Dinge nur in ihm sein, nur besondere Formen oder Arten, in denen sich das göttliche Sein *darstellt*, nicht daß Gott selbst dadurch beschränkt würde, sondern daß jedes Ding das unmittelbare göttliche Wesen in sich nur auf eine gewisse und bestimmte Weise *ausdrückt*."[57]

Soll sich Gott aber nicht nur in sich selbst darstellen und ausdrücken, so muß er sich offenbaren können, was wir allerdings – nach Schellings „Philosophie der Offenbarung" – nicht durch eine solchermaßen negative, d.h. apriorische Philosophie denken können, sondern als Tatsache der Philosophie der Offenbarung *vorauszusetzen* haben[58]. Um

---

[53] Vom Ich als Princip (Anm. 48) 46 f.
[54] Zur Geschichte der neueren Philosophie (Anm. 36) 37.
[55] Ebd., 36.
[56] Ebd., 34.
[57] Ebd., 36 (Hervorhebung von mir).
[58] Philosophie der Offenbarung (Anm. 42) 143; zu dieser Problematik vgl. bes. *W. Kasper*, Das Absolute in der Geschichte. Philosophie und Theologie der Geschichte in der Spätphilosophie Schellings (Mainz 1965); *W. Schulz*, Die Vollendung des Deutschen Idealismus in der Spätphilosophie Schellings (Pfullingen ²1975).

diese Voraussetzung wiederum denken zu können, brauchen wir eine Logik des Möglichen, d. h. eine Potenzenlehre, die es bei Spinoza nicht gibt.

– *Hegels* Spinoza-Paraphrasen sind – trotz der bekannten Lobsprüche – seichter und voller Mißverständnisse, weil er meint, Spinozas „Gott" wäre nur die in sich untätige und leere Einheit von Sein und Denken und seine „Welt" nur Imagination, das heißt eine Erscheinung, die im Abgrund der Substanz vernichtet werde[59]. Es verwundert nicht, daß eine solchermaßen phantasievolle Interpretation es schließlich auch philosophisch für bedeutsam hält, daß Spinoza an der Schwindsucht gestorben sei[60]. Bedeutsam wird erst, was Hegel – hier wie überall ein christologischer Denker – Spinoza entgegenhält: gegen seinen „in den Gedanken erhobenen absoluten Pantheismus und Monotheismus"[61] macht er den lebendigen, d. h. den dreieinigen Gott geltend: „Gott ist hier nicht Geist, weil er nicht der dreieinige ist."[62] Als Geist aber kann Gott nur verstanden werden, wenn Vater und Sohn als das konkret Besondere gedacht werden, „deren jedes die ganze Natur (nur unter einer besonderen Form) enthält"[63]. Im Unterschied zu der „morgenländischen Anschauung" des absoluten Monotheismus, der „sich mit Spinoza zuerst im Abendlande ausgesprochen hat", fordert Hegel jene konkrete Individualität, die „durch das Christentum in der modernen Welt im Geiste durchaus ... vorhanden ist"[64]. Was Spinoza also mangelt, wäre die konkrete Christologie oder – spekulativ ausgedrückt – die Kraft zur Negation der Negation. Bei Spinoza „ist zu viel Gott"[65], ist nur die Affirmation jener Substanz, deren Bestimmungen, die Modifikationen der realen Dinge nur Negationen seien, also ohnmächtig gegenüber dem Begriff der Substanz. Es wird von selbst deutlich, daß für Hegel erst die Philosophie des Karfreitags jene Negation der Negation darstellen kann, welche das religionsphilosophische Denken befähigt, selber offenbarend zu sein.

Diese scharfe Antithetik verschleiert für das Verhältnis von Spinozas Expressionsdenken und der idealistischen Offenbarungsphilosophie mehr, als sie enthüllt. Daß Hegel Spinozas Gott-Denken so stark unter

---

[59] Vgl. *G. W. F. Hegel*, Vorlesungen über die Geschichte der Philosophie (Anm. 3) 157–197.
[60] Ebd., 160, 167.   [61] Ebd., 164.   [62] Ebd., 165.   [63] Ebd., 170.
[64] Ebd., 165.   [65] Ebd., 163.

seinem Niveau auslegte, um zum eigenen Offenbarungsdenken zu kommen, zeigt nur, wie gefährlich nahe ihm dieses gekommen war.

d) Marxistische Kritik

Die katholische, calvinistische und jüdische Orthodoxie ließ sich bis heute nicht davon abbringen, Spinozas „Gott" für keinen Gott zu halten, sondern für den Ausdruck eines höchsten Atheismus. Darin stimmt die marxistische Kritik mit der christlich-jüdischen überein. Aber während die christlichen Theologien des zwanzigsten Jahrhunderts zumeist mit der offenbarungsphilosophischen Überhöhung des Gott-Denkens im Deutschen Idealismus kokettieren – wenn sie sich nicht schon von Anfang an mit ihm vermählt hatten –, suchte die materialistische Kritik alle diese offenbarungsphilosophischen Aufsteigerungen schon an ihrer Wurzel abzuschneiden. Diese Kritik ernüchterte den höher geführten Sturm und Drang des Idealismus, indem sie die „absolute Grundlage" des Systems als eine materialistische nachzuweisen suchte, als deus sive *natura*. Spinoza wird zum „Moses der modernen Freigeister und Materialisten" (Feuerbach)[66]. Die materialistische Kritik fragte also genauer – und dafür sollte ihr die Theologie dankbar sein –, was für ein „Gott" denn Spinozas „Natur" sei. Und sie gab darauf eine zunehmend differenzierte Antwort.

Feuerbach bemerkte feinsinnig, es sei „die *Spinozische* Philosophie der *theologische Materialismus*"[67]: ein *Materialismus*, weil die Ausdehnung, die Materie, nicht mehr als etwas außergöttlich Geschaffenes begriffen wird, sondern die göttliche Substanz selbst ausdrückt – ein *theologischer* Materialismus aber noch, weil mit dieser göttlichen „Ausdehnung" nicht die zu schmeckende sinnliche Realität verstanden wird, sondern das „unsinnliche, abstrakte, metaphysische Wesen"[68]. Indem nun Hegel das Selbstbewußtsein zum Ausdruck der göttlichen Substanz gemacht hatte, ruhte sein theologischer Idealismus „auf *demselben Fundament* als der paradoxe Satz Spinozas: ,Die Ausdehnung

---

[66] L. *Feuerbach*, Grundsätze der Philosophie der Zukunft, in: Gesammelte Werke. Bd. 9. Hrsg. von W. Schuffenhauer (Berlin 1970) 264–341.287.
[67] Ebd., 299.
[68] L. *Feuerbach*, Geschichte der neueren Philosophie von Baron von Verulam bis Benedikt Spinoza, in: Gesammelte Werke. Bd. 2. hrsg. von W. Schuffenhauer. Berlin 1969, 448.

oder Materie ist ein Attribut der Substanz.'"[69] Wie bei Spinoza die Materie, so wird bei Hegel das Selbstbewußtsein zum göttlichen Wesen, und das bedeutet *die Negation der Theologie auf dem Standpunkt der Theologie*"[70]. Wichtig für das theologische Verständnis kann hier nicht sein, wie Feuerbach dieses göttliche Wesen von Materie und Selbstbewußtsein in die kleinbürgerlich-krude Vergöttlichung von Sinnlichkeit und Gattungsvernunft verwandelt, theologisch unverzichtbar aber bleibt der Wink Feuerbachs, es möchten die Theologen doch auf keinen Fall übersehen, daß Spinozas theologischer Standpunkt als Negation der Theologie angelegt war und auch als solche wirksam wurde. Im Gegensatz zur bürgerlich-christlichen Emphase des Deutschen Idealismus teilte *Karl Marx* durchaus diese nüchterne Einschätzung, wonach die anti-theologische Metaphysik des „früheren ‚Pfaffen' Spinoza"[71] ihre „gehaltvolle Restauration" erst in Hegels „metaphysischem Universalreich" erhielt[72]: Hegels absoluter Geist wäre demnach nichts anderes als Spinozas Substanz, mit den Augen von Fichtes Subjekt gelesen. Der wahre Materialismus tritt jedoch in Gegensatz zu diesem offenbarungsphilosophischen Spinozismus, so daß nicht die Offenbarungsphilosophie, sondern der historische Materialismus zur Vollendung bringt, was bei Spinoza angelegt war.

Die Vollendung Spinozas im wissenschaftlichen Sozialismus hat alle Phasen vom Vulgärmaterialismus bis zur differenzierten Dialektik durchlaufen, worauf abschließend zur wirkungsgeschichtlichen Auslegung nun mehr hingewiesen werden kann, um über die historische Tragweite des Problems von Gottes Offenbarung oder Expressivität der Natur Klarheit zu verschaffen. Der russische Marxismus (bei Plechanow und Deborin z. B.) feiert Spinoza als einen „im großen und ganzen" so „hervorragenden Atheisten und Materialisten", daß der Marxismus selbst als eine „Art Spinozismus" erscheint, und als der „wirkliche Erbe Spinozas: ... das moderne Proletariat"[73]. Denn Spinoza löst nicht nur die theoretische Bedeutung der Religion auf, indem

[69] *L. Feuerbach,* Grundsätze (Anm. 66) 244.   [70] Ebd., 245.
[71] *K. Marx – F. Engels,* Werke. Hrsg. vom Institut für Marxismus-Leninismus beim ZK der SED. Bd. 3 (Berlin 1973) 162.
[72] Ebd., Bd. 2 (Berlin 1957) 132.
[73] *A. Deborin,* Die Weltanschauung Spinozas, in: A. Thalheimer – A. Deborin (Hrsg.), Spinozas Stellung in der Vorgeschichte des dialektischen Materialismus. Reden und Aufsätze zur Wiederkehr seines 250. Todestages (Wien 1928) 41 und 74.

er die darin vorausgesetzte Willensfreiheit und Zwecksetzung Gottes destruiert, er klärt nicht nur über den historisch-kritischen Sinn der Bibel und den politischen Zweck der biblischen Religion auf, sondern er zeigt für den Materialismus auch, daß der Ausdruck „Gott" nichts anderes bezeichne als eben ein reales, materielles Ding, die Fülle der Materie, die selber das Geheimnis von Spinozas Substanz ausmache[74]. Der Ausdruck „Gott" wäre also von Spinoza aus bloßer Konvenienz, aus Vorsicht oder List beibehalten worden. Die differenziertere Diskussion[75] kehrt nach diesen Platitüden zu Feuerbach-Marxens Auslegung zurück und insistiert darauf, daß unter dem *deus sive natura* nicht die empirische Natur, sondern die metaphysische Einheit von Ausdehnung und Denken verstanden werden müsse. Für die metaphysische Auffassung der Natur ist die dialektische Bewegung der Materie noch nicht das höchste Prinzip, sondern nur eine Modalität der Substanz[76]. Wichtig für unser Problem ist die ethische Konsequenz, mit der Spinozas *amor Dei intellectualis*, also die notwendige Affirmation der ersten und einzigen Wahrheit ausgelegt wird: „If we strip the metaphysical garments from the intellectual love of God and strike off its theological trappings, *there is revealed nothing other* than man's cognitive love of nature."[77] Wenn das wahre geistige Leben nichts anderes offenbart als des Menschen Verbundenheit mit der Natur (und dann natürlich auch mit der eigenen Klasse in dieser Natur), dann offenbart sich ihm doch wiederum nur die empirisch gefaßte Materie und also nichts mehr von dem, was den sich selber offenbarenden Gott im Sinne der jüdischen und christlichen Theologie auszeichnet. Die differenziertere historische Kritik des Marxismus hat Spinozas Natur-Denken als ideologischen Ausdruck des fortgeschrittenen Frühbürgertums zu interpretieren gesucht. Wieweit diese Interpretation trägt, kann erst gefragt werden, wenn am Text Spinozas selbst die Grundfrage verdeutlicht wird, was sein Gott-Denken im Verhältnis zum jüdisch-christlichen Offenbarungsglauben auszeichnet und was dabei der Ausdruck „Gott" noch besagt.´

---

[74] Vgl. ebd., 54 f. 66 f.
[75] Zur differenzierten Betrachtung vgl. *L. Kline* (Hrsg.), Spinoza in Soviet Philosophy. A series of essays (London 1952).
[76] Vgl. bes. *I. K. Luppol*, The historical significance of Spinozas Philosophy, in: L. Kline, Spinoza (Anm. 75) 162–176. 170 ff.
[77] Ebd., 175.

2. Die Offenbarungskritik des universalen Expressionismus

Das für eine restlos arbeitsteilige Gesellschaft prinzipiell unlösbare Problem von Theorie und Praxis kann sich für den „reinsten Weisen"[78] (Nietzsche) von allem Anfang an nicht stellen. Der Erfahrungshintergrund und die intentio legis von Spinozas ganzem Werk werden im Prolog zu seinem ersten Traktat formuliert und bleiben bis zum letzten politischen Traktat leitend:

„Nachdem mich die Erfahrung lehrte, wie eitel und vergeblich alles sei, was sich im alltäglichen Leben zuträgt ... verlegte ich mich schließlich auf die Suche nach einem wahren Gut, das sich selber mitteilen würde (sui communicabile esset) und von dem, unter Ausschluß alles übrigen, die Seele allein erfüllt würde; ja ich suchte etwas zu finden und zu besitzen, was ich in beständiger und höchster Freude auf ewig genießen könnte."[79]

Die ganze christliche Gnadentheologie (vom Augustinismus über die Scholastik bis zur Transzendentaltheologie) setzt voraus, daß die vom Chaos der Empirie angewiderte Seele des Menschen ohne Ruhe nach einem sich selber mitteilenden und höchsten Gut suche, welches ihr die fruitio, die ewige Freude schenkt. Aber der Mensch vermag nach der christlichen Dialektik der Verzweiflung nichts selbst zu erlangen, wonach er sich sehnt: Um zur ewigen Freude zu gelangen, ist und bleibt er auf die huldvolle Offenbarung, auf die gnadenhafte Selbstmitteilung Gottes angewiesen, die er nur glaubend annehmen kann. Er bleibt also in diesem Leben in einer letzten Ungewißheit des Heils. Spinozas Lehre vom glücklichen Leben dagegen gibt keine bloße Analyse der Frage, die der Mensch ist, um eine Antwort in der Offenbarung zu finden, seine affirmative Philosophie verspricht vielmehr selbst jene höchste Freude, die den Sinn eines vollkommen beruhigten Daseins ausmacht: Im wahren Gott-Denken teilt sich das höchste Gut des Menschen selber mit, denn die Philosophie ist die praktische Theorie des Lebens, also nicht nur die Lehre *von* der Glückseligkeit, sondern diese selbst. Es ist klar, daß eine solche Heilslehre in einen kritischen Gegensatz zu jeder Theologie der Offenbarung tritt, welche

---

[78] *F. Nietzsche*, Werke in drei Bänden. Bd. 1. Hrsg. von K. Schlechta (München 1966) 686.
[79] T de int. (Anm. 2) 6.

voraussetzt, daß durch wahres Denken der Mensch zwar sein Elend, nicht aber seine ewige Größe zu erkennen und schon gar nicht zu erlangen vermöge. Die Ethik als Spinozas praktische Philosophie des ewigen Glücks führt zur Kritik an aller Offenbarung als einer falschen Philosophie im „Theologisch-politischen Traktat" [80]. Die Auslegung folgt dieser inneren Logik der Sache von der Ethik zum Traktat.

a) Ethik als Ausdruck Gottes

Im Zentrum jüdischer, christlicher und marxistischer Ethik steht heute die Hoffnung: Sie sucht die Furcht vor einem ökologischen, militärischen und wirtschaftlichen Kollaps zu bannen durch eine Handlungslehre, die zu einer besseren Menschheit führt, sei es durch den Gehorsam gegenüber Gottes Gesetz, sei es durch jenes Handeln, welches dem Evangelium von Gottes hereinbrechendem Reich entspricht oder sei es schließlich durch jene revolutionäre Aktion, die vorläufig von totalitären Staaten verwaltet wird. Kaum ein Satz aus Spinozas Ethik vermag deutlicher zu machen, wie sehr sich der frühbürgerliche Weise aus den Niederlanden von den gegenwärtigen Heilslehren unterscheidet, als der 47. Lehrsatz aus dem II. Teil der „Ethik": „Spei, et Metus affectus non possunt esse per se boni – der Affekt der Hoffnung und der Furcht können nicht an sich gut sein." [81]

Denn die Hoffnung hat wie die Furcht einen Mangel an Erkenntnis zur Voraussetzung, sie baut auf Phantasien, die keine wirkliche, sondern nur mögliche Freude erzeugen. Zwar „ist der Pöbel furchtbar, wenn er nicht fürchtet" [82], und voller Verzweiflung, wenn er nicht hofft, und darum sind für ihn Furcht und Hoffnung nützlich, aber „je mehr wir nach der Leitung der Vernunft zu leben streben, um so mehr streben wir danach, weniger von Hoffnung abzuhängen, uns von der Furcht zu befreien, das Schicksal zu beherrschen, soviel wir können und unsere Handlungen nach dem sicheren Ratschlag der Vernunft zu leiten." [83]

---

[80] Es ist bekannt, wie die Ausarbeitung des „Theologisch-politischen Traktats" die Arbeit an der „Ethik" seit 1655 unterbrach und aus deren Horizont heraus die Kritik entwickelte. Ich verzichte in folgendem auf ständige Stellenangaben, weil sich die Auslegung ohnehin nur aus dem Gesamtzusammenhang ergibt.
[81] Ethik (Anm. 2) 452.
[82] Ebd., 458.   [83] Ebd., 452.

Dieses signifikante Detail aus Spinozas praktischer Gotteslehre, das so konträr zu allen progressiven Heilslehren steht, läßt nach dem Begriff jener Vernunft fragen, welche so mächtig sein soll, daß sie das Schicksal samt Furcht und Hoffnung zu beherrschen vermag. Spinozas *mens* ist zuerst einmal nicht jene *ratio*, ist also nicht jener vernunftunfähige Verstand, der auf der Ebene der Wissenschaft die Gesetze der numerisch unendlichen Kausalketten im endlichen Bereich formuliert: Wissenschaft führt nicht zur Beherrschung des Schicksals. Denn der kausal schließende und bloß rechnende Verstand – wie jener von Hobbes[84] – gibt keinen adäquaten Begriff der Wirklichkeit, er ist nicht wahr, sondern bestenfalls richtig. Aber Spinozas mächtige Vernunft ist auch nicht eine *neben* der Wissenschaft und *über* der theoretischen Vernunft angesiedelte praktische Vernunft, die zu tun verpflichtet, was wir theoretisch nicht zu erkennen vermögen. Jene Zerfällung in Sein und Sollen, die seit Hume so sehr die Auflösung aller tragenden Lebensordnungen anzeigt, ist Spinoza noch völlig fremd. Seine Vernunft liegt vielmehr in der wahren Selbsterkenntnis, d. h. im adäquaten Begreifen der eigenen Vernunft als einer reinen Kraft der Bejahung – die Vernunft bejaht notwendig, was sie als Wahrheit erkennt, ihr Wille und ihr Verstand sind schlechthin dasselbe. Aber „was heißt Wahrheit"? Spinoza beantwortet diese Pilatusfrage radikal: Wahr ist nur, „was durch sich selbst und in sich selbst begriffen wird, so daß sein Begriff nicht den Begriff eines andern Dinges in sich schließt"[85] (die sogenannten Attribute). Was den Begriff eines anderen Dinges in sich enthält (wie die Bewegung die Ausdehnung oder das Gedachte das Denken), folgt notwendig aus diesem Begriff, ist wahr nur, insofern es den Gehalt des nicht mehr ableitbaren Begriffs *ausdrückt*. Die Logik dieser Wahrheitstheorie ist die Logik der Expression[86]: Als wahr kann nur das Selbstverständliche gelten, d. h., was sich in unserem Begreifen der Welt selber ausdrückt, als falsch dagegen alles, was nichts von die-

---

[84] Vgl. *P. Eicher,* Theorie des säkularen Staates. Zum 300. Todestag von Thomas Hobbes, in: B. Gladigow, Staat und Religion (Düsseldorf 1981).
[85] Briefwechsel (Anm. 2) 6 (2. Brief an Oldenburg).
[86] Vgl. *G. Deleuze,* Spinoza et le problème de l'expression (Paris 1968); *L. Brunschvicg,* Spinoza et ses contemporains (Paris ⁵1971) 290–307 spricht in seinen Analysen der mathematischen Revolution Spinozas von der „logique de la compréhension" (300), ohne die Logik der Expression zu nennen, die den Schlüssel von Spinozas Überwindung der „logique de l'extension" bildet.

sem Selbstverständlichen ausdrückt. „Sicut lux seipsam, et tenebras manifestat, sic veritas norma sui, et falsi est – wie das Licht sich selber und die Finsternis anzeigt, so ist die Wahrheit Norm ihrer selbst und des Falschen."[87] Entgegen aller Spinoza-Interpretationen insbesondere der Aufklärungszeit, welche unseren Denker zu einem Rationalisten degradierten, der das ganze Universum aus einer Ursache deduziere, ist festzuhalten, daß Spinoza die durch sich selbst einleuchtende Wahrheit nicht deduziert, sondern intuiert. Etwas durch sich selbst begreifen heißt jene Voraussetzung erkennen, ohne welche nichts sein oder begriffen werden kann, d. h. die Voraussetzung des eigenen Begreifens begreifen, und das bedeutet für den Menschen, Materialität und Denken als das wahrnehmen, ohne was er weder Körper sein noch Körperliches erfassen könnte. Was Denken heißt und was allen Bewegungen meines Körpers zugrunde liegt, kann ich nicht aus dem Denken und aus dem Begriff des Körpers deduzieren, ich muß es schlicht wahr-nehmen. Im Gegensatz zum problematisierenden Denken hat Gabriel Marcel dies die Erhellung des ontologischen Geheimnisses genannt[88]. Ich nenne es mit Deleuze die Logik der Expression, die auf einer Theorie der Intuition beruht; Spinoza nennt sie selber „scientia intuitiva"[89].

Die Theorie der Intuition[90] gewinnt ihren praktischen Charakter erst durch den interessanten Übergang aus dem Begriff von Denken und Ausdehnung zum Begriff des absolut Unendlichen. Denn weder das Denken noch die Ausdehnung können als begrenzt gedacht werden, sie drücken etwas Unendliches aus. Da aber weder Denken noch Ausdehnung durch sich selbst als notwendig existierend gedacht werden können, sind sie nicht causa sui, sie existieren nicht notwendigerweise. Der zureichende Grund ihres Daseins liegt nicht in ihnen selbst. In scharfer Abhebung zu Descartes und der ganzen christlichen Metaphysik begründet Spinoza die Existenz von dem, was wir erkennen (von der körperlichen Welt und unserem Begreifen dieser Welt), nicht durch einen Grund *außerhalb* von Denken und Ausdehnung. Der zu-

---

[87] Ethik (Anm. 2) 230; vgl. Briefwechsel (Anm. 2) 286 (Brief an Albert Burgh).
[88] Vgl. *G. Marcel*, Position et approches concrètes du mystère ontologique (Louvain – Paris 1949).
[89] Ethik (Anm. 2) 226.
[90] Vgl. Spinozas Zusammenfassung der erkenntnistheoretischen Stufen in: Ethik (Anm. 2) 226 f.

reichende Grund von dem, was durch sich selbst einleuchtet, die Unendlichkeit von Denken und Ausdehnung, liegt vielmehr in dem, was sie selber wiederum zum Ausdruck bringen, indem, was durch sich selbst notwendig auf absolut unendlicher Weise existiert, also in dem, der „Gott" genannt werden muß. Der Gewinn dieser ontologischen Denkfigur liegt zumindest in dreierlei: Erstens erkennt jeder Mensch, der sich selbst in seinen Voraussetzungen begreift, notwendigerweise Gott als in unendlicher Weise existierend, d.h. als Substanz; zweitens erkennt der sich selber begreifende Mensch die absolute Unendlichkeit Gottes auf adäquate Weise in zwei Weisen der unendlichen göttlichen Expressivität, im Denken und in der Ausdehnung; und drittens erkennt er, der denkende Körper-Mensch, sich selbst als ein Ausdruck, d.h. ein Modus dieser Ausdrucksweise Gottes[91]. Das Gott-Erkennen drückt also Gottes ewige Mächtigkeit, seine absolut unendliche Tätigkeit des Sich-selber-Darstellens aus: Die wahre Philosophie ist die höchst-mögliche Anteilnahme des Menschen an der unendlichen Expressivität, die Gott ist, ja sie ist selber aktiver Ausdruck der unendlichen Vollkommenheit Gottes. Solches Gott-Erkennen bejaht notwendig die unendliche Bejahung, als welche Gott existiert, oder in den Worten Spinozas: „Mentis erga Deum Amor intellectualis pars est infiniti amoris quo Deus se ipsum amat – Die vernünftige Liebe des Geistes zu Gott ist ein Teil der unendlichen Liebe, durch die sich Gott selbst liebt."[92] Spinoza nennt solche vernünftige Gottesliebe mit dem Ausdruck der Schrift die gloria, die kabod, die Herrlichkeit. Die Gottesphilosophie ist das Herrlichste, was es gibt, weil sie ausdrückt, was Gott selber ist, nämlich unendliche Expressivität.

Spinoza hat das, was er suchte, das wahre Gut, das sich selber mitteilt, im adäquaten Verstehen seiner selbst gefunden. Aber diese wahre Selbsterkenntnis, die sich als ein Ausdruck der unendlichen Ausdruckskraft Gottes bejaht, ist für Spinoza nicht ein mystischer Luxus, ist nicht eine bloße Möglichkeit des Daseinsverständnisses, vielmehr gilt ihm das expressive Gott-Denken als das für den Menschen allein

---

[91] Ethik (Anm. 2) 128: „Res particulares nihil sunt, nisi Dei attributorum affectiones sive modi, quibus Dei attributa certo et determinato modo exprimuntur – die Einzeldinge sind nichts als Affektionen oder Modi, durch welche die Attribute Gottes auf sichere und bestimmte Weise ausgedrückt werden."
[92] Ethik (Anm. 2) 547.

Nützliche und Notwendige. Der Mensch, der wie alles Seiende dem Selbsterhaltungstrieb (conatus suum esse conservare) folgt, überwindet das passive Erleiden der ihn bestimmenden innerweltlichen Kausalitäten nur, indem er Anteil nimmt an der Aktivität des alles bestimmenden göttlichen Ausdrucksgeschehens, er überwindet den Tod und wird frei in dem Maße, als er in der Welt Gottes höchste Macht der Selbstdarstellung ausdrückt, d. h. Gott wahrhaft erkennt und sich darin selber als Ausdruck seiner Liebe liebt:

„Das Nützliche im Leben ist daher, die Vernunft oder den Verstand, soviel wir vermögen zu vervollkommnen und nur darin besteht des Menschen höchstes Glück oder die Glückseligkeit; denn Glückseligkeit ist nichts anderes als die Beruhigung der Seele selbst, die der intuitiven Gotteserkenntnis entspringt."[93] „Wer allein nach dem Gebot des Verstandes lebt, also der freie Mensch, wird nicht von Todesfurcht geleitet, sondern lebt aus dem unmittelbaren Verlangen nach dem Guten, das heißt zu handeln, zu leben, sein Sein zu erhalten auf dem Fundament, daß er seinen eigenen Nutzen sucht; er denkt an nichts weniger als an den Tod, seine Weisheit liegt in der Betrachtung des Lebens (ejus sapientia vitae est meditatio). Was zu beweisen war."[94]

b) Die Revolution der Denkungsart:

Nach dem konzentrierten Hinweis auf das Eigene der Spinozischen Heilslehre muß zur Verdeutlichung gesagt werden, was sie von allen jenen Denkformen *unterscheidet,* welche der jüdischen und christlichen Metaphysik die Auslegung ihrer gemeinsamen Heiligen Schrift als Offenbarung Gottes ermöglichte. Ein Gott, der sich durch menschliche Worte selbst offenbaren können soll, muß in dem, was er offenbart, als prinzipiell unbekannt, als verborgener Gott gedacht werden. Und die jüdisch-christliche Tradition hat gerade dieser Erfahrung der Transzendenz Gottes dadurch Rechnung getragen, daß sie in ihren mannigfaltigen Denkformen immer auch eine theologia negativa blieb. Im jüdischen und christlichen Neuplatonismus galt gerade die Lichtfülle der Gottheit als für die Augen des menschlichen Geistes so blendend, daß ihr unaustrinkbares Licht nur in der Abschattung des dunklen Weltstoffes wahrnehmbar und aussagbar wurde. Nur dadurch, daß

---

[93] Ebd., 488.
[94] Ebd., 479.

sich das Vollkommene im Unvollkommenen selbst absteigend offenbart, wird es überhaupt erst sichtbar. Spinozas Gott-Denken erscheint der Logik solcher offenbarenden *Emanation* gegenüber als eine schlechthin affirmative, als eine nur positive Theologie, welche – wie bei Duns Scotus[95] – den formellen Gehalt der unendlichen Attribute im univoken Sinn von Gott und dem von ihm Ausgedrückten aussagt, also univok von der schöpferischen und der geschaffenen Wirklichkeit Gottes redet. Das Licht des Verstandes besteht ja für Spinoza gerade darin, ein Ausdruck der göttlichen Mächtigkeit zu sein: Es gibt schlechthin nichts Wahres, was Gott dem Menschen verbergen könnte; denn die Ausdrücke „Wahrheit" und „Gott" bezeichnen dasselbe, nämlich die sich in unserem wahren Denken selbst affirmierende Ausdrucksmacht Gottes. Damit erscheint die Welt nicht mehr als ein Absturz aus der göttlichen Höhe, sondern als Ausdruck der göttlichen Macht.

Die Grundlage der christlichen Hierarchie, die absteigende Offenbarungsvermittlung ist damit erledigt, eine theologisch radikal demokratische Gotteslehre verdrängt jeden Ansatz zum sakralen Feudalismus, der das Heil von oben nach unten vermittelt.

Bekanntlich hat die aristotelisch inspirierte *Analogielehre* gegenüber dem Weltabsturz des Neuplatonismus bereits zwischen Gottes Transzendenz und seiner Offenbarkeit in der vom Menschen selbständig begriffenen Welt zu vermitteln gesucht, indem sie die neuplatonische Partizipationslehre mit der aristotelischen Realistik einer eigenständig wirklichen Welt verband: Was die Schrift als Gottes Offenbarung zur Sprache bringt, kann verstanden werden mit Hilfe dessen, was der natürliche Verstand von der Welt offenbart, wenn dies natürlich Offenbare nur in unendlicher Unähnlichkeit, d.h. in absoluter Vollkommenheit von Gott ausgesagt wird (oder – als Grenzfall der Analogie – bei Maimonides nun mehr homonym von Gott gesagt werden kann)[96]. Auch hierin trennt sich Spinoza von jeder Tradition: Eine Analogie zwischen Gott und Welt setzte ja die Eigenständigkeit der Welt gegenüber einem ihr gegenüber wieder eigenständigen Gott voraus, was Gottes absolute Unendlichkeit aufheben würde. Denn „Gott" heißt

---

[95] Vgl *É. Gilson*, Jean Duns Scot (Paris 1952).
[96] Vgl. *Mose ben Maimon*, Führer der Unschuldigen. Hrsg. von A. Weiß. Bd. II (Hamburg 1972) Buch 2, Kap. 18, 117–124; Buch 3, Kap. 20, 118–126.

ja nichts anderes, als was er in unendlicher Vollkommenheit wirkt, und was wir davon erkennen, begreifen wir, weil wir selber ein Ausdruck davon sind. Paradox gesprochen: weil Gott *nur* in seiner Offenbarkeit besteht und in nichts dahinter Stehendem, kann er sich gar nicht offenbaren. Da wir nur jene Unendlichkeit Gottes denken können, die sich an uns selber ausdrückt (Denken und Ausdehnung) und nicht die absolut unendliche Offenbarkeit Gottes, bleibt Gott zwar unendlich erhaben über unser Gott-Denken, aber das, worin er erhaben ist, kann von uns auch auf keine Weise erfaßt und also auch nicht durch Offenbarung mitgeteilt werden: Mehr als was sich unserem Denken von Gott offenbart, kann Gott uns gar nicht offenbaren. Der religionsphilosophische Expressionismus vernichtet jede Möglichkeit von Offenbarung.

Als wichtigste Konsequenz dieser Revolution der theologischen Denkungsart bleibt anzumerken, daß dadurch die zumindest für die christliche Metaphysik entscheidende Teleologie der Schöpfung und der ihr entsprechende Wille Gottes völlig aufgehoben werden. „Wille" und „Zweck" sind Begriffe, die unmöglich von Gott ausgesagt werden können: Ihr Begriff enthält einen Mangel des Wissens, einen Mangel an Wirklichkeit und damit einen Mangel an Macht. Wenn Gott etwas wollen könnte, was noch nicht ist, so wäre er nicht die absolute Unendlichkeit – es gibt deshalb in Gott und damit in dem ihn ausdrückenden Universum schlechthin nichts Mögliches. „Möglichkeit", „Wille", „Zweck" und „Zufall" sind ebenso wie „Wunder", „Sünde" und „Gnade", „gut und bös" Begriffe der menschlichen Vorstellungen, die der imaginatio, d.h. dem Nichtwissen um die notwendigen Ursachen, entspringen, es sind inadäquate Ideen, die nichts von dem ausdrücken, was wirklich ist, d.h. nichts von Gottes Expressivität[97]. Gottes Wesen drückt sich für uns erfaßbar in der Unendlichkeit von Denken und Ausdehnung aus; jede Vorstellung, die keine Unendlichkeit bezeichnet, spricht nicht von Gott. Das verbum divinum besteht für Spinoza in der reinen unendlichen Ausdrucksweise Gottes, also in den absolut unendlichen Worten (attributa), als welche Gott existiert. Gott ist damit gleichsam der absolut unendliche Sprechakt, von dem wir zwei Worte adäquat hören. Die Bibel spricht nicht von diesen Worten, sie drückt schlechthin nichts von Gott aus, sie redet also nicht

---

[97] Vgl. den zweiten Teil der Ethik (Anm. 2) 160–255.

expressiv, sondern bloß imaginativ. Die Kritik aller biblischen Offenbarung ergibt sich aus dem affirmativen Gott-Denken von selbst.

c) Divinationskritik:

Spinoza gebraucht das Wort „Offenbarung" nicht im Sinne der neuzeitlichen christlichen Theologie, sondern im Sinne der antiken „Divination"[98] und der jüdischen „Prophetie"[99]. Die christliche Theologie dagegen gebraucht den Terminus „Offenbarung" heute als einen metatheoretischen oder transzendentalen Ausdruck, der nicht nur den Ursprungsakt der Glaubensgehalte, sondern auch den Glaubensgehalt und die Voraussetzungen zu seiner Bejahung bezeichnet[100]. Aus christlicher Sicht kommt daher der Auseinandersetzung mit der Offenbarungskritik Spinozas, sofern sie sich nur auf die terminologisch eingeengte prophetische Inspirationsfrage beschränkt, nur eine untergeordnete Bedeutung zu: Wirklich in Frage gestellt wird das christliche Offenbarungsdenken dagegen durch die religionsphilosophische Hermeneutik, welche über den Sinn der Schrift und *darin* über den Sinn der prophetischen Inspiration entscheidet.

Der „Theologisch-politische Traktat", neben Richard Simons Werk *das* Grundbuch der historisch-kritischen Forschung für die Neuzeit überhaupt, versteht sich als ein Buch der *Reform:* Es will nicht „nova introducere, sed depravata corrigere"[101]. Diese Reformation des Schriftverständnisses steht wie die politologische Bibelkritik von

---

[98] Vgl. *P. Eicher*, „Offenbarungsreligion". Zum sozio-kulturellen Stellenwert eines theologischen Grundkonzepts, in: ders. (Hrsg.), Gottesvorstellung und Gesellschaftsentwicklung (München 1979) 109–126.
[99] Vgl. TTP (Anm. 2) 19. Der einzige Artikel eines katholischen Theologen, den ich zu Spinozas Offenbarungsbegriff fand, leidet darunter, daß er diese Differenz nicht sieht und so zur bloß positivistischen Entgegensetzung ohne jeden Erklärungswert kommt: *P. Siwek*, La révélation divine d'après Spinoza, in: Revue Universitaire (Ottawa) 19 (1949) 5–46. Zum jüdischen Begriff der Prophetie, der auch Spinoza bestimmt, vgl. *C. Sirat*, Les théories des visions surnaturelles dans la pensée juive du moyen-âge (Leiden 1969).
[100] Zur Entfaltung dieses Ansatzes in den verschiedenen Theologien vgl. *P. Eicher*, Offenbarung – Prinzip christlicher Theologie (München 1977); *ders.*, Im Verborgenen offenbar (Essen 1978); *ders.*, Theologie. Eine Einführung in das Studium (München 1980) 169–210.
[101] Vgl. TTP (Anm. 2) 443.

Hobbes im Interesse der Staatsethik, konkret im Dienste jenes Friedens, der durch die Religionskriege und die dogmatisch geführte Innenpolitik der Niederlande aufs höchste gefährdet ist. Die historisch-kritische Reformation ist „heilsam und notwendig... damit die Menschen im Staate in Frieden und Eintracht leben"[102]. Ihr Interesse gilt nicht der Frage, ob wahr oder falsch sei, was die Schrift von Gott sagt, sondern – was Bultmann zweieinhalb Jahrhunderte später zum Grundsatz *christlicher* Entmythologisierung erklärt[103] – welcher *Sinn* diesem Reden von Gott zukommt: „De solo enim sensu orationum, non autem de earum veritate laboramus – Wir kümmern uns nur um den Sinn der Sätze, nicht aber um deren Wahrheit."[104] Im Hintergrund steht einerseits die Akzeptation des reformatorischen sola scriptura und andererseits die der Schrift durch alle ihre Widersprüche hindurch entnommene Gesamtintention ihrer Aussagen, die sich darin zeigt, „daß die Lehre der Schrift weder sublime Spekulationen noch einen philosophischen Gehalt enthält, sondern nur die allereinfachsten Dinge, die auch noch vom Beschränktesten begriffen werden können...", daß sie also „nichts anderes bezweckt als den Gehorsam und daß sie auch über die göttliche Natur nichts anderes lehrt, als was die Menschen in einer bestimmten Lebensweise nachahmen können"[105].

Die für den Traktat konstante Formel „nichts anderes als" zeigt das produktive Vorurteil dieser historisch-kritischen Auslegung. Vom Standpunkt des adäquaten und sich seiner selbst völlig gewissen Wissens um „die göttliche Natur" zeigt sich das niedrigere Interessenniveau der Schrift: Ihre Rede von Gott steht unter dem Niveau des expressiven Gott-Denkens: was sich *als* Offenbarung ausgibt, kommt nicht an das praktische Wissen des amor intellectualis Dei heran. Die Philosophie der Schrift besteht nur in der für die rüden und ungebildeten Massen nützlichen Erzählweise, sie besteht in einer bloß narrativen Theologie, der Theologie der Imagination.

Gemäß der hebräischen Schrift bewährt Spinoza seine historisch-

---

[102] Ebd., 441.
[103] Vgl. *R. Bultmann*, Welchen Sinn hat es, von Gott zu reden?, in: Theologische Blätter IV (1925) 129–135; vgl. dazu *G. Ebeling*, Zum Verständnis von R. Bultmanns Aufsatz: „Welchen Sinn hat es, von Gott zu reden?", in: ders., Wort und Glaube. Bd. 2: Beiträge zur Fundamentaltheologie und zur Lehre von Gott (Tübingen 1969) 343–371.
[104] TTP (Anm. 2) 236.
[105] Ebd., 414.

kritische Hermeneutik an der Tora, den Ketubim und den Nebiim, dem Gesetz, den Schriften und den Propheten. Der Literalsinn der Tora wird dabei hart abgegrenzt gegenüber jener allgemeingültigen lex divina naturalis, die sich nicht dem Glauben an Geschichten erschließt, sondern aus der in der Ethik vollständig durchgeführten Selbsterkenntnis des Menschen[106]. Mose selbst hat Gottes Gesetz, wie die Schrift zeigt, nicht auf adäquate Weise als ewige Wahrheit begriffen, sondern nur das, was für die zeitliche Wohlfahrt des Staates Israel das Beste schien, als göttliche Vorschrift erlassen[107], während Christus als Mund Gottes für alle Menschen „die Dinge wahr und adäquat begriffen hat"[108]. Es ist klar, daß Spinoza dabei Christus genau an jene Stelle rückt, die bei Maimonides dem Mose als dem einzig unmittelbar zu Gott stehenden Propheten zukam[109]. Die Prophetie oder die Offenbarung im engeren Sinne ist immer an Visionen und Auditionen gebunden und steht deshalb als eine mit der Imagination notwendig verbundene Vorstellungsweise wiederum weit unter dem Niveau jener göttlichen Prophetie, durch die Gott seine Dekrete der natürlichen Vernunft gleichsam diktierte[110]. Auch wenn Mose durch eine geschaffene Stimme Gott hörte, trat er doch nicht aus der für alle Prophetie geltenden Beschränkung heraus, welche darin liegt, daß sie auf Zeichen angewiesen bleibt[111]. Im Grunde genommen liegt der ganze Effekt der Prophetie wie auch der Wundererzählungen nach Spinoza in der Unkenntnis der wahren Ursachen der Ereignisse und in der heilsamen Wirkung einer narrativen Dramaturgie, welche von Gott zwar redet wie ein König, Richter und Liebhaber, aber damit nicht eine wahre Aussage von Gott, sondern nur eine sinnvolle Aussage für eine staatlich günstige Lebensführung erreicht:

„Die rechte Begründung des Lebens oder das wahre Leben selbst sowie die Verehrung und Liebe Gottes war für sie daher mehr eine Knechtschaft als eine wahre Freiheit, als eine Gnade und Gabe Gottes."[112]

Die historisch-kritische Reformation nimmt dem biblischen Text jede Expressivität, sie funktionalisiert ihn auf das, was für das Volk

---

[106] Vgl. ebd., 106.   [107] Vgl. ebd., 146, 162 f.   [108] Ebd., 149.
[109] Vgl. die 7. der 13 ʿIqqārîm im Mischnakommentar des Mose ben Maimon, in: Mose ben Maimon, Führer der Unschuldigen. Bd. I. Einleitung (Hamburg 1972) XLIII ff und Bd. II (Hamburg 1972) Buch 2, Kap. 35 f, 238–247.
[110] TTP (Anm. 2) 29.   [111] Vgl. ebd., 69.   [112] Ebd., 90.

zwar nicht leicht zu tragen, für die Erhaltung einer Gesellschaft von Ungebildeten aber notwendig ist. Damit stellt sich die Frage, was Spinozas Gott-Denken und seine religionskritische Beschränkung biblischen Glaubens für die Konstituierung des neuzeitlichen Bürgertums selber ausdrückt.

3. Die religiöse Artikulation des frühen Bürgertums

Die unmittelbare Zuordnung oder gar Erklärung eines Denkens zur gesellschaftliche Lage seiner Zeit, also die unmittelbare ideologiekritische Analyse, verrät – um mit Spinoza zu sprechen – zumeist nur die Ignoranz der auf ein Denken einwirkenden Ursachen, deren es immer unendlich viele gibt. Deshalb sind vor einer geschichtlichen Zuordnung noch einmal jene Faktoren zu bündeln, welche Spinozas frühbürgerliches Gott-Denken und seine Wirkungsgeschichte bis zum idealistischen Bürgertum auszeichnen. Der gemeinsame Nenner für dieses sich entkonfessionalisierende Bewußtsein zeigt sich in dem, was die Entdramatisierung des gesellschaftlichen Bewußtseins zugunsten eines universalen Herrschaftsbewußtseins genannt werden kann. Die hervorstechendsten Merkmale, die dem biblischen Glauben seine Expressivität bestreiten, bilden Konstanten im Werk und in der Wirkungsgeschichte Spinozas, auch wenn sie in dieser Auslegungsgeschichte zum Teil von neuen und mächtigeren Faktoren überlagert wurden.

a) Entdramatisierung

So richtig die Beobachtung auch sein mag, daß mit dem Zusammenbruch der feudal-hierarchischen Ordnung im englischen Nominalismus, in der deutschen Reformation, im Barock der spanischen Scholastik und des französischen Jansenismus die brennende Frage nach der *Gewißheit* die Suche nach der *Wahrheit* ablöste und damit Ausdruck der tragischen vision du monde (L. Goldmann)[113] darstellt, so allgemein bleibt doch noch diese Bestimmung. Sie legitimiert ja die seelen-

---

[113] Vgl. *L. Goldmann*, Der verborgene Gott. Studie über die tragische Weltanschauung in den „Pensées" Pascals und im Theater Racines (Neuwied – Darmstadt 1973).

ruhige Gottesgewißheit Spinozas nicht anders als das ekstatische „Mémorial" Pascals oder die rationalistische „Apologie" De Lugos. Und wenn diese Gewißheitssuche Ausdruck für den Zusammenbruch der kosmischen Ordnung, die Weitung der geographischen Räume und den Zerfall eines heiligen Reiches sein soll, so ist keine historische Zeit zu finden, welche nicht in irgendeiner Art im Zusammenbruch war. Die Krise gehört zur geschichtlichen Zeit, und so ist präzise zu fragen, welche Gewißheiten zerbrachen und welche neuen Sicherheiten aufgebaut wurden.

Gleichsam von den Rändern der Geschichte her wird im siebzehnten Jahrhundert eine spezifische Entdramatisierung der Zeit sichtbar, wenn auch durchaus im Rückgriff auf antike Traditionen. Eine der größten Merkwürdigkeiten in Spinozas Denken liegt in seiner Zeitlosigkeit, in seiner Betrachtung aller Bewegungen sub specie aeternitatis. Darin wird ein Anfang der Schöpfung – Spinoza spricht nicht von creatio, sondern von der productio (!) – ebenso systematisch vermieden wie ein Ende der Geschichte ins Auge gefaßt. An die Stelle einer zwischen Schöpfung und kommendem Reich Gottes dramatisierten Geschichte, die in der Gegenwart Jesu Christi ihre ständige Vergegenwärtigung hat, tritt das unendliche Funktionieren der Wirkungskräfte im Universum als Ausdruck der göttlichen Aktion. Indem sich der Mensch dem unendlichen Aktionsprinzip ausliefert, wird er der Herr über alle Zeit, er beherrscht den Anfang und das Ende seines Lebens selbst. Schon Lessing hat hierin Spinoza überboten. Er hat Spinozas individuell gefaßte Erziehung zur Beherrschung der eigenen Lebenszeit sub specie aeternitatis auf die Gesamtgeschichte projiziert und damit jene Beherrschung der Universalgeschichte vorbereitet, die in Hegel ihren reflektierten Abschluß fand und dem Marxismus als dem selbsternannten Vollender Spinozas als praktische Aufgabe noch verbleibt. Die Entdramatisierung der jüdisch-christlichen Lebenszeit durch ihre Selbstbeherrschung führt zu jenem Charakteristikum des Bürgertums, welches in der Utopie liegt: Es muß ein Zustand angestrebt werden, der prinzipiell nicht erreichbar ist, ein Zustand der Zeit, der Ausdruck der Ewigkeit wäre. Spinoza hat den Grundimpuls dieser bürgerlichen Progression nicht wie Hobbes durchschaut, für den das Glück nur in der ständig unabschließbaren Machterweiterung lag[114]: Er fand in der

---

[114] Vgl. *P. Eicher*, Theorie des säkularen Staates (Anm. 84).

Gegenwärtigkeit eines schlechthin ungeschichtlichen Gottes seine Ewigkeit, seine Beherrschung der Zeit.

Wie die zeitliche Dramatisierung, so wird im frühbürgerlichen Gott-Denken auch die konkret räumliche und darin körperliche Dramatisierung aufgehoben. Die Zeremonialgesetze des Alten Testaments, die christliche Liturgie und der Kult aller Religionen werden als bestenfalls funktionstüchtiger Aberglaube unter das Niveau der aufgeklärten Gott-Vernunft gestellt. Die Gott-Denker beherrschen alle Räume durch die Allgemeingültigkeit ihrer Vernunftreligion wie Spinoza in Holland, so Cherbury in England, Malebranche in Frankreich: Die aktive Toleranz reißt die kulturellen Dramatisierungen jener in den Kolonien zu beherrschenden Primitiven ebenso nieder wie die der durch die Nationalstaaten einheitlich zu verwaltenden Bürger.

An die Substanz des biblischen Dramas, in dem Gott die menschliche Geschichte verheißend, richtend und erlösend anfordert, gehen aber erst die zwei tiefsten Negationen: die Vernichtung der Sünde und die Absperrung gegenüber jedem Sinn des Wunders. Spinoza standen unter vielem anderen auch die „Institutiones" Calvins vor Augen und damit eine Theologie, die mit der biblischen Anerkennung des Menschen als eines begnadeten Sünders und einer schlechthin wunderbaren Schöpfung steht und fällt[115]. Gerade von dieser Theologie des alt- und neutestamentlichen Evangeliums, mit der er das Grunddogma der schlechthinnigen göttlichen Prädestination teilt, trennt er sich am schärfsten. Was für Calvin in Gottes unerforschlichem Ratschluß dunkel bleibt, die Erwählung, das klärt Spinoza völlig auf, und das heißt, daß Gottes Vorsehung und Erwählung ganz gnadenlos gedacht wird. Wo es keine Gnade gibt, da gibt es auch keine Sünde und keine Wunder, sondern nur die eiserne Notwendigkeit einer immer wieder verschiedenen Artikulation des Lebens. Spinozas Gott ist weder barmherzig noch gerecht, er vergibt nicht und zürnt nicht, er ist, wie er ist, und das heißt auch für den Menschen – hierauf beruft sich noch die Psychoanalyse –, daß er so sein darf, wie er ist, ohne Furcht vor einem richtenden Gott und ohne Freude an seiner Vergebung. Die Vernichtung der Sünde, die noch Nietzsche an Spinoza so ent-

---

[115] Vgl. bes. *L. Strauss,* Die Religionskritik Spinozas als Grundlage seiner Bibelwissenschaft (Berlin 1930) 182–217.

zückte[116], entläßt den Menschen aus dem Drama der Geschichte Gottes mit seinem Volk, sie macht Kreuz und Auferstehung gleichermaßen überflüssig (wobei Spinoza dieses biblische Zeugnis bemerkenswerterweise gegen alle seine Prinzipien allegorisch auslegt)[117]. Spinozas Ethik deklassiert die Religion zur Moral, weil sie Schöpfung, Erlösung und sakramentales Leben nicht mehr als Dramatisierung der Geschichte zuläßt, sondern nur noch in ihrer Funktionalität für noch nicht aufgeklärte Massen. Die Ethik des aufgeklärten Bürgers dagegen besteht in der Reflexion auf seinen eigenen Selbsterhaltungstrieb, auf seine Bedürfnisstruktur und die Bejahung seiner libido dominandi. Spinoza hat noch nicht an die von Hobbes reflektierte Selbsterhaltung durch Eigentum, an die durch universale Bildung herzustellende Selbsttätigkeit Fichtes und an das marxistische Prinzip der Selbstverwirklichung durch Arbeit gedacht, aber im conatus suum esse conservandi ist die Vorform dieser potenzierten Gnadenlosigkeit formuliert und akzeptiert.

Daß Spinozas praktische Theorie der Gottesliebe wie Descartes', Hobbes' und Cherburys natürliche Gottvernunft eine radikale Kritik aller Traditionen ermöglicht und diese „nichts anderes als" das, was unter dem Niveau der erreichten Vernunft steht, erklären kann, zeigt, wie tief der Abgrund zwischen dem Drama der Gnadenordnung und der Selbstverwirklichung im siebzehnten Jahrhundert aufgerissen war. Er ist im bürgerlichem Denken nie wieder überwunden worden.

b) Ideologiekritik

Die Konstituierung der bürgerlichen Religionsphilosophie kann weder in einzelnen Denkfiguren noch im Gesamtduktus als Säkularisierung erfaßt werden: Wie eingangs betont, sind alle einzelnen Elemente dieser Glückseligkeitslehre in der Antike schon vorformuliert (Glückseligkeit ohne Erlösung gibt es bei Epikur ebenso wie die Ewigkeit einer produzierten Welt in der Stoa). Und die Gesamtbewegung dieser nicht konfessionellen Heilslehre wird besser durch die geschichtlichen Kräfte in den Niederlanden erklärt als durch die ominösen Umbesetzungsthesen vom christlichen Universum in eine angeblich profane

---

[116] Vgl. *F. Nietzsche* (Anm. 78) Bd. III, 1171.
[117] vgl. *B. de Spinoza*, Briefwechsel (Anm. 2) 291–293 (79. Brief an Oldenburg).

Welt[118]. Aber die Frage ist, welchem Problem diese Revitalisierung antiker Heilslehren Ausdruck verschafft? Welches Problem sucht sie zu lösen?

Spinozas eigene Angaben bleiben völlig individuell und vom genus literarium der klassischen Heilslehren stilisiert: Der Lebensüberdruß führt zum Beschluß, das wahre Gut der Seelenruhe zu suchen. Aber warum verschafft ihm die traditionelle Religion keine Seelenruhe? Warum findet er das höchste Gut nicht in dem, was auf allen Straßen liegt? Ein biographisches Erklärungsmuster bietet sich leicht an: Als Sohn jener in Spanien zwangsbekehrten Juden, die von ihren christlichen Glaubensbrüdern „marranos" (Schweine) genannt wurden, auf Umwegen in die Niederlande fanden und dort zum Judentum rekonvertierten, als Jude schließlich, der von der Synagoge in den Leerraum zwischen allen Konfessionen gestoßen wurde und im Kreis der undogmatisch, christlich-liberalen Kollegianten Zuflucht fand[119], wurde Spinoza zur Überkonfessionalität gleichsam gezwungen. Aber warum ließ er sich nicht taufen? Dafür kann an den Dreißigjährigen Krieg erinnert werden, in dem das konfessionelle Christentum die Friedenskraft seiner Dogmatik für die aufblühenden Nationalstaaten ein für allemal selbst vernichtete. Spinozas praktische Theorie des inneren Friedens könnte als privatistische Ideologie der außenpolitisch im ständigen Krieg mit Spanien, England und Frankreich liegenden Niederlande des sechzehnten und siebzehnten Jahrhunderts gefaßt werden. Seine Aversion gegen die katholische Hierarchie und den offenbarungstheologischen Feudalismus überhaupt könnte als Spiegelung der revolutionären Befreiungskriege der Niederlande gegen Spaniens Monarchie und als Ausdruck der sich vom Zunftzwang befreienden Manufakturen Hollands erklärt werden. Präziser noch lokalisiert die marxistische Klassenanalyse dieses fortgeschrittensten „kapitalistischen Musterlandes des siebzehnten Jahrhunderts"[120] Spinoza als den ideologischen Denker jener mächtigen Oligarchie der Handelsbour-

---

[118] Zur Kritik vgl. *W. Jaeschke*, Die Suche nach den eschatologischen Wurzeln der Geschichtsphilosophie. Eine historische Kritik der Säkularisierungsthese (München 1976).
[119] Vgl. bes. *C. Gebhardt*, Die Religion Spinozas, in: Archiv für Geschichte der Philosophie 51 (1932) 339–362.
[120] *A. Talheimer*, Klassenverhältnisse und Klassenkämpfe in den Niederlanden zur Zeit Spinozas, in: A. Talheimer – A. Deborin (Anm. 73) 11–39.18.

geoisie, die aufgrund der größten Handelsflotte und Werftindustrie, der blühenden Manufaktur und des führenden Kapitals in Europa als elitäre Kaste um die Gebrüder de Witt die Regierungsgeschäfte beherrschten. Diese Handelsbourgeoisie hatte sich zur Lebenszeit Spinozas gegen die calvinistischen Prädikanten, die Stützen der Oraniermonarchie, durchzusetzen: Sie braucht die ideologische Förderung ihrer Entwicklung der Mathematik, Technik und Naturwissenschaften, sie braucht die Toleranz für ihre billigen Fremdarbeiter, welche zumeist nicht calvinistisch getauft sind. Sie braucht zugleich eine staatliche Beschränkung der calvinistischen Kirchen und eine für die Aufrechterhaltung von Ruhe und Ordnung funktionstüchtige Volksfrömmigkeit. Sie braucht schließlich für die revolutionäre Expansion in die ost- und westindischen Kolonien eine allgemeingültige Theorie, welche alle partikularen Kulte, Traditionen und Lebensformen überwindet. Und schließlich braucht sie ganz schlicht eine von den herrschenden Religionen unabhängige Legitimation der Macht, um selber an der Macht zu bleiben. Es ist evident, daß Spinozas universale Heilslehre all dieses vorzüglich zu bieten hatte: Die ökonomische Expansion in die unermeßlichen neuen Handelsräume, das neue Machtgefühl der Ausdehnung und die Notwendigkeit eines streng instrumentellen Denkens, die Unendlichkeit dieser extensio und cogitatio spiegeln sich noch in dem, was Spinoza für den Ausdruck der absoluten Unendlichkeit göttlicher Macht hielt.

Die Schwäche – oder ist es die Stärke? – der marxistischen Ideologiekritik liegt nun darin, daß sie Spinozas „deus sive natura" auf einen platten Materialismus festlegt und damit – ungewollt – eine materialistische Weltanschauung als adäquaten Ausdruck jener Verheerungen des Bürgertums[121] lehrt, welche im kapitalistischen Konkurrenzkampf bis zu zwei Weltkriegen und dem gegenwärtigen Irrsinn der Aufrüstungen ihre revolutionäre Kraft beweist. Die Wirkungsgeschichte Spinozas läßt sich auch als lehrreiche Aufsteigerung dieser bürgerlichen Ideologie lesen, wobei allerdings Stück für Stück die heitere Seelenruhe, die über Spinozas Denken zugleich mit der darin noch gewahrten Transzendenz der Unendlichkeit Gottes, verlorenging.

---

[121] Vgl. *D. Schellong*, Bürgertum und christliche Religion (München 1975) 7–16.

Zusammengenommen hat die Wirkungsgeschichte von Spinozas praktischer Gottesphilosophie und Offenbarungskritik alle jene Kategorien bereitgestellt, die heute für die theologische Auslegung von „Expression und Offenbarung" nötig sind. Andere Fragen als die historisch gestellten beantworten zu wollen heißt: unter das Niveau der Geschichte zu fallen. Ohne den in dieser Geschichte geführten Streit um Freiheit und Notwendigkeit, Willen Gottes und universale Naturkausalität, um die Substantialität der Welt und die Personalität Gottes, um das, was „Natur", was „Selbst" und was „Materie" heißt, kann die abgründige Gottesfinsternis dieser Zeit nicht begriffen und damit der Sinn des Redens von Offenbarung für heute auch nicht erschlossen werden. In nuce ist dieser Kampf um die Bestimmung des Menschen und um die geschichtsmächtige Freiheit Gottes in Spinozas Religionsphilosophie klar und deutlich ausgesprochen: sein expressives Gott-Denken hat alles Leben aus biblischer Offenbarung zutiefst in Frage gestellt oder zumindest funktionalisiert. Die jüdische und christliche Theologie muß begreifen, *worin* diese Frage und Herausforderung besteht, wenn sie darum ringt, Gott selbst als sich offenbarendem die Ehre zu geben.

4. Der ohnmächtige Gott der Gnade vor dem allmächtigen Gott der Neuzeit

Wie christliche Theologen – allen voran Friedrich Schleiermacher und David Friedrich Strauß – Spinoza zu einem „christianissimum" bekehren zu müssen glaubten, so gibt es nicht wenige jüdische Stimmen seit Mendelssohn[122], die Spinoza vom Banne lösen und als einen der Ihren beanspruchen. Aber soviel Christliches und soviel Jüdisches sein Denken auch einschließen mag, es schließt die biblische Offenbarungsmächtigkeit Gottes aus. Die biblische Offenbarungsmächtigkeit Gottes aber liegt in der Ohnmacht seiner Selbstpreisgabe. Das ist der Sinn des alttestamentlichen Anthropomorphismus, der das Bilderverbot ja nicht aufhebt, sondern voraussetzt, und das ist der Sinn der Bot-

---

[122] Vgl. bes. *J. Klausner* (Anm. 5); *E. Cassirer, L. Baeck – D. Baumgardt*, Spinoza. Zur dreihundertsten Wiederkehr seines Geburtstages, in: Der Morgen Nr. 5, Dez. (Berlin 1932).

schaft vom gekreuzigten Herrn der Geschichte. Das Evangelium der Christen ist das Evangelium des Alten und des Neuen Testaments: Es verkündet Gottes gerechtes, barmherziges und treues Handeln in der Geschichte Israels und dadurch für alle Geschichte[123]. Der von Juden und Christen anerkannte κύριος ist der *eine* Gott der ganzen Schrift, so daß nicht allein durch das neue Evangelium, aber *auch* durch das neue Evangelium das alte Evangelium vom Gott Israels als dem Herrn über alle Geschichte verkündet wurde. Erst wenn Spinozas Offenbarungskritik nicht nur als Beschränkung der Prophetie auf eine für *Israel* nützliche Moralveranstaltung gesehen wird, sondern als Kritik *aller* Offenbarung aus dem Standpunkt der bürgerlichen Heilslehre, kann deutlich werden, worum es in der Neuzeit Judentum und Christentum gemeinsam geht. Spinozas expressives Gott-Denken vernichtet durch seinen nur allmächtigen Gott den in der Geschichte mit seinem Volk schwachen Gott, es gibt den ebed Jahwe, seinen namenlosen entblößten Knecht, ebenso preis wie den bis zum Kreuz erniedrigten Messias mit dem Namen Jesus. Die Schrift bezeugt Gottes Wort als ein Geschichte Gewordenes und Gottes Handeln als ein gnädiges Sich-Einlassen in die Realgeschichte jener Menschen, die von der Geschichte erdrückt werden.

Auch wer die materialistische Ideologiekritik für flach hält und Spinoza als wahren Aufklärer der intellektuellen Gottesliebe feiert, muß sehen, daß der darin allmächtig sich ausdrückende Gott ganz gnadenlos sich um die Opfer der Realgeschichte der europäischen „Aufklärung" nicht kümmern kann. Er überläßt die Sorge um jenes Volk, das von der Gott selber denkenden Elite unter ihrem Niveau stehen gelassen wird, dem philosophisch deklassierten Offenbarungsglauben. Vielleicht hat Spinoza richtig gesehen, daß die Expressivität der Bibel nicht in ihrem Gott-Denken, sondern in der Liebe zum Nächsten liegt. Er hat – und das ist die historische Schuld der Christen gegen die Juden, gegen die Mitchristen und die Andersglaubenden – nicht zu sehen vermocht, daß sich Gott selbst als unser Allernächster in geschichtlicher Konkretion offenbart (vgl. Mt 25,31–46). Vielleicht ist dies zu sehen auch nur möglich, wenn erfahren wird, was dem Selbsterhaltungstrieb des Bürgers am tiefsten widerstrebt, ich meine die Vergebung unserer Schuld, die Rechtfertigung der Gott-losen.

---

[123] Vgl. *P. Eicher*, Theologie (Anm. 100) 62–72. 137–141.

Viele der denkerischen Voraussetzungen Spinozas sind längst zusammengebrochen. Aber sein Gott-Denken, das von einer ambivalenten Haßliebe zur Bibel gekennzeichnet bleibt, zeigt schärfer als jede Theologie, was die Mindestvoraussetzungen des Offenbarungsglaubens und seiner theologischen Reflexion sind. Dazu gehört alles, was Juden und Christen gemeinsam ist. Dies Gemeinsame leistet der gnadenlosen Selbstrechtfertigung des Bürgertums den entschiedensten Widerstand, nicht durch Anklage, sondern durch die Ergebung in jene Barmherzigkeit, Gerechtigkeit und Treue Gottes, welche die unbarmherzige, ungerechte und treulose Geschichte erlöst.

VII

Ob Schrift? Ob Geist?

Die Offenbarungsfrage im deutschen Judentum des neunzehnten Jahrhunderts

Von Michael A. Meyer, Cincinnati / USA

Im Frühling des Jahres 1844 in der Stadt Köthen in Anhalt hielt Gustav Adolph Wislicenus, Pfarrer der Neumarktskirche in Halle, vor einem Kreise „Protestantischer Freunde" einen Vortrag, den er mit dem Titel bezeichnete: „Ob Schrift? Ob Geist?" Später erschien der Vortrag als eine Flugschrift[1] und erregte außerordentliche Aufmerksamkeit. Ein protestantischer Geistlicher hatte hier in bündiger und radikaler Weise die Disjunktion ausgesprochen, welche, etwas milder ausgedrückt, in den Schriften führender Theologen und, in gelehrter Weise, in den neuesten Arbeiten der historischen Kritik ihren Ausdruck gefunden hatte. In diesem Vortrag erließ Wislicenus eine wahrhaftige Freiheitsverkündigung gegen die Autorität der Bibel, gegen ihren Geist sowie gegen ihren Buchstaben. Denn seiner Meinung nach war der Buchstabe der Schrift nur der Abdruck ihres Geistes, und dieser Geist widersprach dem heutigen in der Menschheit lebenden Weltgeiste. Deshalb konnte die Bibel nicht mehr Glaubensnorm sein. Die Schrift mußte dem Geist weichen – jenem „heiligen Geiste", der sich einst in der Bibel offenbarte, aber seitdem weiter fortgeschritten war. „So hat der Geist auch die Bibel geschaffen", meinte Wislicenus, „aber nicht um auf ihrem Wort stehenzubleiben, sondern um durch dasselbe sich weiter zu treiben. Er hat nicht in diesen Schriften geredet, um sich seiner innern schöpferischen Freiheit zu begeben und ein Knecht zu werden einer zeitlichen Form seiner selbst." Die Schrift vermittelt also keine fortdauernde verbindliche Offenbarung. In Beziehung auf die Gegenwart sind ihr Wort und ihr Geist nur die primitive Manifestierung einer geistigen Kraft, die sich fortwährend im Laufe der Geschichte offenbart.

---

[1] *G. A. Wislicenus*, Ob Schrift? Ob Geist? Verantwortung gegen meine Ankläger (Leipzig ²1845).

Wislicenus und sein Kreis standen am äußersten Extrem der protestantischen Theologie in der Mitte des neunzehnten Jahrhunderts. Typischer für das populäre Denken dieser Zeit waren die Ansichten von Karl Gottlieb Bretschneider, dessen „Handbuch der Dogmatik der evangelisch-lutherischen Kirche" im Jahre 1838 in einer vierten Ausgabe erschien. Was Wislicenus für die schriftliche Offenbarung überhaupt als wahr betrachtete, bezog Bretschneider nur auf das alte Testament. Er erklärte die vorchristlichen Religionseinrichtungen für „unvollkommen und nur für eine gewisse Zeit gegeben". Die Offenbarung des Neuen Testaments war für ihn die Norm zur christlichen Beurteilung des alten. Schleiermacher hatte es noch stärker ausgedrückt, indem er das Alte Testament kurz und gut als eine „für die christliche Dogmatik überflüssige Autorität" bezeichnete, und die einzige biblische Offenbarung in der Person Christi zu finden glaubte [2]. Bretschneider hielt die christliche Offenbarung für einzig und unübertreffbar. Ausgehend vom Standpunkt des „rationalen Supernaturalismus", behauptete er im Gegensatz zur Orthodoxie, daß die Heilige Schrift nicht in ihrer Ganzheit als Offenbarung gelte, doch, meinte er, die Offenbarung wäre in ihr aufzufinden. Die Schrift bezeugt „eine unmittelbare und übernatürliche Wirkung Gottes", welche von außerhalb des menschlichen Geistes diesen Geist erleuchtet. Die schriftliche Offenbarung dient als Norm zur Beurteilung der Wahrhaftigkeit späterer Offenbarungsansprüche. Wie viele religiöse Denker des neunzehnten Jahrhunderts – Juden sowohl wie Christen –, so übernahm auch Bretschneider den berühmten Begriff Lessings, daß die Geschichte eine Erziehung des Menschengeschlechts sei, doch glaubte er, daß diese Erziehung die Wirkung der Offenbarung in der Geschichte sei. Die Vernunft entwickle sich in Abhängigkeit von der Offenbarung. So kann es auch niemals die Aufgabe der Vernunft sein, die schriftliche Offenbarung zu ersetzen, sondern nur sie zu reinigen, zu veredeln und fruchtbar zu machen.

In ähnlicher Weise wie im deutschen Christentum erschien der Streit über Schrift und Geist auch innerhalb des deutschen Judentums. In mancher Beziehung war dieser eine Spiegelung des ersten. Auch die

---

[2] Vgl. Fußnote in *Bretschneider* I, 179.

deutschen Juden waren vom modernen Zeitgeist beeinflußt. Ihre jungen Männer bezogen in zunehmendem Maße die Universitäten, lasen die Werke Kants, Hegels und ihrer Jünger. Sie beobachteten christliche Versuche, den Herausforderungen des Aufklärungsrationalismus, der idealistischen Philosophie und der historischen Kritik entgegenzukommen. Doch während die christliche Tradition die Ansprüche des säkularisierten Denkens von Standpunkt einer politisch und kulturell befestigten Weltanschauung erwägen konnte, war das Judentum genötigt, dieselben Konfrontierungen zu einer Zeit zu bestehen, in der die Juden noch nicht die volle Gleichberechtigung und gesellschaftliche Aufnahme erreicht hatten und in der das Vorurteil gegen das Judentum in religiösen wie auch in säkulären Kreisen weiterhin bestand. Während an der intellektuellen Grundlage des Christentums gerüttelt wurde, erlebte das Judentum eine tiefere Krise des Selbstzweifels, eine Krise, die nicht allein in religiösen Fragen ihren Ausdruck fand, sondern sich auf die existentielle Frage erstreckte, wie und ob das jüdische Selbstbewußtsein zu erhalten sei. Es handelte sich nämlich um eine Gemeinde, die sich zunehmend in ein Milieu hineinlebte, das sich von dem Milieu des Gettos radikal unterschied und dessen Kulturträger zugleich wenig Verständnis für die jüdische Religion an den Tag legten. Die jüdische Erwägung der Offenbarungsfrage im Deutschland des neunzehnten Jahrhunderts muß daher innerhalb der gesellschaftlichen und politischen, nicht minder als in der religiösen und intellektuellen Gesamtsituation der Juden untersucht werden.

Die folgende Analyse bezieht sich wenig auf die rein theoretische Seite des Offenbarungsverständnisses. Sie beschäftigt sich nicht mit einer Auslegung verschiedener Offenbarungsbegriffe als Bestandteile dieser oder jener umfassenden Theologie. Auch wird der Einfluß bestimmter philosophischer Systeme auf jüdisches Denken nicht in Erwägung gezogen. Statt dessen soll hier ein Vergleich gezogen werden zwischen den Offenbarungsbegriffen von drei populären Vertretern der jüdischen Theologie, die ihre Grundideen während des zweiten Drittels des neunzehnten Jahrhunderts zuerst formulierten. Sie sind Samson Raphael Hirsch (1808–1888), Samuel Hirsch (1815–1889), und Abraham Geiger (1810–1874). Jeder war ein einflußreicher Rabbiner, der sich am praktischen Leben seiner Gemeinde aktiv beteiligte und über sie hinaus bekannt war. Jeder suchte das moderne Judentum nach seinem eigenen Schema zu gestalten. Samson Raphael Hirsch war der

Gründer der Neu-Orthodoxie, eine Bewegung, die eine streng orthodoxe Gestaltung des Judentums mit einer beinahe rückhaltlosen Beteiligung an deutscher Kultur zu verbinden suchte. Samuel Hirsch (kein Verwandter des ersten Hirsch) war ein Vertreter des radikalen Flügels der jüdischen Reformbewegung. Er amtierte als Rabbiner zuerst in Dessau und Luxemburg und übersiedelte 1866 nach Amerika, wo er und sein Sohn Emil G. Hirsch führende Rollen im dortigen Judentum spielten. Abraham Geiger, Rabbiner in Wiesbaden, Breslau, Frankfurt am Main und, am Ende seines Lebens, in Berlin, war der hervorragendste Vertreter des deutschen Reformjudentums. Seine tiefschürfende Gelehrsamkeit und erheblichen praktischen Fähigkeiten erregten Beachtung, während seine anfangs radikalen, aber späterhin zunehmend mäßigen Ansichten weitläufige Aufnahme fanden. Wir werden sehen, daß jeder von diesen Männern einen Offenbarungsbegriff aufstellt, der den Konflikt zwischen Schrift und Geist ausdrückt und gleichzeitig versucht, auch auf die spezifische Situation der modernen Judenheit Rücksicht zu nehmen.

Ein Denker des achtzehnten Jahrhunderts, Moses Mendelssohn (1729–1786), muß der Ausgangspunkt sein für jede Diskussion der jüdischen Offenbarungsbegriffe in den folgenden Generationen[3]. Beeinflußt vom Universalismus und Rationalismus der Aufklärung, suchte Mendelssohn ähnliche Grundzüge im Judentum zu betonen. Er behauptete, das Judentum stehe völlig in Übereinstimmung mit der natürlichen Religion, es enthalte keine Dogmen, auch wäre es keine geoffenbarte Religion, welche Wahrheiten liefert, die für das Seelenheil nötig sind und die ohne sie nicht erreichbar sind. Die Religion, so Mendelssohn, bestätigt nur diejenigen Pflichten, welche die Vernunft selbst verlangt. Die ewigen Wahrheiten, sagt er, „durften nicht durch unmittelbare Offenbarung eingegeben, durch Wort und Schrift, die nur itzt, nur hier verständlich sind, bekannt gemacht werden. Das allerhöchste Wesen hat sie allen vernünftigen Geschöpfen durch Sache und Begriff geoffenbart, mit einer Schrift in die Seele geschrieben, die zu allen Zeiten und an allen Orten leserlich und verständlich ist."[4] Daher gebe

---

[3] Zu Mendelssohn vgl. besonders *A. Altmann*, Moses Mendelsohn. A Biographical Study (Alabama 1973); auch *M. A. Meyer*, The Origins of the Modern Jew. Jewish Identity and European Culture in Germany, 1749–1824 (Detroit 1967) 11–56.
[4] Jerusalem oder Über religiöse Macht und Judentum (Berlin 1783) II, 112.

es eigentlich keine religiöse Schranke zwischen Juden und Christen – oder wenigstens keine, die von jüdischer Seite aufgestellt sei. Beide Religionsgemeinden konnten Bekenner der Naturreligion sein, unabhängig von den Erfahrungen ihrer eigenen Geschichte. Diese gemeinschaftliche Religion der Vernunft genüge völlig zur menschlichen Glückseligkeit, und das entstehende, tiefe religiöse Bündnis würde die Integrierung der Juden in das deutsche Kulturleben und die deutsche Gesellschaft ermöglichen, trotz allem äußerlichen Unterschied. Natürlich müßte das Christentum seine geoffenbarten Glaubenssätze überschreiten, wie es ein Teil der sogenannten Neologen auch schon unternommen hatte.

Doch wollte Mendelssohn den Begriff einer übernatürlichen Offenbarung nicht ganz und gar preisgeben. Obgleich Gott am Sinai Israel keine Dogmen vorschrieb, erließ er dennoch dem Volk eine „geoffenbarte Gesetzgebung". Die Tora ist für Mendelssohn ein „göttliches Buch", welches im wesentlichen ein Gesetzbuch ist, das aus Verordnungen, Lebensregeln und Vorschriften besteht. Das Buch enthält auch Vernunftwahrheiten und Religionslehren, aber diese können ebensogut außerhalb der Tora gelernt werden. Gott begünstigte die Juden, indem er ihnen die Gesetze gab als Mittel zur Erhaltung der Religionswahrheiten. Diese Gesetze sind in ihrer Gesamtheit verbindlich für jedes jüdische Geschlecht, ob sie gänzlich der Vernunft verständlich seien oder nicht. Als übernatürliche Offenbarung können sie nur von Gott selbst widerrufen werden. In dieser Weise beschränkte Mendelssohn den Offenbarungsbegriff des Judentums auf sein Gesetz, als das einzige religiöse Kennzeichen Israels. Juden müssen das Gesetz beobachten, doch für das Heil der Menschheit ist es entbehrlich. Die Offenbarung richtet sich an den Willen, nicht an den Verstand. Seine Vernunft ermöglicht es dem Juden als Mensch, an den großen Aufgaben der modernen Gesellschaft mitzuwirken, während seine Hingabe an das einst seinem Volk geoffenbarte Gesetz Gottes ihn als den Vertreter einer bestimmten religiösen Gemeinschaft weiterhin absondert.

In dem halben Jahrhundert zwischen dem Tod Mendelssohns und den ersten Schriften Samson Raphael Hirschs erzeugte der begrenzte Offenbarungsbegriff des jüdischen Aufklärungsphilosophen unbeabsichtigte Verzweigungen. Unter Mendelssohns Jüngern befanden sich solche, wie David Friedländer (1750–1834), die die Göttlichkeit des Gesetzes in Abrede stellten und es nur als menschliches und historisches Erzeugnis betrachteten. Es blieb ihnen nur die Anhänglichkeit an die Vernunftreligion, und sie sahen sehr bald ein, daß hierfür die jüdische Tradition so überflüssig wie auch emanzipationswidrig sei. Jene, die noch glaubten, daß das Gesetz ein geoffenbartes sei, fanden wenig Ermunterung zur Gesetzeserfüllung in den Schriften Mendelssohns. Das Gesetz schien nur eine Belastung zu sein, welche Gott ihnen auferlegt hatte und die sie als Juden geduldig tragen mußten. In den dreißiger Jahren wurde das Gesetz öfter nur rein mechanisch beobachtet, und manche Juden hielten es für unvereinbar mit dem religiösen Gefühl und dem freien Ausdruck des Menschengeistes. Reformatoren, aus dem Laienstand hervorgehend, versuchten, durch geschmackvolle Verbesserungen im Gottesdienst eine Kräftigung der jüdischen Religion hervorzurufen, ließen jedoch den Verfall in der Ausübung des jüdischen Gesetzes im Privatleben des einzelnen außer acht.

Niemanden störte diese Situation mehr als den jungen Samson Raphael Hirsch[5]. Obgleich ein Gegner der religiösen Reform, erkannte er doch, daß die jüdische Orthodoxie den neuen Zustand nicht bewältigte. Ihre führenden Persönlichkeiten verurteilten jede Neuerung, zeigten sich aber unfähig, den überkommenen Glauben und die traditionelle Praxis in dem den Juden zunehmend vertrauten europäischen Kulturmilieu zu propagieren.

Hirschs Erfolg als Wiedererwecker der Orthodoxie ist in großem Maße seiner Erkenntnis der Unzulänglichkeit von Mendelssohns Grundsätzen zuzuschreiben. In seinem Denken empfängt die Tora eine Ausdehnung und Bedeutsamkeit, welche ihr Mendelssohn vorenthalten hatte. Der Offenbarungsinhalt der Tora ist nicht allein Gesetz, sondern auch eine Lehre über das Menschenleben. Die Lehre umfaßt das Gesetz, aber sie erschöpft sich nicht darin. Sie entfaltet das Paradigma eines vollen religiösen Lebens, ein Ideal, das erst eschatologisch völlig erreichbar ist. Jedoch dient sie in ihren spezifischen Bestandteilen der Erziehung des jüdischen Volkes in seiner universalen

---

[5] Die wichtigsten Studien zu Hirsch sind: *N. H. Rosenbloom,* Tradition in an Age of Reform. The Religious Philosophy of Samson Raphael Hirsch (Philadelphia 1976) und *P. E. Rosenblüth,* Samson Raphael Hirsch. Sein Denken und Wirken, in: H. Liebeschütz – A. Paucker (Hrsg.), Das Judentum in der Deutschen Umwelt 1800–1850 (Tübingen 1977) 293–324. Im unmittelbaren Zusammenhang zu unserem Thema steht: *P. P. Grünewald,* Eine jüdische Offenbarungslehre. Samson Raphael Hirsch (Bern 1977).

Sendung, bis zu der Zeit, wo sie endlich das allgemeine Muster für die ganze Menschheit sein wird. Gleich Mendelssohn behauptete auch Hirsch, daß das Judentum keine Glaubensgebote enthält, doch meinte er, daß am Sinai auch Wahrheiten über Menschheit, Natur und Geschichte geoffenbart wurden, die dem Gesetz unterliegen und die sonst in ihrem vollen Umfang nicht in das menschliche Wissen gekommen wären. Die Offenbarung erzeugt die Grundlage zum geistigen Leben. Diese könnte ohne jene nicht bestehen.

Hirsch betrachtete Mendelssohn als Fortsetzer einer ehrwürdigen, doch irreführenden Tradition. Gleich Maimonides vor ihm, nahm Mendelssohn einen Standpunkt ein, der nicht völlig im Judentum wurzelte und der nicht versuchte, das Judentum geistig auf seiner eigenen Grundlage aufzubauen. Im Gegensatz zu denjenigen mittelalterlichen Gelehrten, die Hirsch in dieser Beziehung hochschätzt, nämlich Judah Halevi und Nachmanides, beschäftigte sich Mendelssohn mehr mit einem Ausgleich zwischen dem Judentum und dem Gedankengut seiner Zeit, und weniger mit einer Auslegung des Judentums aus seinen eigenen Grundlagen heraus. Daher beschränkte er das Spezifische des Judentums übermäßig und unterließ es, seine besondere Bedeutung durch universal-menschliche Begriffe zu rechtfertigen.

Hirsch stimmte mit Mendelssohn völlig darin überein, daß die Autorität der Offenbarung auf ihrer Übernatürlichkeit beruht, auf jenen dramatischen Ereignissen am Sinaiberg, die von dem ganzen israelitischen Volk vernommen wurden, und daß die Offenbarung in ihrer Gesamtheit verbindlich bleibt, bis Gott sie einst aufheben wird, auch wenn sie dem Menschengeist nicht völlig verständlich ist. Gleich der Natur ist auch die Offenbarung ein Gegebenes. Dennoch unternahm Hirsch die Ausarbeitung von dem, was wir heute vielleicht als eine „Hermeneutik der Offenbarungsliteratur" bezeichnen würden. Ausgehend von einer rein menschlichen Perspektive, versuchte er, seinen Lesern zu zeigen, daß Schrift und Geist, richtig aufgefaßt, in gar keinem Konflikt stehen. Denn Geist – das Beste des modernen Geistes – ist schon in der Schrift enthalten, und diese wiederum hat ihren Ursprung im Geiste Gottes. Die Aufgabe, die Hirsch sich und seiner Generation setzte, war, einfach „mit Geist erfassen zu wollen, was man achten soll", und den Fehler jener nachzuweisen, die glaubten, daß das Judentum eine „geistlose Erscheinung" sei. Das Resultat wäre nicht nur ein „Polieren des äußeren Rahmens", sondern die Wiedergewinnung des altjüdischen Geistes und daher auch die Versicherung der Lebensmöglichkeit des traditionellen Judentums im neuen Zeitalter[6].

Der Geist des Judentums, meint Hirsch, ist nicht mit dem Zeitgeist gleichzustellen. Die Offenbarung am Sinai ist vollendet; sie braucht weder Zusatz noch dialektischen Fortschritt. Sie geht nicht in die Geschichte ein, sondern steht über ihr, die Unvollkommenheiten der Menschheit beurteilend. Daher kann eine Reform nur eine Reform der Juden sein, nicht aber der jüdischen Lehre. Die Aufgabe des Judentums ist die Herbeiführung einer „Verwirklichung jenes ewigen Ideals in den und mit den von der Zeit gestellten Verhältnissen; Erziehung, Erhebung der Zeit zur Torah! – nicht aber Nivellierung der Torah nach der Zeit, Abtragung des Gipfels zu der Flachheit unseres Lebens"[7]. Nie war die Offenbarung von einem menschlichen Umstand abhängig, sonst könnte ein primitives und religiös rückständiges Volk sie nicht erhalten haben. Wenn die Tora sagt, daß Gott sprach, sind es Gottes Worte, die geoffenbart werden, und keine unbestimmte Erleuchtung, der erst Mose Gehalt gab. Wäre dieses der Fall, dann wäre die Offenbarung sogleich relativiert und historisiert. Hirsch erkennt diese Gefahr deutlich. Er schreibt: „Wäre das uns durch Moses und Israel als von Gott überkommenes ‚Gotteswort' auch nur irgendwie durch Moses und Israels *Auffassung* vermittelt uns überkommen, wir müßten der Möglichkeit Raum geben, es sei dieses Wort, wie es uns überkommen, von dem Fassungsvermögen, den Einsichten, Ansichten, von der ganzen Bildungsstufe des Volkes und des Mannes bedingt, durch welche es uns geworden."[8] So reduziert Hirsch die Rolle Moses in der Offenbarung zu absoluter Passivität. Mose war nicht, wie ihn andere schilderten, ein großer Gesetzgeber; er war nur ein Gefäß. Die Offenbarung geht nicht „aus Israel und aus Moses" hervor, sondern „zu Moses und an Israel sprach Er sein Wort". Sie ist übermenschlich, sui generis, und kann nicht in eine Entwicklungsreihe religiöser Lehren gestellt werden. Die jüdische Religion, wie alle Religionen, hat eine Geschichte, aber die Tora, als Offenbarung, hat keine. Die historische Kritik kann nicht legitim auf die Tora angewendet werden, denn sie setzt voraus, daß

---

[6] Vgl. besonders: Neunzehn Briefe über Judentum (Altona 1836) 91–100; Horeb. Versuche über Jissroels Pflichten in der Zerstreuung (Altona 1837) S. X, 27–28; Gesammelte Schriften, 6 Bde. (Frankfurt am Main 1902–1912) I, 90.

[7] Neunzehn Briefe (Anm. 6) 84.

[8] Gesammelte Schriften (Anm. 6) III, 165.

die Tora ein menschliches Erzeugnis sei, das bestimmte kulturelle und religiöse Umstände widerspiegelt. Auch können Reformer nicht einwenden, daß die Tora einem anderen Zeitalter angehört, denn sie gehört zu jedem und zu keinem Zeitalter. Sie ist, betont Hirsch, ewig.

Die göttliche Offenbarung erstreckt sich nach Hirschs Auffassung nicht nur auf den ganzen Pentateuch, sondern über ihn hinaus zur mündlichen Lehre, die später schriftlich im Talmud ihren Niederschlag fand. Es war diese letztere, die am meisten von historischen Kritikern und Reformern angefochten wurde. Sie stellten ihren sinaitischen Ursprung in Frage und verwarfen ihre anscheinend unangemessenen Bestimmungen. Hirsch verteidigt das mündliche Gesetz, indem er behauptet, daß ein Angriff auf seine Autorität eo ipso ein Angriff auf die Schrift sei, da nur die Zuverlässigkeit derselben rabbinischen Traditionskette, welche die mündliche Lehre tradierte, uns für die Göttlichkeit der schriftlichen Lehre bürgt. Außerdem setze beinahe jedes Wort der Schrift eine mündliche Ausführung voraus, ohne die es unvollkommen bleibt. In seinem Kommentar zum Pentateuch äußerte Hirsch sogar die Ansicht, daß die Schrift nur „kurze Erinnerungsnotizen" enthalte, welche die vollständige mündliche Lehre voraussetzen. Der Pentateuch ist „nur die Stütze des Gedächtnisses und das Korrektiv des Zweifels"[9]. Ähnlich wie Notizen, die von Hörern bei einem Vortrag aufgeschrieben werden, sollte der Pentateuch das Gedächtnis auffrischen und an die Lehre in ihrem völligen Umfang erinnern. Andere Religionen hätten vom Judentum das schriftlich Geoffenbarte übernommen, aber, so meint Hirsch, „die geistig sittliche *jüdische* Höhe haben sie doch nicht erreicht, weil ihnen eben der Schlüssel und die Vollendung der mündlichen Offenbarung gefehlt"[10].

Hirschs Verteidigung des mündlichen Gesetzes war um so dringender, da sein Status als sinaitische Offenbarung nicht nur von Reformern und Gelehrten angegriffen wurde, sondern auch von der „positiv-historischen" Schule des Zacharias Frankel (1801–1875) und des Heinrich Graetz (1817–1891). In seiner bahnbrechenden historischen Arbeit „Darchei Hamishnah" (Hodegetik zur Mischna, 1859) hatte Frankel die alten Rabbinen hoch verehrt, jedoch gerade in dieser Verehrung überschritt er die Grenze der Orthodoxie. Er schilderte sie als

---

[9] Der Pentateuch, übersetzt und erläutert (Frankfurt am Main 1920) I, 149; II, 123.
[10] Gesammelte Schriften (Anm. 6) I, 103.

religiöse Neuerer und nicht als bloße Übermittler der mündlichen Lehre. Frankel gab zu, daß die Tannaiten ihre eigenen Ausführungsnormen der Tora formuliert hatten und zudem auch Gesetze promulgierten, die gänzlich aus ihrem eigenen Geiste stammten. Für Frankel, so meinte Hirsch, „ist die Tradition nur ein Tradirtes, nicht ein Empfangenes, die Ersten die es tradirten, hatten es erforscht und erfunden"[11]. Gleichfalls irrte der Historiker Graetz, indem er in seiner berühmten „Geschichte der Juden" die alten Rabbinen als Persönlichkeiten begriff, deren Charakterzüge die Gesetze, die in ihren Namen überliefert sind, bestimmten. Sie waren ihm nicht bloße Träger des Gesetzes, das sie von ihren Vorgängern erhielten und ohne Zusatz weitergaben, sondern Schöpfer der Tradition. So wird die mündliche Lehre, statt eine treue Überlieferung der sinaitischen Offenbarung zu sein, „nichts als das Produkt der jeweiligen Temperaments- und psychologischen Begabtheit jener besonderen Persönlichkeiten"[12]. Der später erscheinende Geschichtsband, welcher das biblische Zeitalter behandelte, muß Hirsch noch um so mehr beunruhigt haben, da Graetz hier auch Mose als Erzeuger des jüdischen Glaubens schilderte und – mit der anscheinenden Ausnahme der Zehn Gebote – nicht nur als einen passiven Empfänger des göttlichen Wortes[13].

Daß Hirsch auf der absoluten Äußerlichkeit der Offenbarung bestand und keinen menschlichen Zusatz erlaubte, ist, wie oben erwähnt, aus seiner Sorge, die Lehre nicht zu relativieren, leicht verständlich. Doch war dies ein Standpunkt, der nicht nur gegen das ganze nicht-orthodoxe Judentum verstieß, sondern auch gegen die Religionsphilosophie des Zeitalters. Von der Kantischen Formulierung des Dilemmas im achtzehnten Jahrhundert ausgehend, konnten religiöse Denker nicht umhin, einen Ausgleich zu suchen im Konflikt zwischen dem Willen Gottes, wie er in der Schrift erscheint, und der die höhere Religion bezeichnenden Autonomie des Geistes[14]. Hirschs Standpunkt in dieser Frage ist klar: Die Offenbarung ist ihm völlig heteronom. Sie steht im Gegensatz zu der menschlichen Neigung und verlangt Gehor-

---

[11] Ebd., VI, 408, 413.   [12] Ebd., V, 322.
[13] *H. Graetz*, Geschichte der Juden I (Leipzig 1874) 20–58.
[14] Zur zeitgenössischen jüdischen Diskussion dieses Dilemmas vgl. *E. L. Fackenheim*, The Revealed Morality of Judaism and Modern Thought. A Confrontation with Kant, in: ders., Quest for Past and Future. Essays in Jewish Theology (Bloomington/Ind. 1968) 204–28.

sam. „Gott verehren", sagt Hirsch, „heißt Gott gehorchen." Die Pflichten der Tora bedürfen nicht unseres Selbstbekenntnisses des Zweckes als Bedingung der Verbindlichkeit. Es gibt für Hirsch keine Ergänzung des außen stehenden Gottes innerhalb des Menschen, kein Göttliches im Menschen, welches den Inhalt der Offenbarung mit ihrer Zustimmung bestätigen muß. Das Gegenteil ist wahr: Israels Widerstand zum Gottesgesetz „ist das untrüglichste Kriterium des göttlichen Ursprungs dieses Gesetzes, das nicht *aus dem Volke,* sondern *an* das Volk kam ..." [15] Wenn sich Juden heute dem Gesetz entgegensetzen, wie sie es auch erklären mögen, so ist dies nur ein Zeichen, daß die Offenbarung noch weit über der religiösen Höhe der Zeit liegt. Außerdem ist der Konflikt eigentlich ein falscher: Gesetzesgehorsam muß nicht den Geist erdrücken. Die orthodoxe Religion im Westen – ob Judentum, Christentum oder Islam – meinte schon immer, die wahre geistige Freiheit bestehe in der Unterordnung des menschlichen Willens unter den Willen Gottes.

Ein solcher Freiheitsbegriff stand aber im grellsten Gegensatz zu dem der Aufklärung. In der ersten Hälfte des neunzehnten Jahrhunderts waren liberale, religiöse Denker im allgemeinen überzeugt, daß entweder die überkommene religiöse Lehre oder die Autonomie des Geistes preisgegeben werden müßte. Im Denken von Samuel Hirsch, Theologe der jüdischen Reformbewegung, liegt dieser Konflikt seiner Neuinterpretation des Judentums zugrunde [16].

Samuel Hirsch ist der Meinung, daß das Christentum das Problem der Autonomie noch nicht völlig eingesehen hat. Der Katholizismus, obgleich weniger autoritär als früher, bleibt in der Heteronomie verwurzelt und daher im Widerspruch zu den Grundsätzen des Zeitalters.

---

[15] *Pentateuch* (Anm. 9) II, 197.
[16] Unsere Analyse von Samuel Hirsch basiert in erster Linie auf der Position, die er in seiner kurzen Arbeit „Die Reform im Judenthum und dessen Beruf in der gegenwärtigen Welt" (Leipzig 1844) einnahm, aus dem die Zitate in unserem Text stammen. Für das Studium von Hirschs früherem größerem Werk „Die Religionsphilosophie der Juden" (Leipzig 1842) vgl. *E. L. Fackenheim,* Samuel Hirsch and Hegel, in: A. Altmann (Hrsg.), Studies in Nineteenth-Century Jewish Intellectual History (Cambridge/Mass. 1964) 171–201. Mehrere Forschungen über Hirsch wurden von Gershon Greenberg herausgegeben; vgl. besonders seinen Beitrag „The Historical Origins of God and Man. Samuel Hirsch's Luxembourg Writings", in: Leo Baeck Institute Year Book XX (1975) 129–148. Greenberg hat gezeigt, daß Hirschs Position in theologischen Dingen während seines Lebens sich beträchtlich gewandelt hat.

Der Protestantismus erhebt Anspruch auf Geistesautonomie, doch, so meint Hirsch, er habe nur die Autorität der ganzen kirchlichen Tradition für die der ersten drei Jahrhunderte eingetauscht, die Autorität der Päpste für die eines Buches. Im Judentum war es Samson Raphael Hirsch, der dem Problem auswich, indem er mit verschiedenen Argumenten versuchte, seine Religionsbrüder zur Gesetzesbeobachtung zu überreden, und doch blieb für ihn der göttliche Ursprung des Gesetzes eigentlich die einzige wesentliche Erwägung.

Für Samuel Hirsch bedeutet Offenbarung im normalen Sinne des Wortes notwendigerweise Beeinträchtigung der menschlichen Autonomie. Der Menschengeist wird Knecht einer Autorität die außerhalb liegt. „Ja selbst einen solchen Gott, der nur in Rätseln und Machtgeboten spricht", sagt Hirsch, „betrachtet man heute als einen Götzen." Andererseits, was der Menschengeist aus eigener Kraftanstrengung entdeckt, brauchte ja nicht geoffenbart zu werden. Bemerkenswerterweise macht Hirsch aus dieser Offenbarungskritik eine Apologetik für das Judentum oder zumindest für das Judentum, wie er es versteht. Das Christentum, meint er, braucht Offenbarung, das Judentum nicht. Der Grund hierfür ist die christliche Lehre von der Erbsünde. Wenn die Geisteskräfte des Menschen durch Sünde verdorben sind, dann bedarf er für sein Seelenheil einen zu seinem eigenen in Gegensatz stehenden göttlichen Willen. Aber das Judentum, das den Glaubenssatz der Erbsünde entbehrt, braucht keine solche Gegeneinandersetzung. Deshalb kann auch Hirsch wie Mendelssohn sagen: „Das Judentum hat weder einen geoffenbarten Gott noch eine geoffenbarte Lehre, noch ein geoffenbartes Geheimnis und Dogma." Es ist keine geoffenbarte Religion. Es wurde nichts am Sinai gelehrt, das der autonome Menschengeist nicht ohnehin erreicht hätte. Als Reformer behauptete Hirsch weiter – dieses Mal im Gegensatz zu Mendelssohn –, daß das Judentum auch keine geoffenbarte Gesetzgebung habe. Seine Zeremonialgesetze sind nur symbolische Akte, deren fortdauernde Bedeutung von ihrer Anpassungsfähigkeit an den Geist und an die Aufgabe des modernen Zeitalters abhängt. Seiner Meinung nach ist es ein leeres Unternehmen, eine religiöse Bedeutung in veraltete Gebräuche hineinzudeuten.

Doch will Hirsch den Offenbarungsbegriff nicht total aufgeben. Obgleich er den Supernaturalismus verwirft, stimmt er für eine „natürliche, jedem Menschen innewohnende Offenbarung", deren Vor-

Schriften alle folgen können. Damit hat er aber eine außerordentliche Ausdehnung des Begriffes vorgenommen, die weit über den normalen Sprachgebrauch hinausgeht. Es sieht so aus, als ob Hirsch den Offenbarungsbegriff des Judentums beiseite gelegt hätte, um ihn durch eine nicht klar ausgesprochene, dennoch leicht beweisbare, größere Betonung zweier anderer Begriffe zu ersetzen: nämlich durch die Begriffe Schöpfung und Erlösung.

Die Offenbarung ist entweder religiös unannehmbar oder überflüssig, denn Gott schuf den Menschen in seinem Ebenbild und schenkte ihm eine unverdorbene Vernunft, die fähig ist, Wahrheit zu erkennen. Auch kann die Suche nach Freiheit, so charakteristisch für das moderne Zeitalter, als ein positives Streben zur Nachahmung Gottes verstanden werden. Die Fähigkeiten, die den Menschen am Anfang eingeflößt wurden, bedürfen keiner äußerlichen Erleuchtung oder gezwungenen Umleitung des menschlichen Willens. Die Schöpfung bedarf nicht der Berichtigung durch die Offenbarung. Doch ist Hirsch kein Deist, und er weiß genau, daß es das Spezifische der jüdischen Offenbarungstradition ist, das die Juden zum Gottesvolk stempelt. Wenn das jüdische Zeremonial nicht ganz seine Bedeutung verlieren soll, so daß die Identität des Juden in einer allgemein menschlichen aufgeht, dann muß es einen Gott geben, der als Erlöser innerhalb der Geschichte wirkt, und Israel muß ein Volk sein, dem er eine besondere Rolle in der Erlösung der Menschheit anvertraut hat. Vom Hegelianischen Denken beeinflußt, behauptet Hirsch die Existenz eines „selbstständigen Weltgeistes, der über den Völkern und ihren Bestrebungen steht". Er identifiziert diesen Weltgeist mit dem persönlichen Gott der Religion, der vom Menschen nur verlangt, daß er seine geistigen Fähigkeiten entwickle, und der seinem geistigen Leben wachsam und erziehend beisteht.

Das Judentum, meint Hirsch, bezeugt wie keine andere Religion, diesen Erlösungsprozeß. Es ist die „Geschichtsreligion". Im Judentum ist die Schrift nicht ein Offenbarungsbuch, sondern ein Geschichtsbuch. Die Schrift ist zugleich die Erziehungsgeschichte eines Volkes und auch eine Muster- und Beispielgeschichte für alle andere Geschichte. Sie warnt vor den Folgen der Aufopferung geistiger Freiheit zugunsten des natürlichen Wohllebens und zeigt die Vorteile der wahren Hingabe zur Geistesarbeit. Als Konfession muß das Christentum immer zurück auf seine Anfänge schauen und sich nach seinem eigenen Bekenntnis abgrenzen. Es ist „eine *fertige* Lehre, eine gegebene

Offenbarung". Aber das Judentum, meint Hirsch, hat kein Bekenntnis und keinen bestimmten Anfang. Sein Brennpunkt ist nicht die Vergangenheit, sondern die universale Zukunft der Menschheit. Deshalb, sagt Hirsch, fühlt sich das Judentum mit der Weltanschauung der heutigen Zeit so innig verbunden. Eigentlich verschafft das Judentum dem Zeitgeist nur eine religiöse Motivierung. „Die Aufgabe der Neuzeit ist für den Juden religiöse Aufgabe." Ohne eine ihm eigentümliche Lehre oder Gesetz, getrennt nur durch seine historischen Symbole, bezeugt das Judentum die „Heiligkeit der Geschichte".

Der Standpunkt Abraham Geigers in der Offenbarungsfrage zeigt dieselbe Problematik auf, die sich im Denken Samuel Hirschs befindet [17]. Gleich Hirsch leugnet auch Geiger den Glauben an einen völlig außenstehenden Gott, der seinen Willen dem Menschen auferlegt. Eine Handlung kann nur moralischen Wert haben, meint Geiger, Kant folgend, wenn sie aus einem inneren sittlichen Drang und Bedürfnis entspringt, wenn sie „unmittelbar aus dem Streben nach Selbstveredlung und der Verehrung und Liebe gegen Gott" fließt [18]. Nur wenn der Mensch selber überzeugt ist von der Rechtmäßigkeit seiner Handlung, enthält sie religiösen oder moralischen Wert. Eine Pflicht ohne Sinn ist ein totes Werk. Geiger geht noch darüber hinaus: Eine Handlung, nur aus Gehorsam begangen, ist schädlich für die sittliche Ausbildung des Menschen. Die Beziehung zwischen Gott und Mensch ist nicht dieselbe, die zwischen Eltern und Kindern besteht. Die Befehle Gottes, die die Tradition übermittelt, müssen geprüft werden, um festzustellen, ob sie sich auch im menschlichen sittlichen Bewußtsein vorfinden oder dort anklingen. Das Wort Gottes in der historischen Offenbarung muß in Übereinstimmung sein mit dem Göttlichen im Menschen. Es darf kein Konflikt bestehen zwischen der historischen Offenbarung und der Zustimmung der Vernunft. In Geigers Denken wird das Göttliche im Innern eigentlich zum Richter der Lehre, übermittelt im Namen des außenstehenden Gottes. Gehorsam bezieht sich nur auf das sittliche Bewußtsein, das dem Menschen von seinem Schöpfer eingeflößt ist. Die Lehre ist nicht blindlings anzunehmen, sondern sie ist nur in dem Maße zu adoptieren, in welchem sie im sittlichen Bewußt-

---

[17] Eine Bibliographie der Sekundärliteratur über Geiger enthält *J. J. Petuchowski* (Hrsg.), New Perspectives on Abraham Geiger (Cincinnati 1975) 55–58.
[18] Wissenschaftliche Zeitschrift für jüdische Theologie IV (1839) 1; vgl. ebd., 314–318.

sein widerhallt. Als Reformer suchte Geiger diese Doktrin besonders auf die Zeremonialgesetze zu beziehen, in der Meinung, ihre Beobachtung verpflichte den Juden nur dann, wenn sie als Mittel zur Belebung seines religiös-sittlichen Gefühls dienen. Zwei anscheinend entgegengesetzte Begriffe zusammenstellend, sprach Geiger von einem „freien Gehorsam" – dem sogenannten „Hundegehorsam" gegenübergestellt –, „vermittelt durch innere Erkenntnis"[19].

Dem an einen unergründlichen, außenstehenden Gott Glaubenden mußte Geigers Achtung vor dem Göttlichen im Menschen als eine Maske erscheinen, die einen eigentlichen Selbstgehorsam verbarg. Geigers Antwort auf diesen Angriff ist im religiösen Erlebnis des einzelnen Menschen begründet. Sein inneres Geistesleben zeugt von der Anwesenheit eines Geistes, der nicht mit seinem eigenen gleichzustellen ist. Der Menschengeist bezeugt den Gottesgeist und strebt ihm zu[20]. Auch ist es dieser Gott, der die großen geistigen Errungenschaften der Völker und des einzelnen ermöglicht. Die Religion ist „der Aufschwung nach der alles umfassenden Einheit, welche einmal der Mensch als ein Ganzes nach der ganzen Natur seines Geistes in sich ahnt, als die Grundlage alles Seins und Werdens, als die Quelle alles irdischen und geistigen Lebens..."[21] Als Urgeist und Geistesquell steht Gott am Anfang. Der Mensch ist Geist aus Gottes Geist, aber die zwei sind nicht eins.

Auf diese Weise vermeidet Geiger die behauptete Gleichstellung des Menschlichen mit dem Göttlichen. Dennoch scheint es, daß die Ahnung Gottes aus dem Menschengeist mit der überlieferten Schrift wenig zu tun hat. Was bleibt bei Geiger von der Autorität der Bibel? Wird die Schrift nicht in den Strom der Geistesentwicklung gezogen und deshalb relativiert? In der Tat ist für Geiger die schriftliche Lehre der Bibel, genau wie die mündliche des Talmuds, nicht als unmittelbares Gotteswort zu verstehen. Bibel und Talmud sind beide menschliche Quellen. Aufgrund der historischen Kritik wie auch aus dem Willen zur Reform nahm Geiger schon früh in seinem Leben – obgleich er zögerte, es öffentlich auszusprechen – an, daß die Bibel an sich nicht göttlich sei, daß die Wissenschaft einst zeigen würde, wie sie nach und

---

[19] Ebd., 11.
[20] Brief an M. A. Stern, 28. Dezember 1858, in: Nachgelassene Schriften, 5 Bde. (Berlin 1875–78), V, 229–30.
[21] Das Judentum und seine Geschichte (Breslau 1910) 10.

nach entstanden ist und wie sich spätere Ereignisse in ihr abspiegeln. Er hielt es Samson Raphael Hirsch vor, daß er die Bibel aus der geschichtlichen Entwicklung herausriß. Der kritische Forscher könnte ein solches Verfahren nicht billigen; er müßte den Wandel der innerlichen und äußerlichen Umstände völlig erkennen. Geiger selbst versuchte in „Die Urschrift und Übersetzungen der Bibel" (1857) zu zeigen, wie sich verändernde Anschauungen über eine lange Zeitspanne die allmähliche Fixierung des Bibeltextes direkt beeinflußten.

Jedoch, ungleich Samuel Hirsch, ließ Geiger letzten Endes die Schrift nicht nur als eine Abspiegelung einer Geistesgeschichte gelten. Ein Grund hierfür scheint ein polemisches Interesse gewesen zu sein, das Judentum über das Christentum zu setzen und dabei sein Weiterleben trotz politischem und gesellschaftlichem Druck zu rechtfertigen. Denn hätte Geiger einen rein entwicklungsgeschichtlichen Standpunkt angenommen, so hätte er keine Antwort gehabt für die christlichen Beurteiler des Judentums, die es als eine minderwertige, durch das Christentum ersetzte Religion betrachteten. Die mehr kritischen Geschichtsforscher, meint Geiger, hatten die geistige Kluft zwischen den beiden Religionen besonders hervorgehoben. Nachdem sie das Christentum von seinen Wunderelementen entkleidet hatten und es nun nur als menschliches Erzeugnis konstruierten, widerstrebte es ihnen, ihre Religion zu tief im Judentum wurzeln zu lassen, aus Furcht, es wäre dadurch seiner Ursprünglichkeit beraubt. Schleiermacher zum Beispiel betonte besonders die Schattenseiten des Judentums, so daß die Tochterreligion auf rein natürliche Weise als ein Novum erschien. Orthodoxe Theologen andererseits, die das Christentum als übernatürliche Offenbarung betrachteten, schrieben dem Judentum mindestens eine Offenbarung zu, wenn auch eine unvollendete. Rationalisten und Orthodoxe zugleich meinten, das Judentum sei vom neuen Glauben aufgehoben. Sollte die jüdische Offenbarung eine ewige sein, so müßte Geiger sie nicht weniger als Samson Raphael Hirsch aus dem Strom der Geschichte reißen, so daß sie sowohl das Nachfolgende als auch das Vorangehende überragt.

In den späteren Jahren seines Lebens entwickelte Geiger einen Offenbarungsbegriff, der sich klar unterscheidet von dem des Samuel Hirsch und anderer Radikalreformern. Obgleich die Bibel ihm eine menschliche Urkunde blieb, behauptete er, sie übermittele eine Offenbarung, die, an dem natürlichen Gang der Geistesentwicklung gemessen, unerklärbar bleibt. Diese Offenbarung, die in der Anfangsperiode des historischen Lebens Israels steht, ist die Selbstoffenbarung des ewigen Gottes[22]. Der Monotheismus ist eine Idee zu der der Menschengeist, von sich allein ausgehend, nicht fähig gewesen wäre, sich zu erheben. Jedoch war die Gottesoffenbarung so überwältigend, daß sie das Judentum beherrschte und von ihm aus sich in die Welt verbreitete.

So wie für den Talmud und Maimonides, ist auch für Geiger die Offenbarung von der geistigen Vorbereitung des Propheten abhängig. Gleich Judah Halevi, ist ihm der Prophet bloßes Organ des Volkes. Der Prophet gibt dem gemeinsamen religiösen Genie Israels bestimmten Ausdruck. Die Juden, meint Geiger, sind das „Volk der Offenbarung". Doch beruht diese Offenbarung nicht auf der Genialität allein. In einer frühen Schrift sprach Geiger von einer „plötzlichen Erhebung"[23], später aber – und hier Bretschneider sehr ähnlich – von einem „Hineinleuchten der alles erfüllenden Kraft in die einzelnen Geister, so daß sie ihre endliche Schranke durchbrachen..."[24] Geigers Offenbarungsbegriff entbehrt jedes Zwanges des Menschengeistes, jedoch ist dieser Geist so radikal verwandelt, daß das Ereignis nicht anders als von einer außermenschlichen Quelle hervorgehend erklärt werden kann. Es ist nicht der bestimmte Wille Gottes, den die Schrift bezeugt, sondern seine Selbstoffenbarung als Grund und Ziel alles geistigen Bestrebens. Vom jüdischen Volk getragen, lebt die Offenbarung in der Geschichte der Menschheit fort.

Genau wie Geiger die in der Schrift erhaltene Offenbarung von den religiösen Ideen der antiken Völker des Nahen Ostens, die vor Israel existierten, scharf unterscheidet, so läßt auch seine Einteilung der jüdischen Geschichte das Zeitalter der Offenbarung mit dem Abschluß der hebräischen Bibel enden. Dem Zeitalter der Offenbarung folgen die

---

[22] In seiner Bewertung des jüdischen Theologen Solomon Ludwig Steinheim (Jüdische Zeitschrift für Wissenschaft und Leben X [1872] 285–92) unterscheidet Geiger zwischen dem „Offenbarwerden Gottes", welches, wie er meint, das wahre Verständnis von Offenbarung im Judentum sei, und dem „Offenbarmachen, der Mitteilung der Lehre an das Ohr", welche Steinbachs Auffassung ist. Hier kritisiert Geiger Steinheim, weil dieser die Ansicht vertritt, die Wahrheit der Offenbarung sei durch ihren Gegensatz zu Vernunft gekennzeichnet. Nach Geigers Meinung ist dies ein christlicher und nicht ein jüdischer Standpunkt.
[23] *Nachgelassene Schriften* (Anm. 20) II, 6.
[24] Das Judentum (Anm. 21) 35.

Perioden der Tradition, des Legalismus und endlich der Kritik[25]. Die in der Schrift geoffenbarte Grundwahrheit kann – innerhalb oder außerhalb des Judentums – im Gang der geistigen Entwicklung nur besser verstanden, aber niemals aufgehoben werden.

Abschließend können wir zusammenfassen: Innerhalb des deutschen Judentums des neunzehnten Jahrhunderts war der Schrift-Geist-Konflikt in philosophischen Schwierigkeiten, in der historischen Kritik und in der Stellung des Judentums in Geist und Gesellschaft verwurzelt. So wie die christlichen Theologen waren auch die jüdischen Denker dazu genötigt, entweder zu bestreiten, daß die Heteronomie eine niedrigere Stufe der Religiosität und Moral sei, oder einen Offenbarungsbegriff zu entwickeln, welcher den Gehorsam gegen eine höhere, vom Menschengeist nicht völlig verstandene Lehre nicht einschloß. Während des neunzehnten Jahrhunderts untergrub die historische Kritik zunehmend die Autorität von Religionsquellen, die bisher als geoffenbart galten. Im Judentum konnte man auf eigenem Standpunkt fest stehen, wie es Samson Raphael Hirsch tat, und auf dem geoffenbarten Charakter mündlicher und schriftlicher Lehre bestehen. Man konnte wie Zacharias Frankel zwischen schriftlichem und mündlichem Gesetz scharf unterscheiden, jenes aber nicht dieses der wissenschaftlichen Kritik entziehen. Mit Samuel Hirsch konnte man auch die Schrift ganz in die geschichtliche Entwicklung des Geistes eingehen lassen. Oder, endlich, konnte man mit Geiger die Bibel als menschliche Urkunde betrachten und doch in der Schrift eine hohe Gottesidee finden, die man als Offenbarung bezeichnen konnte, weil sie als bloßer Bestandteil im langsamen Entwicklungsgang des Menschengeists unerklärbar blieb. Diese geistesgeschichtlichen Erwägungen müssen wiederum im Zusammenhang mit dem Integrierungsprozeß der damaligen jüdischen Gemeinschaft verstanden werden, einer Gemeinschaft, deren führende Geister danach strebten, jüdisches Selbstbewußtsein zu erhalten. Daher versuchte jeder auf seine eigene Weise, einen Offenbarungsbegriff aufzustellen, der trotz der immer größer werdenden Beteiligung seiner Bekenner am Kulturleben der deutschen Umwelt das Judentum immer noch von der allgemeinen Kultur unterscheiden würde.

---

[25] Nachgelassene Schriften (Anm. 20) II, 63–64.

VIII

Offenbarungsglaube
im Denken von Franz Rosenzweig

Von Walter Strolz, Freiburg i. Br.

Franz Rosenzweig (1886–1929) verdanken wir den bedeutendsten religions-philosophischen Beitrag des deutschen Judentums im zwanzigsten Jahrhundert. Mit seinem Werk tritt die Auseinandersetzung um die Bestimmung des Verhältnisses von Vernunft und Offenbarung, Philosophie und Glaube, Wahrheit und Geschichte, Judentum und Christentum in ein neues Stadium. Freilich, auch dieser Versuch ist ebenso geschichtlich bedingt, von ganz bestimmten, schon vorgegebenen Geisteskonstellationen seines Zeitalters beeinflußt und herausgefordert wie die vernünftige Rechtfertigung des Offenbarungsglaubens bei Maimonides und – dieser Tendenz entgegengesetzt – die Offenbarungskritik des Spinoza. Innerhalb eines jüdisch-christlichen Dialogs über das Offenbarungsverständnis stellt das Denken Rosenzweigs eine Position dar, die Juden und Christen nach dem Zusammenbruch des idealistischen Systemdenkens dadurch näher bringen könnte, als beide durch Rosenzweig veranlaßt werden, über das geschöpfliche Bündnis von fragender Vernunft und biblischem Offenbarungsglauben neu nachzudenken. Wenn dies im Bewußtsein geschieht, daß es dafür, bedingt durch die zeitlich-geschichtliche Grundverfassung des Menschen, keine ein für allemal gültige Definition gibt, und wenn darüber hinaus die Erkenntnis gegenwärtig ist, daß das Geoffenbarte gemäß der Schrift selbst umstritten bleibt (Jes 53,1; Lk 2,34), dann könnte die Besinnung auf das Offenbarungsdenken von Franz Rosenzweig Blickbahnen für die schärfere, unterscheidungskräftigere Wahrnehmung der Geschichtlichkeit der Wahrheit, die im biblischen Glauben von der Erwählung Israels unablösbar ist (Jes 43,21; Röm 11,28–29), eröffnen.

I

Franz Rosenzweig beginnt seinen denkerischen Glaubensweg in einer geistigen Situation, die, was das deutsche Judentum betrifft, sein heute noch lebender Zeitgenosse Gershom Scholem so beschreibt:

> „Man darf wohl ohne Vermessenheit sagen, daß kaum je die jüdische Theologie von solcher Entleertheit und Nichtigkeit gewesen ist, wie in den dem Weltkrieg vorangegangenen Jahrzehnten. Die Unfähigkeit, religiöse Realität in strengen Begriffen zu durchdringen, sowie die allen Strömungen gleicherweise mangelnde Bereitschaft, die religiöse Welt des Judentums in ihrer Totalität zu apperzipieren, bedingen die konstitutionelle Schwäche der Produkte jener Jahre."[1]

Neben diesem Hinweis auf den spezifisch jüdischen Hintergrund, von dem Rosenzweigs neu ansetzendes Denken sich abhebt, sei kurz die philosophische Aufbruchsstimmung der Jahre nach dem Ersten Weltkrieg vergegenwärtigt. Da ist zunächst einmal an den *frühen Heidegger* der Freiburger Vorlesungen zu erinnern. Sie sind vom Versuch bestimmt, die *Seinsfrage* im kritischen Abstoß von der abendländischen Metaphysik durch den Rückgriff auf die Auslegung des faktisch-geschichtlichen Lebens neu aufzurollen. Dies geschieht, indem Heidegger an die faktische Lebenserfahrung im christlichen Glauben anknüpft, und zwar durch eine existential-ontologische Interpretation der Zeiterfahrung des ersten Thessalonicherbriefes innerhalb der Vorlesung „Einführung in die Phänomenologie der Religion" (Wintersemester 1920/21)[2]. Darauf folgt ein Jahr später die Vorlesung über „Augustinus und der Neuplatonismus" und 1923 die Vorlesung „Ontologie oder Hermeneutik der Faktizität". Durch die denkerische Besinnung auf die Lebenserfahrung des christlichen Glaubens gewinnt Heidegger die Leitbegriffe für die Auslegung der zeitlich-geschichtli-

---

[1] Vgl. *G. Scholem*, Judaica I (Frankfurt a. Main 1963) 229.
[2] Vgl. *O. Pöggeler*, Der Denkweg Heideggers (Pfullingen 1963) 29 u. 36–45; ferner *A. G. Siefert*, Das Verhältnis von Philosophie und Theologie im Denken Heideggers (Freiburg i. Br. 1974); zur Bedeutung Schellings für den „Stern der Erlösung" vgl. *E. R. Freund*, Franz Rosenzweigs Philosophie of Existence. An Analysis of the Star of Redemption (Den Haag 1979) 17–45. Zur kritischen Abgrenzung des Rosenzweigschen Offenbarungsverständnisses gegenüber der Auffassung von Descartes und Hegel vgl. *B. Casper*, Offenbarung im Denken Franz Rosenzweigs, im gleichnamigen Buch mit Beiträgen von R. Schaeffler, S. Talmon, Y. Amir (Essen 1979) 106–117.

chen Wesensverfassung des menschlichen Daseins, wie sie ausgearbeitet in „Sein und Zeit" vorliegt[3]. Im Erscheinungsjahr des „Stern der Erlösung", nämlich 1921, veröffentlicht Wittgenstein seinen „Tractatus Logico-Philosophicus" mit dem Ziel, die Gültigkeit metaphysischer Begrifflichkeit durch *philosophische Sprachkritik* radikal in Frage zu stellen. Der Geist hat nach diesem Entwurf seinen Ort in der Sprache und nicht umgekehrt, in ihr wird alles Menschliche ausgetragen, und die Grenzen der Sprache sind zugleich die Grenzen unserer Welterfahrung. Franz Rosenzweigs innere und nicht nur chronologische Zeitgenossenschaft mit Heidegger und Wittgenstein ist demzufolge einerseits durch seinen konsequenten Rückgang auf die Faktizität des Menschseins in seiner Endlichkeit und andererseits durch die volle Wahrnehmung der *Priorität der Sprache* im kritischen Gegenüber zur Geist-Metaphysik von Parmenides bis zu Hegel gegeben[4].

Mit dem Hinweis auf das philosophische Klima unmittelbar nach dem Ersten Weltkrieg ist die Ausgangsbasis für die Frage gegeben, mit welcher Zielrichtung Franz Rosenzweig seinen eigenen Weg beginnt. Das vom jüdischen Glauben geprägte Existenzbewußtsein des Denkers Rosenzweig artikuliert sich schon früh in eindringlicher Deutlichkeit. So wenn es im Aufsatz über „Atheistische Theologie" aus dem Jahre 1914 heißt:

„Das Bewußtsein, was die Namensvertauschung Jaakob-Israel bedeute, ist unter uns nicht erloschen. Daß die Verheißung, zu sein wie der Staub der Erde, gefolgt wird von der andern, gleichsinnigen und doch so anders klingenden:

---

[3] *K. Löwith* beginnt seinen Beitrag: M. Heidegger und F. Rosenzweig – Ein Nachtrag zu „Sein und Zeit", in: Gesammelte Abhandlungen – Zur Kritik der geschichtlichen Existenz (Stuttgart 1960/68) mit folgenden Sätzen: „Wenn Heidegger je einen Zeitgenossen gehabt hat, der diese Bezeichnung nicht nur im chronologischen Sinne verdient, dann war es dieser deutsche Jude, dessen Hauptwerk sechs Jahre vor ‚Sein und Zeit' erschien. Der zeitgeschichtliche Zusammenhang des ‚neuen Denkens' von Heidegger mit dem von Rosenzweig ist nicht zur allgemeinen Kenntnis gekommen, wohl aber Rosenzweig selber aufgefallen. Kritisch war ihre Zugehörigkeit dadurch gekennzeichnet, daß sich das Denken des einen wie des anderen von der Bewußtseinsmetaphysik des deutschen Idealismus abwandte, ohne dem Positivismus zu verfallen, und positiv durch ihren gemeinsamen Ausgang von der ‚Faktizität' des menschlichen Daseins."
[4] So versteht auch *E. Rosenstock-Huessy* seine eigenen Denkbemühungen; vgl. Zurück in das Wagnis der Sprache (Berlin 1957); ferner: Die Sprache des Menschengeschlechtes, 2 Bde. (Heidelberg 1964).

zu sein wie die Sterne des Himmels, darauf legt schon alte Exegese den Finger; wenn sie steigen, das eine, wenn sie fallen, das andre, so erklärt sie. Aber wiederum: sie weiß, was Steigen und Fallen heißt, und daß es keinen Sinn hat, von Steigen und Fallen zu reden, wo nicht ein absolutes Höhenmaß außerhalb dessen, was steigt und fällt, feststeht."[5]

In einem Brief vom 30. Mai 1917 an Gertrud Oppenheim spricht Rosenzweig wiederum von der durch die Offenbarung neu gewordenen Welt. Ihre Wahrheit wird als das Ereignis des Namens, als unvergleichbare Namensoffenbarung, begriffen:

„Eben durch das Einbrechen des *Namens* in das Chaos des Unbenannten, das so und auch anders heißen kann (und das überhaupt ‚auch *anders* kann‘), ist der Schauplatz und der Inhalt der Weltgeschichte entstanden. Weder Platon noch Aristoteles hat etwas davon gewußt. ‚Die ganze Erde‘ und das ‚Ende der Tage‘ fehlen in ihrem Wortschatz."[6]

Vom lange gesuchten „philosophischen Archimedespunkt" spricht Rosenzweig in einem Brief an Rudolf Ehrenberg vom 18. November 1917. Er ist wegen seiner grundsätzlichen Bedeutung für das Offenbarungsverständnis von Rosenzweig als „Urzelle des ‚Stern der Erlösung‘" in die erste Sammlung der „Kleineren Schriften" aus dem Jahre 1937 aufgenommen worden. Rosenzweig setzt hier der abendländischen Ontologie des Allgemeinen und Allgemeingültigen die aus der biblischen Offenbarung stammende *geschichtliche* Leitkategorie „Ereignis" gegenüber. Damit ist ein Schritt von großer Tragweite vollzogen. Die Stellung des Einzelnen zum Ganzen, zum Allgemeinen verändert sich ebenso wie das raumzeitliche Ordnungsgefüge der Welt, wenn die Offenbarung als „fester, unverrückbarer Mittelpunkt" angenommen wird. Schon in diesem umfangreichen Brief entwirft Rosenzweig ein Zeitverständnis mit *messianischer* Finalität, indem er Anfang und Ende der vorgegebenen Welt neu bestimmt:

„So ist der Ordnungsbegriff dieser Welt nicht das Allgemeine, weder die Arche noch das Telos, weder die natürliche noch die geschichtliche Einheit, sondern das Einzelne, das Ereignis, *nicht Anfang oder Ende, sondern Mitte*

---

[5] Vgl. *F. Rosenzweig*, Kleinere Schriften (Berlin 1937) 288–289.
[6] Vgl. *F. Rosenzweig*, Briefe und Tagebücher, hrsg. von R. Rosenzweig und E. Rosenzweig-Scheinmann unter Mitwirkung von B. Casper, I. Bd.: 1900–1918, in: Gesammelte Schriften I (Den Haag 1979) 413.

der Welt. Sowohl vom Anfang wie vom Ende aus ist die Welt ‚unendlich‘, vom Anfang aus unendlich im Raum, dem Ende zu unendlich in der Zeit. Nur von der Mitte aus entsteht in der unbegrenzten Welt ein begrenztes Zuhause, ein Stück Boden zwischen vier Zeltpflöcken, die weiter und weiter hinaus gesteckt werden können. Erst von hier aus gesehen werden auch Anfang und Ende aus Grenzbegriffen der Unendlichkeit zu Eckpfeilern unsres Weltbesitzes, der ‚Anfang‘ zur Schöpfung, das ‚Ende‘ zur Erlösung.“[7]

Aber diese Mitte darf als Offenbarungsgeschehen, also von ihrem Ereignischarakter her, wiewohl unverrückbar, nicht als ruhende Mitte gedacht werden. Sie ist vielmehr ein lebendiges, unverfügbares Zentrum, sie ist Wort und Feuer, eine Mitte, deren personhaftes Wirken Widerspruch und Widerstand hervorruft:

„Die Offenbarung schiebt sich als ein Keil in die Welt; das Dies kämpft gegen das Dies. Deshalb ist der Widerstand des Profeten gegen seine Sendung, sein Kampf gegen das mählich steigende Bild unverwechselbar mit sittlichen Kämpfen. Es streitet da nicht das Höhere gegen das Geringere, sondern *das Geheißene gegen alles andere, was bloß möglich wäre,* unbeschadet dessen, daß zu diesem Möglichen auch das ‚Hohe‘ gehört. Es fehlt jede Vergleichbarkeit, jede Einordenbarkeit in das System des Höheren und Niederen.“[8]

In einem denkwürdigen Brief an Hans Ehrenberg vom 10. Mai 1918 kennzeichnet Rosenzweig mit bewundernswerter Unterscheidungskraft das ungespaltene, nicht-metaphysische Wirklichkeitsverständnis der Offenbarung gegenüber aller idealistischen Geistphilosophie. Allein schon dieser kritische Abgrenzungsversuch zeigt, welcher Wandlungsprozeß sich innerhalb des jüdischen Denkens, blickt man auf die philosophische Grundposition von Maimonides und Spinoza, vollzogen hat. Es läßt sich mit Gewißheit sagen, daß sich die Befreiung aus dem Begriffsnetz der Ontotheologie erst bei Rosenzweig abzuzeichnen beginnt. Wir zitieren den betreffenden Briefabschnitt wegen seiner fundamentalen Bedeutung für Rosenzweigs Offenbarungsdenken ausführlich:

„Die Offenbarung rettet an allen Punkten die von der idealistischen Zersetzung bedrohte Materie und setzt sie wieder in ihre Rechte gegen den Geist, innerhalb des Geistes die Seele gegen den Geist, weiter die Zeit gegen die Zeit-

---

[7] *F. Rosenzweig,* Kleinere Schriften (Anm. 5) 365–366.
[8] Ebd., 368.

losigkeit, den Raum gegen den Begriff usw. usw. So kommt es, daß zunächst an Stelle der geistig-allzugeistigen Unsterblichkeit die tief im Wirklichen eingebettete, an das ‚Fleisch' und an den Ablauf der Weltgeschichte gebundene Auferstehung tritt. Welch eine Verrohung für den Platoniker! Aber in Wahrheit: welch eine Kraft der *Wirklichkeit* gegenüber Plato. Dieser Leib mein Leib hier und dort, ich kann ihn nicht verleugnen, dort nicht und deshalb auch *hier* nicht; ich kann nicht mit einem Teil meines Wesens vornehm tun gegen einen andern Teil meines Wesens, diese eigentlichste Ausflucht ist mir verrammelt; ganz bin ich Ich, ganz werde ich ‚gerichtet' und diese Welt, in der ich lebe, ist nicht ein Fremdes, dessen Schicksal meine Seligkeit nicht berührt, sondern an der Erfüllung jenes Schicksals hängt der Eintritt dieser Seligkeit; eine bloße Phrase das ‚Unsterblichsein in jedem Augenblick' der Schleiermacher und Fichte; sondern alle Zeit muß erfüllt sein, auf daß die Frucht der Ewigkeit reifen mag. So die Offenbarung an ihrem Ursprung und Eintritt in die Welt."[9]

Ist bisher im Vorfeld des Hauptwerkes „Der Stern der Erlösung" der Gedanke von der Offenbarung als Geschichte der leitende gewesen, so ist, ehe dieses selbst und sein Offenbarungsverständnis zur Sprache kommen soll, an eine zweite Grunderfahrung des denkenden Glaubens, wie ihn Rosenzweig im zwanzigsten Jahrhundert innerhalb des Judentums verkörpert, zu erinnern. „Daß Gott schuf", dieser erste Satz der Bibel, der, wie Rosenzweig sagt, „mit unwidersprechlicher Evidenz vor mir stand", löste bei ihm schon im Jahre 1914 eine philosophische Krise aus. Sie läßt sich begrifflich in den Gegensatz von Metaphysik und Offenbarung in der Interpretation der vorgegebenen Wirklichkeit als Schöpfung Gottes fassen, ein Sachverhalt, der zu den großen, bleibenden Streitfragen der abendländisch-christlichen Denküberlieferung gehört. Rosenzweig hat schon früh gespürt, welches *Sprachproblem* in dieser Auseinandersetzung steckt und warum hier einerseits Seins- und Geistmetaphysik und andererseits biblische Sprach- und Geschichtserfahrung unausweichlich aufeinanderstoßen. Das Offenbarungswort, *daß* Gott schuf, fällt wie ein Blitzschlag in das immerwährende Grund-Sein des Aristoteles. Gott ist biblisch nicht das Licht, Gott ist nicht, wie es bei Pindar heißt, „das All", sondern es wurde Licht (Gen 1,3), *weil Gott sprach!* In einer kritischen Übergangsphase seines Denkens geht Rosenzweig an diesem ganz und gar transzendenten Schöpfungswort der gewaltige Zusammenhang von

---

[9] Briefe und Tagebücher I, 559.

Schöpfung und Sprache auf. Dieser göttlichen Urstiftung entspringt die Möglichkeit von Zeit und Geschichte, denn erst durch die Vor-gabe der Dinge in ihrem Geschaffensein entsteht der Zeit-Spiel-Raum für die Entfaltung der Sprache, und dadurch erst ermöglicht, der Freiheits-geschichte des Menschen[10].

II

Was Franz Rosenzweig im Jahre 1921 mit dem „Stern der Erlösung" veröffentlicht, will er als ein vom *jüdischen* Standort aus geschriebenes und zugleich als ein *philosophisches* Buch verstanden wissen. Wie geht das zusammen? Muß sich der Verfasser durch diese Zielsetzung nicht von vornherein den Vorwurf gefallen lassen, er verwische dadurch den *Unterschied* zwischen Philosophie und Offenbarung, Denken und Glauben? Mit welchem Recht erhebt er für sein Hauptwerk auch einen philosophischen Anspruch, wo doch dessen tragende Grundsäulen mit den aus der Bibel stammenden Leitworten Schöpfung– Offenbarung – Erlösung bezeichnet sind? Wenn für das philosophische Fragen im strengen Sinne die biblische Offenbarung keine verpflichtende Autori-tät ist, weil die Sache der Philosophie ihre eigene, unverwechselbare Würde hat, wie ist dann trotzdem die Verbindung von Denken und Glauben zu rechtfertigen? Was Rosenzweig betrifft, so hat er das Ent-scheidende schon in den zitierten Briefstellen ausgesprochen. Israel ist Gottes einzigartige Namensoffenbarung *in geschichtlichen Ereignissen* widerfahren, und nur kraft dieser Erwählung, kraft dieses Bundes-schlusses, ob nun im Glauben bezeugt oder in Abtrünnigkeit bestrit-ten, gibt es Israel und das Judentum. Dieser Gott der geschichtlichen Führung, der immer nur situationsbedingt gegenwärtig ist, er ist zu-gleich der Herr der Schöpfung. Was dieser umfassende Wahrheitsan-spruch, der schlechthin alles, was es gibt, einschließt, in der Sprache der *Offenbarung* bedeutet, dies nachdenkend zu beantworten gehört zur Bestimmung des glaubenden Menschen. Demgemäß ist es ausge-schlossen, Denken und Glauben voneinander zu trennen. Erstens ist die *Möglichkeit* des Denkens als Philosophie an die schon vor-gege-

---

[10] Vgl. zu dieser Thematik *W. Strolz* (Hrsg.), Schöpfung und Sprache (Freiburg i. Br.) 1979).

bene Schöpfung immer und überall gebunden. Sie entspringt dem Staunen darüber, daß es überhaupt etwas gibt und nicht nichts ist. Zweitens fordert das Geglaubte selbst die Vernunft zum Streitgespräch mit dem heraus, was sie *als philosophierende* Vernunft *im Unterschied* zur Botschaft des Glaubens von sich aus nicht kennt. Wenn je einer um die durchgehende *ontologische Tragweite* der Sprache der biblischen Offenbarung wußte und sie *als Glaubenserfahrung* auch auszulegen vermochte, dann war dies mit ungleich schärferer begrifflicher Durchdringungskraft als Martin Buber sein früher Mitarbeiter Franz Rosenzweig.

Mit dem „Stern der Erlösung" betritt Rosenzweig die Bahn des Existenz- und Sprachdenkers, die er bis zu seinem Tode am 12. Dezember 1929 nicht mehr verlassen wird. Indem wir versuchen, uns auf dieses große Buch nachdenkend und fragend einzulassen, berücksichtigen wir zunächst seine *erkenntnis-philosophische* und *sprachtheologische* Seite. Sie ist allerdings so stark mit der jüdischen Selbstbestimmung aus dem biblischen Offenbarungswort und zugleich mit der kritischen Würdigung des Christentums verknüpft, daß das eine vom anderen nicht getrennt werden kann. Der Ausgangspunkt für das Erkennen ist die schonungslose Wahrnehmung der Sterblichkeit des Menschen. Alle idealistische Metaphysik, gleich welcher Herkunft, weicht diesem unentrinnbaren Faktum aus, sei es in die reine Wesensschau der Dinge, in eine Ontologie des Alls, oder sei es in eine Unsterblichkeitslehre, die dem Tod ebenso seinen Stachel nimmt. Wenn aber menschliche Existenz in ihrem Wesensgrund Sein zum Tode ist, dann ist sie unausweichlich mit dem Nichts konfrontiert. Die entscheidende Frage ist nur, ob dieses Nichts das Nichts der Vernichtung ist oder ein Etwas, das *mit nichts Seiendem,* also mit nichts von dem vergleichbar ist, was der Mensch unterwegs zum Tode antrifft. Ist also am Anfang, um mit Rosenzweig zu reden, das Ja oder das Nein? Muß nicht auch Gott notwendig als ein Nichts bestimmt werden, *im Vergleich zu allem, was ist,* indem es vergeht? Rosenzweig ringt im ersten Teil seines Werkes um eine nähere Bestimmung dieses abgründigen Verhältnisses zwischen der Sterblichkeit des Menschen und dem in ihr aufklaffenden Nichts. Dieses Nichts kann nicht das Nein zu allem sein, was es gibt, weil jedes seiende Etwas, in dem *es überhaupt ist,* schon ein Ja zum Sein verkörpert. Der unergründliche Anfang, der Ursprung der Dinge, ist nicht und niemals das Nein, sondern ein auch noch das Todesdunkel durchstrahlendes Ja. Im Anfang ist das gebende Ja. Daß der sterbliche Mensch zu dieser ontologischen Ursprungserfahrung fähig ist, verdankt er dem *Wunder der Sprache*. Wort und Sprache werden von diesem Ur-Ja des Anfangs getragen, oder wie es Franz Rosenzweig – im Ohr den ersten Satz der Bibel – formuliert:

> „Das ist die Kraft des Ja, daß es überall haftet, daß unbegrenzte Möglichkeiten von Wirklichkeit in ihm liegen. Es ist das Urwort der Sprache, eins von denen, durch die – nicht etwa Sätze, sondern erst einmal überhaupt satzbildende Worte, die Worte als Satzteile, möglich werden. Ja ist kein Satzteil, aber ebensowenig das kurzschriftliche Siegel eines Satzes, obwohl es als solches verwendet werden kann, sondern es ist der stille Begleiter aller Satzteile, die Bestätigung das ‚Sic‘, das ‚Amen‘ hinter jedem Wort. Es gibt jedem Wort im Satz sein Recht auf Dasein, es stellt ihm den Sitz hin, auf dem es sich niederlassen mag, es ‚setzt‘. Das erste Ja in Gott begründet in alle Unendlichkeit das göttliche Wesen. Und dies erste Ja ist, ‚im Anfang‘."[11]

Rosenzweig entwickelt im ersten Teil seines Hauptwerkes „Der Stern der Erlösung" von diesen ontologischen Kernsätzen aus eine Philosophie des Ja *und* Nein, wie sie der Endlichkeit des Menschen entspricht. Weil der Mensch vergänglich ist, vermag er nicht nur im Ja, in der Bejahung zu existieren. Sein Leben ist an ein weiteres Urwort, an das „und" gebunden. Menschliches Dasein vollzieht sich als unterscheidende und kämpfende Freiheit im Ja *und* im Nein, in der Bejahung *und* Verneinung. Aber Ja und Nein, Spruch und Widerspruch des vergänglichen Menschen sind in sich nur möglich kraft der absoluten Positivität der schon vor-gegebenen Schöpfung, die nicht einfach als ein für allemal vorhandene Wirklichkeit begriffen werden darf, sondern in ihrem Wesen je neue Gabe des Gebenden ist. Diese nicht vom Menschen abhängige, nicht von ihm hervorgebrachte *Positivität der Schöpfung* reicht bis in jene dunkle Ursprungstiefe der Dinge, wo das Etwas wie aus dem Nichts zu entspringen scheint. Hier spricht Rosenzweig im Übergang zum zweiten Teil des Hauptwerkes, den er „das

---

[11] Vgl. *F. Rosenzweig*, Der Stern der Erlösung, in: Gesammelte Schriften II (Den Haag ⁴1976) 29. Das *Schöpfungsvertrauen Goethes* ist eine großartige dichterische Entsprechung zu diesem Ja! Vgl. dabei H. Strolt, Goethes versteckte Sprachphilosophie, in: Jahrbuch des Freien Deutschen Hochstifts 1881, Tübingen 1881, 7–92.

Herzstück des Ganzen" nennt, im: „immerwährenden Geheimnis der Schöpfung" das allzeit-erneute Wunder der Offenbarung an. Indem der deutsche Jude Franz Rosenzweig davon handelt, steht er zwar auch in der Überlieferungslinie, die von den jüdischen Religionsphilosophen Maimonides (1135–1204) über Spinoza (1632–1677) zu Cohen (1842–1918) und Buber (1878–1965) reicht. Aber sein Versuch, die biblische Offenbarung nach-denkend zu verantworten, geht entschieden über diese Positionen hinaus. *Maimonides* folgt, insofern er philosophiert, um die biblische Offenbarung vor der fragenden Vernunft zu rechtfertigen, dem aristotelischen Primat des Geistes, dem die „Materie" unterworfen ist. Er kann sich deshalb dem Dualismus, der durch diese metaphysische Grund-Setzung entsteht, nicht entziehen. Diese Auslegung der „Materie als niedere" gegenüber dem „Geist" bringt den mittelalterlichen, jüdischen Denker in Konflikt mit dem Schöpfungsbericht, der vom ursprünglichen Gutsein alles Geschaffenen spricht[12]. Weil Maimonides im Unterschied zu Rosenzweig weder eine Philosophie noch eine Theologie der Sprache entwirft, bleibt das Verhältnis zwischen Vernunft und Offenbarung, Philosophie und Glaube, Geschichte und Prophetie in einem merkwürdigen Zwielicht. Die Metaphysik *Spinozas* führt, von Rosenzweigs Denkansatz aus gesehen, grundsätzlich nicht über das ontotheologische Kategoriengefüge hinaus, das seit Platon und Aristoteles in der Gottesfrage das abendländische Denken beherrscht[13]. Die Zeitlichkeit und Geschichtlichkeit des Menschseins als ein immer und überall sprach-bedingtes ist und kann nicht Gegenstand des Nachdenkens innerhalb der Geist-Priorität sein. Bei *Cohen* wird die Sprache selbst als Urelement, in dem sich alles zu Denkende, alles sich für die Ansprechung Zeigende, immer schon bewegt, nicht denkwürdig. Dies gilt auch für sein letztes Werk „Reli-

---

[12] Vgl. *Moses ben Maimon*, Führer der Unschlüssigen. Übersetzung und Kommentar von A. Weiß mit einer Einleitung von J. Maier, Bd. II, 3. Brief, S. 49.
[13] Vgl. *M. Heidegger*, Die onto-theo-logische Verfassung der Metaphysik, in: ders., Identität und Differenz (Pfullingen 1957) 37–73. Nach *K. Löwith* (in: Gott, Mensch und Welt in der Metaphysik von Descartes bis Nietzsche [Göttingen 1967] 250) steht „Spinozas *Deus ,sive' Natura* genau an der Grenze, an der das Vertrauen in Gott erlischt und der kritische Überschritt zur Anerkennung eines gottlosen Weltalls geschieht, das ohne Zweck und also ohne ,Sinn' oder ,Wert' ist. Spinoza selbst hat den Überschritt nur in der Weise gemacht, daß er Gott als *causa immanens* in die Welt der Natur übersetzte und also *innerhalb* der onto-theo-logischen Überlieferung das Sein als Natur begriff."

gion der Vernunft aus den Quellen des Judentums". Es teilt in seinem Aufriß der Sprache keinen eigenen Ort zu, obwohl die thematische Exposition aus urjüdischen Leitworten besteht und von der Schöpfung über Gebet und Gesetz bis zur messianischen Idee reicht.

Mit der Destruktion der idealistischen Metaphysik und der Aufdeckung ihrer Sprachvergessenheit fällt für Rosenzweig der Primat des „Geistes" gegenüber der Sprache. Gott schuf nicht als Geist, nicht als Idee, nicht als das Sein schlechthin, nicht als der Weltgrund, sondern indem Gott *sprach*, schuf er die Welt. Rosenzweig denkt dieser biblischen Urerfahrung nach, und er erläutert das Verhältnis von *Schöpfung und Offenbarung* in ihrem Licht. Die Logik der Sprache und ihrer Grammatik reicht bis in den Schöpfungsanfang zurück. Im „Stern der Erlösung" heißt es dazu:

„Die Weissagung der Urworte der Logik findet ihre Erfüllung in den offenkundigen Gesetzen der wirklichen Worte, den Formen der Grammatik. Denn die Sprache ist wahrhaftig die Morgengabe des Schöpfers an die Menschheit und doch zugleich das gemeinsame Gut der Menschenkinder, an dem jedes seinen besonderen Anteil hat, und endlich das Siegel der Menschheit im Menschen. Sie ist ganz von Anfang, der Mensch wurde zum Menschen, als er sprach; und doch gibt es bis auf diesen Tag noch keine Sprache der Menschheit, sondern die wird erst am Ende sein."[14]

Erst Franz Rosenzweig wagt es, nach der *ontologischen* Tragweite der *biblischen* Spracherfahrung zu fragen. Er trägt nicht Philosophie an die Bibel heran, um dort Beweisstücke für jene zu finden, sondern indem er sich auf das Wort der Schrift einläßt, folgt er seinem alles Geschaffene treffenden Wahrheitsanspruch. So entwirft er vom biblischen Schöpfungsbericht aus eine „Logik der Schöpfung", in der sich die Besinnung auf das Geschaffensein der Dinge „im Anfang" richtet. Ihr „Schon-da-Sein" ist der Ursprung, die Ur-sache, die Voraus-setzung für alles menschliche Tun und Lassen. Auch die weltentrückte, weltflüchtige Spiritualität fernöstlicher Überlieferungen vermag daran nichts zu ändern. Selbst die vollkommene Weltverneinung in strengster buddhistischer Selbstüberwindung setzt voraus, *daß* es Widerstand bietende Dinge gibt, an welchen überhaupt eine Verneinung oder ein

---

[14] Vgl. Stern der Erlösung (Anm. 11) 122.

Mitleiden ansetzen kann[15]. Und schließlich ist es immer noch der Mensch selbst, der in Askese und Meditation bis zur höchsten Stufe der Erleuchtung unüberspringbar anwesend ist. Rosenzweig unterschätzt zwar dort, wo er in seinem Hauptwerk vom „Geist Asiens" spricht, die visionäre Gewalt, mit der beispielsweise der Buddhismus die Vergänglichkeit des Menschen und die Unbeständigkeit aller Dinge wahrnimmt. Er fragt sich auch nicht, was die Botschaft des Schweigens und der Stille in meditativer Versenkung und Erleuchtung für den *westlichen* Menschen bedeuten könnte und inwiefern die buddhistische Erfahrung der universalen Leidensverhaftung alles Lebens auch etwas trifft, was der Bibel nicht fremd ist. Sosehr demgemäß seiner *zu negativen* Beurteilung der Religionen Asiens zu widersprechen ist, so ist doch zu betonen, daß Franz Rosenzweig mit der Erkenntnis des Schon-da-Seins der Dinge durch ihr Geschaffensein „im Anfang" an ihren Schöpfungsursprung erinnert, an ihr *ontologisches* Vor-gegebensein, an dem sich allererst Widerspruch, Enttäuschung, Verneinung entzünden können.

Auf die Dauer kommt der Mensch in seiner irdischen Grundverfassung ohne sicht- und hörbare Zeichen nicht aus. Durch die zu weit getriebene Abstraktion in der Dynamik meditativer Verneinung droht seine Mitmenschlichkeit abzusterben. Er bedarf der Namen und Symbole, der winkenden Zeichen und erhellenden Bilder, um er selbst mit *andern* sein zu können[16]. Mit dem Lobpreis der Schöpfungsbindung des Menschen rettet Rosenzweig in seinem Denken stellvertretend etwas vom bleibenden Wunder der sichtbaren Dinge, die nicht deshalb „Schein" (Maja) sind, weil sei vergehen, sondern immer nur *als schon Seiende*, die der Mensch *antrifft*, durch die vergleichende Unter-

---

[15] In einem Brief vom 5.1.1922 heißt es, den Buddhismus betreffend: „Der Buddhismus ist die legitime Konsequenz der altindischen Opferreligion. Das jüdische Opfer ist die strenge Ablehnung der Askese. Es wird da ‚nur' geopfert. *Nicht* je mehr um so besser. Es wird das Vorhandensein der Welt anerkannt. Sie wird nicht ‚auf'-geopfert. Sondern es wird nur *von* den Dingen geopfert" (Briefe und Tagebücher II, 738–739).
[16] Die Inschrift einer chinesischen Buddha-Steinfigur, datiert vom Jahre 746, lautet: „Das höchste Wahre ist ohne Bild.
Gäbe es aber gar kein Bild, so gäbe es keine Möglichkeit, wodurch es sich als das Wahre zu manifestieren vermöchte.
Das höchste Prinzip ist ohne Worte.
Gäbe es aber überhaupt keine Worte, wodurch könnte es sich dann als Prinzip offenbaren?"

scheidungskraft der Sprache in seine Vergänglichkeitserfahrung eingehen.

Der Neuansatz beim biblischen *Urvertrauen in die Sprache* wird zum Gericht über die Sprachohnmacht idealistischer Metaphysik. Die Vorherrschaft des Geistes und seiner sprachvergessenen Logik führt in Hegels Dialektik des absoluten Wissens schließlich zur Aufhebung und Auflösung der Offenbarung in Philosophie[17]. Rosenzweig analysiert diesen Prozeß als einen *Treuebruch im Verhältnis des Menschen zur Sprache.* Eine positive Bestimmung des menschlichen Daseins in der Sprache gibt er hierauf durch eine grammatische Analyse von Genesis 1, die in ihrer wegweisenden Klarheit ein großartiges Stück Sprachtheologie darstellt, das man auf christlicher Seite immer noch vergeblich sucht. Auch sie steht noch im Vorfeld der „Offenbarung", des zweiten Grundworts im „Stern der Erlösung".

Nun hängt für das weitere Verständnis der Gedankengänge Rosenzweigs viel davon ab, daß wir die Dreiheit Schöpfung – Offenbarung – Erlösung nicht als Stufen einer Evolution verstehen, in der eine Stufe die andere ablöst. Es handelt sich hier nicht um eine Folge von Wirklichkeiten, sondern der Weg des Menschengeschlechts verläuft im Zeitspielraum *zwischen* Leben gewährender Schöpfung (Jes 45,18) und Erlösung. Gott selbst braucht Zeit, wenn er sich dem zeitbedingten Menschen offenbaren will. Und der die Offenbarung empfangende Mensch kann sie als sprachbegabtes Wesen nur *innerhalb* der Beständigkeit der Natur als Schöpfung hören. Wir stoßen also mit der im biblischen Glauben vielfach bezeugten Dreiheit von Schöpfung – Offenbarung – Erlösung auf das Rätsel der Zeit und der sich täglich erneuernden Schöpfung. Eine zeitenthobene Theorie dieser *Zeit als Geschichte* kann es aber nicht geben, weil der Mensch sich immer schon als zeitlich bedingtes Wesen antrifft. Ist ein solcher Versuch schon innerhalb der Philosophie zum Scheitern verurteilt, so wird er angesichts der Glaubensgeschichte Israels erst recht zunichte. Die Israeliten haben nicht zuerst eine Theorie der Geschichte entworfen, um dann danach zu handeln, sondern die *faktische Betroffenheit* durch das göttliche Offenbarungswort im Sklavenhaus Ägypten, am Sinai, im

---

[17] Vgl. zur Auslegung dieser Problematik *W. Strolz*, Menschsein als Gottesfrage (Pfullingen 1965) 79–142.

Babylonischen Exil und in der nachbiblischen Leidensgeschichte der Juden bis herauf in das furchtbare zwanzigste Jahrhundert der sogenannten „Endlösung" der Judenfrage hat ihnen allererst die Möglichkeit gegeben, Geschichte als den Kampfplatz um die Heiligung des Gottesnamens, des Einzigen und Unvergleichbaren (1 Sam 2,2; Jes 40,18–25) auszulegen. Der Einbruch des Ewigen in die Zeit konstituiert unwiderruflich die Geschichte Israels und des Christentums (Joh 1,14). Hier ist kein Raum für eine abstrakte Wesensanalyse von Geschichte, abgelöst von konkreten Situationen, sondern geschichtliche Ereignisse und Begegnungen bestimmen den Glaubensweg des *geschichtlich* von Gott angerufenen Volkes[18]. *Das faktisch Geschehene weist der Auslegung des Glaubens den Weg,* nicht die Spekulation über das „Wesen" des Faktischen, als ob es, abgehoben vom Ereignis, vor, hinter, über ihm ein frei schwebendes „Wesen" jemals geben könnte! Deshalb gilt für den Glauben Israels und auch, weil durch seine Geschichte vorbereitet, im Blick auf Joh 1,14 grundsätzlich: was Israel glaubt, was ihm widerfährt, ist nicht aus den zeitlos-allgemeinen Strukturen einer sog. „transzendenten Anthropologie" zu entwerfen, sondern wie Menschsein als Angesprochensein von Gott her erfahren und gedeutet wird, erweist sich allererst auf dem einzigartigen *Geschichtsweg* dieses Glaubens *im Unterschied* zu anderen Gotteserfahrungen der Menschheit. Nicht eine überall gleichbleibende apriorische Möglichkeit, sondern das konkret Geschehene und seine Auslegung in der Gründungsbeziehung von Offenbarung und Tradition entscheiden *biblisch* über das Verhältnis des Menschen zu Gott. Die *Offenbarung* kommt durch das Wort Gottes, durch den „Spruch des

---

[18] Diesen geschichtlich-inkarnatorischen Grundzug des biblischen Glaubens und seiner Wahrheitserfahrung hat *vor* F. Rosenzweig der christliche Sprachdenker *Johann Georg Hamann* (1730–1788) am eindringlichsten im Widerspruch zur Substanzmetaphysik und zur sprachvergessenen Transzendentalphilosophie Kants interpretiert. Vgl. insbesondere Bd. III der von J. Nadler herausgegebenen Historisch-kritischen Ausgabe: Schriften über Sprache – Mysterien – Vernunft (1772–1788) (Wien 1951). Ferner ist in diesem Zusammenhang auf *Walter Benjamin* (1892–1940), den jüdischen Zeitgenossen Rosenzweigs, hinzuweisen. Dieser Sprachdenker steht jenem besonders nahe in seinem 1916 entstandenen Aufsatz „Über die Sprache überhaupt und über die Sprache des Menschen" (in: Angelus Novus, Ausgewählte Schriften, 2. Bd. [Frankfurt a. Main 1966] 9–26). Ohne auf ihren Wahrheitsgehalt als Offenbarung näher einzugehen, hält er sich an die ersten Genesis-Kapitel, um darüber nachzudenken, „was aus dem Bibeltext in Ansehung der Natur der Sprache selbst sich ergibt".

Ewigen", in die Welt. Franz Rosenzweig hat im „Stern der Erlösung" dieses urbiblische „Ich der Ewige" so ausgelegt, daß sein Ursprung in der majestätischen Transzendenz des Einzigen sich unterscheidungsmächtig einprägt. Er schreibt:

„Das ‚Ich der Ewige', dies Ich, mit dem als dem großen, die eigene Verborgenheit verneinenden Nein des verborgenen Gottes die Offenbarung anhebt, begleitet sie durch alle einzelnen Gebote hindurch. Dies ‚Ich der Ewige' schafft der Offenbarung im Propheten ein eigenes Werkzeug und einen eigenen Stil. Der Prophet ist nicht Mittler zwischen Gott und den Menschen, er empfängt nicht die Offenbarung und gibt sie weiter, sondern unmittelbar aus tönt die Stimme Gottes, unmittelbar aus ihm spricht Gott als Ich ... Gottes Ich bleibt das Stammwort, das durch die Offenbarung als ein Orgelpunkt hindurchgeht, es sträubt sich gegen jede Übersetzung ins Er, es ist Ich und muß Ich bleiben. Nur das Ich, kein Er, kann den Imperativ der Liebe sprechen; er muß immer nur lauten: liebe mich."[19]

Israel, durch Gottes unerforschlichen Ratschluß *erwählt*, die Gabe der Tora in der Sprache des Menschen zu empfangen, ist der geschichtliche Ort dieser Selbstmitteilung Gottes gegenüber den sterblichen Menschen. Rosenzweig spricht im *dritten* Teil seines Hauptwerkes von dieser Berufung Israels Aug in Aug gegenüber dem Christentum. Er sieht das Judentum als „das ewige Volk", das, ausgesondert aus den Völkern der Erde, das Königtum Gottes, den verheißenen Messias, erwartet und ihm in unaustilgbarer Hoffnung entgegenharrt. So werden Warten und Wandern zum Kennzeichen jüdischer Existenz. Aber uns scheint, daß Rosenzweig dort, wo die nähere Bestimmung des Judentums als des „ewigen Volkes" ausdrücklich thematisch wird, der Gefahr einer *idealistischen* Wesensbeschreibung nicht entgeht. Er stellt

---

[19] Vgl. Der Stern der Erlösung (Anm. 11) 198. Schon in seinem Brief an R. Ehrenberg vom 18.11.1917 (vgl. Kleinere Schriften [Anm. 364) hatte Rosenzweig im Kern eine *Phänomenologie gottmenschlicher Dialogik* entworfen. Dort heißt es, daß der Mensch verlangen müsse, daß sogar Gott ihn zuerst lieben müsse: „Denn sein Ich ist stumpf und stumm und wartet auf das erlösende Wort aus dem Mund Gottes ‚Adam, wo bist Du?', um dem ersten lauten nach ihm fragenden Du das erste halblaute zaghafte Ich der Scham zu erwidern. In Ich und Du und wieder Ich bewegt sich dieses Verhältnis wie jenes im unbestimmten Er Sie Es der allseitigen Hingabe. Im Ich der Offenbarung und im Du der Gewissensfrage oder des Gebots und erwidernd in Adams Ich der Scham oder in Abrahams der Bereitschaft, und rückwärts wieder im Ich der Reue und im Du des Gebets und im Ich der Erlösung."

sein Judentum so hoch über die Gegensätze und Spannungen der Völkergeschichte, er hebt es so radikal über die Weltgeschichte hinaus, daß man sich beklommen fragt, wie die Botschaft von der kommenden Erlösung, die doch nach ihrer prophetischen Selbstaussage für die ganze Menschheit bestimmt ist, die anderen Völker überhaupt noch erreichen kann. Sicher ist die *Erwählung* Israels ein bleibendes Ärgernis. Jüdischer Glaube hat sich immer schon jeder geschichtsphilosophischen Integration dieses Faktums widersetzt. Aber, so müssen wir gleichwohl hartnäckig weiterfragen: hat Franz Rosenzweig seine Idee von der „Ewigkeit des ewigen Volks", das still und seitenblicklos ein „ewiges Leben" jenseits der Weltgeschichte führt, nicht um einen zu hohen Preis erkauft? Ist diese Loslösung aus der konkreten Geschichte, der von Rosenzweig beschriebene Auszug des Judentums in ein staatsloses Nirgendwo nicht auch als eine Flucht vor der *geschichtlichen* Verantwortung des biblischen Glaubens inmitten der Welt zu analysieren[20]? Könnte diese im „Stern der Erlösung" vorherrschende Tendenz, die sich auffallend schon in der Hauptgliederung des Werkes abzeichnet, nicht der Grund dafür sein, daß die prophetischen Verheißungen von der Rückkehr der Juden in das Gelobte Land überhaupt nicht zur Sprache kommen? Hat vielleicht nicht das allzustarke Strahlen der „ewigen Überwelt", das Leitwort, das über dem dritten Teil des Hauptwerks steht, die Wahrnehmungsorgane für die *apokalyptische* Dimension der Weltgeschichte verbrannt? Besonders darauf hat Gershom Scholem schon im Jahre 1932, anläßlich der Neuauflage des „Stern der Erlösung", hingewiesen, wenn er sagt:

„Die Apokalyptik, die als ein ohne Zweifel anarchisches Element für Lüftung im Hause des Judentums gesorgt hat, die Erkenntnis von der Katastrophalität aller historischen Ordnung in einer unerlösten Welt, hat hier in einem tief im Ordnung besorgten Denken eine Metamorphose durchgemacht, in der

---

[20] Von jüdischer Seite hat *S. Talmon* dazu in folgender Weise (in: Offenbarung im Denken von Franz Rosenzweig [Essen 1979] 136) Stellung bezogen: „Mit seiner Darstellung des Judentums als einer in sich ruhenden Gemeinde, allem zeitlichen Geschehen entrückt, formulierte Rosenzweig eine ausgesprochene Exils-Ideologie. Für das gebildete, assimilierte deutsch-jüdische Bürgertum seiner Zeit mochte eine solche als die angemessenste, wenn auch nicht als die ausschließliche Möglichkeit jüdischen Selbstverständnisses erscheinen; aber bei unvoreingenommener Prüfung etwa der biblischen und der aktiv-messianischen nachbiblischen jüdischen Zeugnisse hätte er festgestellt, daß dies keineswegs zu aller Zeit die vorherrschende Tendenz war."

die zerstörende Macht der Erlösung nur mehr als Unruhe in das Uhrwerk des Lebens im Licht der Offenbarung eingebaut erscheint. Denn daß der Erlösung nicht nur eine befreiende, sondern auch eine zerstörende Gewalt innewohnt – eine Wahrheit, der nur allzu viele Theologen des Judentums sehr ungern sich eröffnen und der auszuweichen eine ganze Literatur sich plagt –, konnte freilich einem Denker vom Rang Rosenzweigs niemals verborgen bleiben; so suchte er sie wenigstens in einer höheren Ordnung der Wahrheit aufzuheben. Wenn der Blitz der Erlösung das Weltall des Judentums steuert, so ist hier das Leben des Juden der Blitzableiter, der seine zerstörende Gewalt zu brechen bestimmt ist."[21]

Fragen, wie die vorhin gestellten, erheben sich beim Studium des „Stern" im Nachdenkenden. Aber sie einfach zu bejahen, also in Rosenzweig durchgehend einen Anwalt einer landlosen Exilstheologie zu sehen, ist nicht möglich. Daß es sich so verhält, geht aus einigen Briefen an Benno Jacob vom Mai 1927 hervor, deren Gegenstand das Zionismus-Problem und die messianische Zukunft im Glauben des Judentums ist. Sie beweisen, daß Rosenzweig in seinen letzten Lebensjahren ein ausgeprägtes Bewußtsein für die *messianische* Bedeutung des Landes der Erzväter seines Glaubens hat und inwiefern das moderne Palästina nach seiner Überzeugung davon nicht abzulösen ist, wie schwierig es auch sein mag, seine religiöse Bestimmung in der konkreten Politik durchzuhalten. So schreibt er am 10. Mai 1927:

„Jerusalem als messianisches Symbol? Wenn ein Symbol mehr sein soll als ein willkürliches Anhängsel, muß es ja irgendwo und irgendwie ganz unsymbolische Wirklichkeit sein. Auch nach meinen Erfahrungen macht die Luft von Palästina nicht weise. Aber ich glaube, meine Frankfurter Weisheit wäre doch nicht ohne das Land Israel, und nicht nur ohne das einstige, sondern auch nicht ohne das zukünftige, das, das immer noch eine Zukunft hat. Also nicht ohne das Vergangenheit und Zukunft verbindende, das gegenwärtige. Warm ist es nicht bloß, wo die Sonne hinscheint – das ist der Aberglaube des Zionisten –, sondern überall wo ich einen guten Ofen habe. Aber Kohle und Holz, die mich heute wärmen, wären nicht gewachsen und würden mich nicht wärmen, wenn nicht die Sonne – nicht bloß gewesen wäre, sondern auch wäre. Die wirkliche Sonne, nicht bloß ein noch so schön gemaltes Symbol."[22]

[21] Vgl. *G. Scholem* (Anm. 1) I, 232–233.
[22] Vgl. Briefe und Tagebücher II (Anm. 6) 1141.

Und wenige Tage später heißt es in einem Brief an denselben Adressaten:

„Wie ich mir die messianische Zukunft denke, kann ich nicht so genau sagen. Das ist aber kein Gegenbeweis. Wenn es so weit ist, wird sich das Einzelne finden. Ich bin nicht naiv genug, um mir den Eintritt des Völker- und Gruppenfriedens ohne eine radikale, von heute aus gesehen wunderbare, Umschaffung der menschlichen Natur vorstellen zu können. Daß ich den Glauben an eine solche Zukunft habe, verdanke ich dem Siddur und Machsor. Ich kann Zion aus diesem Glauben nicht ausschneiden. Ein wie großes, wie jüdisches, wie ‚modernes' Palästina drum herum liegt, weiß ich nicht. Daß aber das Drumherum dieses – ja nicht himmlischen, sondern messianischen, also irdischen – Jerusalem vorhanden und im Sinn der Zeit dann auch ‚modern' sein wird, wahrscheinlich wenigstens, das wird mich dann sicher nicht stören."[23]

Im Schlußteil seines Hauptwerkes entwickelt Franz Rosenzweig erste Ansätze für eine *jüdische Theologie des Christentums*, die, obzwar sie mehr negativ abgrenzend als positiv aufweisend sind, in ihrer Bedeutung für den jüdisch-christlichen Dialog immer noch zu wenig erkannt sind. Sein Offenbarungsdenken weitet sich gerade in diesem Abschnitt des „Stern" in die *ökumenisch-eschatologische* Dimension des Glaubens aus. Die Strenge und Klarheit im Blick auf die Unterscheidung des jüdischen und christlichen Glaubensweges durch die Geschichte lassen ihn gleichwohl die *prophetische Einheit der Schrift* nicht aus den Augen verlieren. Im Gegenteil, was Rosenzweig schon im Jahre 1914 in einer Tagebuchaufzeichnung ausspricht, erhält jetzt, systematischer ausgeführt und kommentiert, seine volle Bestätigung. Damals schrieb er:

„Das Judentum hat seine Einheit von Natur aus im Blut, d. h. hinter sich, in der Idee durch die prophetische Offenbarung, d. h. vor sich. Das Christentum dagegen ist Kirche nur durch die aus der Person Jesu entspringende Entwicklung, d. h., es muß seine Offenbarung *hinter* sich haben, *weil* es keine natürliche, sondern erst eine durch die Offenbarung gestiftete Gemeinschaft ist.

‚Jesus Christus' und ‚die Tage des Messias', Neues Testament und Talmud, sind wirklich die beiden Äste der einen gemeinsamen prophetischen Offenbarung."[24]

---

[23] Ebd., 1145. *Siddur* ist die Bezeichnung für das täglich gebrauchte Gebetbuch im Gegensatz zum *Machsor*, dem Festtagsgebetbuch.
[24] Briefe und Tagebücher I (Anm. 6) 158.

Wie sieht nun Rosenzweig genauer die Bestimmung des Christentums in der Welt gegenüber dem Judentum? Beide Religionen stehen für ihn mit ihrer je eigenen, nicht austauschbaren Sendung innerhalb des tragenden Sinn- und Wahrheitsgefüges von Schöpfung – Offenbarung – Erlösung. Die Christen werden gemäß dem Missionsauftrag Jesu (Mt 28,19–20) in die Welt des Heidentums hinausgesandt, um seine Reichtümer in der Heilsbotschaft Christi zu bergen. Dabei gerät das Christentum nach Rosenzweig in eine dreifache Gefahr: „Daß der Geist in alle Wege leitet und nicht Gott, daß der Menschensohn die Wahrheit sei und nicht Gott, daß Gottes Alles in allem sein werde und nicht Einer über Allem..." Der missionarische Ausdehnungswille des Christentums ist durch seinen Stifter legitimiert. Er entspricht, auf seinen alttestamentlichen Hintergrund befragt der universalen Heilsabsicht Gottes, wie sie in der Prophetie Israels in messianisch-eschatologischer Grundtendenz ausgesprochen ist. Aber abgesehen davon, daß auch die christliche Erlösungsbotschaft umstritten bleibt (Lk 2,34; 18,8)[25], so entsteht durch ihre weltumspannende Ausbreitung die Gefahr eines Macht- und Besitzanspruches, welche die messianische Hoffnungskraft des biblischen Glaubens gefährlich schwächt. Diesem äußerst wunden Punkt der Kirchengeschichte setzt Rosenzweig als Korrektiv den „Rest Israels, die Treugebliebenen", gegenüber:

„Die jüdische Geschichte ist, aller weltlichen Geschichte zum Trotz, Geschichte dieses Rests, von dem immer das Wort des Propheten gilt, daß er ‚bleiben wird'. Alle weltliche Geschichte handelt von Ausdehnung. Macht ist deswegen der Grundbegriff der Geschichte, weil im Christentum die Offenbarung begonnen hat, sich über die Welt zu verbreiten, und so aller, auch der bewußt nur rein weltliche Ausdehnungswille zum bewußtlosen Diener dieser großen Ausdehnungsbewegung geworden ist. Das Judentum und sonst nichts auf der Welt erhält sich durch Subtraktion, durch Verengung, durch Bildung immer neuer Reste. Das gilt ganz äußerlich schon gegenüber dem ständigen äußeren Abfall. Es gilt aber auch innerhalb des Judentums selbst. Es scheidet immer wieder Unjüdisches von sich ab, um immer wieder neue Reste von Urjüdischem in sich hervorzustellen."[26]

---

[25] K. Wojtyła, Zeichen des Widerspruchs. Besinnung auf Christus (Freiburg i. Br. 1979).

[26] Vgl. Der Stern der Erlösung (Anm. 11) 450.

Wie verhält sich zu diesem prophetischen Rest und seiner Bestimmung die christliche Lehre von den Letzten Dingen? In der Antwort auf diese große Glaubensfrage zitiert Franz Rosenzweig, wie er das schon in seinem berühmt gewordenen Brief an Rudolf Ehrenberg am 1. November 1913 getan hatte, 1 Kor 15,28, indem er die Einflußlosigkeit dieser neutestamentlichen Aussage für die christlich bestimmte Zeiterfahrung kritisiert. „Der Sohn, so lehrt es der erste Theolog des neuen Glaubens", heißt es im Hauptwerk, „wird einst, wenn ihm alles untergetan sein wird, seine Herrschaft dem Vater übergeben, und dann wird Gott sein Alles in Allem. Aber man sieht gleich: das ist ein Theologumen. Es ist für die christliche Frömmigkeit bedeutungslos, es schildert eine weit entfernte Zukunft, es handelt von den letzten Dingen, indem es ihnen ausdrücklich allen Einfluß auf die Zeit nimmt, denn noch und in aller Zeit gehört die Herrschaft dem Sohn und ist Gott nicht Alles in Allem; es schildert eine durchaus jenseitige Ewigkeit… Es war zwar ein Gedanke, daß der Menschensohn einmal seine Herrschaft abgeben würde, aber das ändert nichts daran, daß er in der Zeit vergöttert wurde."[27]

Nach Rosenzweig steht 1 Kor 15,28 „unverbunden" neben anderen Glaubenswahrheiten. Die prophetische Ankündigung des Apostels Paulus, daß dereinst der Gottessohn seine Herrschaft an den Vater zurückgeben werde, auf daß Gott sei Alles in Allem, spiele im christlichen Glauben nur die Rolle eines jenseitigen Randbewußtseins, anstatt den Zusammenhang von Schöpfung, Offenbarung, Erlösung im Ganzen zu durchdringen. Dieses mächtige Verheißungswort, in dem die *Vorläufigkeit* der biblischen Offenbarungsreligionen eingeschlossen ist, muß in seiner geschichts- und kirchenkritischen Bedeutung erst noch entdeckt werden.

Rosenzweig spürt im christlichen Glauben unnachgiebig jene schwache Stelle auf, von der aus sein Erlösungsanspruch *zwischen* das „Schon" und „Noch nicht", *zwischen* die Zeit des schon *gekommenen* Erlösers und des *wiederkommenden* gesetzt ist. Sind Judentum und Christentum vor allem durch diese Aufspaltung der Zeit entzweit? Ist die Zeit als parusiale Zwischenzeit im Sinne des christlichen Glaubens und die Zeit als messianische Hoffnungsspanne im jüdischen Ver-

---

[27] Ebd., 458.

ständnis wirklich nicht miteinander vergleichbar[28]? Nach Rosenzweig jedenfalls zwingt das Dasein des Juden „dem Christentum in alle Zeit den Gedanken auf, daß es nicht bis ans Ziel, nicht zur Wahrheit kommt, sondern stets – auf dem Weg bleibt"! Dafür steht nun im Christentum selbst die Gegenwart des „Alten" Testaments ein, zu dem das glaubende Judentum bis zur Stunde der gelebte Kommentar ist. Es ehrt die Kirche, daß sie im Kampf gegen die Gnosis diesen Felsgrund ihres eigenen Glaubens, Mose und die Propheten, nicht aufgegeben hat. Rosenzweig ist sich dieser Tatsache durchaus bewußt und versteht, „wenn Paulus die Juden bleiben läßt bis zum Ende, bis ‚die Fülle der Völker eingegangen ist', eben bis zu jenem Augenblick, wo der Sohn die Herrschaft dem Vater zurückgibt"[29].

Die durch viele Jahrhunderte siegreiche Kirche entdeckt erst im zwanzigsten Jahrhundert, daß sie selbst wieder zur Minorität in einem weltweiten Säkularisierungsprozeß und angesichts der fortbestehenden Pluralität der Weltreligionen wird. So nimmt sie notgedrungen, auf den Kerngehalt ihrer Botschaft zurückgeworfen, wieder wahr, daß sie an der Seite des glaubenden Judentums als pilgerndes Gottesvolk *unterwegs* ist zu dem, *der kommt*[30]. Auch die Christen erkennen heute schärfer und herausfordernder als in früheren Zeiten mit der noch ausstehenden, aber unwiderruflich verheißenen, eschatologischen Vollendung aller Dinge auch die Last dieser Verheißung, denn sie ist und bleibt umstritten. Sie entzieht sich der wissenschaftlichen Beweisbarkeit, und sie widersteht der theologischen Absicherung innerhalb eines dogmatischen Systems. Vor allem aber bleibt die biblische Verheißung eines neuen Himmels und einer neuen Erde dem gewaltigen Leidensdruck der Menschheit und der weiterwirkenden Macht des Bösen ausgesetzt. Von diesen Erfahrungen her nähern sich heute die Christen wieder der *jüdischen* Wurzel ihres Glaubens (Röm 9,4; 11,18). Manche Zeichen sprechen dafür, daß nach der Judenerklärung des Zweiten Vatikanums und im Blick auf den christlich-jüdischen Dialog, wie er

---

[28] Vgl. dazu: *P. Schütz*, Freiheit – Hoffnung – Prophetie. Von der Gegenwärtigkeit des Zukünftigen, Werkausgabe Bd. 3 (Hamburg 1963).

[29] Vgl. Der Stern der Erlösung (Anm. 11) 461–462.

[30] Zum jüdisch-christlichen Gespräch über diese Glaubenserfahrung: *C. Thoma* (Hrsg.), Zukunft in der Gegenwart. Wegweisungen in Judentum und Christentum (Bern u. Frankfurt a. M. 1976); ferner *R. Schnackenburg* (Hrsg.), Zukunft. Zur Eschatologie bei Juden und Christen (Düsseldorf 1980).

vom Weltrat der Kirchen in Genf geführt wird, Rosenzweigs These von der „in aller Zeit von Gott gesetzten Feindschaft zwischen Juden und Christen" hinfällig ist[31]. Wohl aber ist ihm fünfzig Jahre nach seinem Tode uneingeschränkt zuzustimmen, wenn er Juden und Christen „aufs engste wechselseitig aneinander gebunden" sieht.

Die immerwährende Voraussetzung nicht nur für diese widerspruchsvolle Zusammengehörigkeit von Juden und Christen, sondern die natürliche Lebensbedingung der Menschheit überhaupt, ist die nichtmenschliche Schöpfung. Rosenzweig wird nicht müde, uns das Geheimnis ihrer täglichen Erneuerung durch die Schöpfergüte Gottes in Erinnerung zu rufen. Gott, der „im Anfang schuf", hat sich nicht aus der Schöpfung zurückgezogen, so als ob es eine in sich stehende, sich selbst überlassene Natur geben könnte, *nachdem* sie einmal geschaffen wurde. „Daß Gott schuf", so heißt es im „Stern der Erlösung", „dies vorbedeutungsschwerste erste Wort der Schrift verliert seine Kraft nicht, bis alles erfüllt ist. Nicht vorher ruft Gott dies erste Wort, das von ihm ausging, wieder in seinen Schoß zurück."[32]

III

Franz Rosenzweig hat in seinen letzten Lebensjahren, von einer unheilbaren Krankheit gezeichnet, einige Beiträge verfaßt, die nicht nur für die Kontinuität seines Denkens sprechen, sondern mit nicht nachlassender begrifflicher Unterscheidungskraft Konturen einer existentiellen Phänomenologie des Offenbarungsglaubens entwerfen, die in einigen Punkten über den „Stern der Erlösung" hinausgehen. Wir können von einem Erkenntnisprozeß sprechen, der in seiner *sprachtheologischen* Bedeutung bisher noch nicht voll gewürdigt wurde.

---

[31] Vgl. Der Stern der Erlösung (Anm. 11) 462; vgl. *W. Strolz* (Hrsg.), Jüdische Hoffnungskraft und christlicher Glaube (Freiburg i. Br. 1971; ferner *M. Brocke – J. J. Petuchowski – W. Strolz* (Hrsg.), Das Vaterunser. Gemeinsames im Beten von Juden und Christen. Schriftenreihe zur großen Ökumene, Bd. 1 (Freiburg i. Br. 1974); *C. Thoma*, Christliche Theologie des Judentums (Aschaffenburg 1978); *F. Mußner*, Traktat über die Juden (München 1979); *R. Rendtorff – E. Stegemann* (Hrsg.), Auschwitz. Krise der christlichen Theologie (München 1980).
[32] Vgl. Der Stern der Erlösung (Anm. 11) 463–464.

Rosenzweig interpretiert im Lichtschein des Offenbarungswortes das Verhältnis von Wort und Geschichte mit einem Einfühlungsvermögen und aus einer Lebenserfahrung, daß es einem bewußt wird, in welche Glaubenstiefe das Wort des Psalmisten (18, 31–32) reicht:

"Das Wort des Herrn ist im Feuer geläutert.
Ein Schild ist er für alle, die sich bei ihm bergen.
Denn wer ist Gott als allein der Herr,
Wer ein Fels, wenn nicht unser Gott!"

Dafür sprechen in erster Linie die Anmerkungen zu seiner Übersetzung einer Auswahl von Hymnen und Gedichten des *Jehuda Halevi* (1080–1145). Sie enthalten im Kern eine biblisch inspirierte Sprachtheologie aus jüdischer Glaubenserfahrung. Er versteht diese Anmerkungen als "Beispiele praktischer Anwendung des neuen Denkens", wie es durch das Hauptwerk inauguriert wurde. Das Urwort zwischen Gott und Mensch auf dem Pilgerweg des Menschen durch die Geschichte heißt *Treue*. Gottes geoffenbarter Treue antwortet das Vertrauen des Menschen. Was in deutscher Sprache zur Auslegung dieses Geschehens als eines geschichtlich-dialogischen im jeweiligen Heute des in seiner Hoffnung angefochtenen Menschseins zu sagen möglich ist, kann man bei Rosenzweig, wie bei wenigen sonst im zwanzigsten Jahrhundert, lernen. Ein Beispiel für die lebendige Schriftgemäßheit seiner Interpretationskunst ist der Kommentar zu Halevis Gedicht "Das All". Der Dichter nimmt die *Wirklichkeit der Götter,* anknüpfend an Dtn 10,17 ernst, und Rosenzweig schreibt dazu:

"Für ihn sind die Götter wirklich, und Gott ,nur' wirklicher. Und daß dies die Wahrheit ist, wird uns heute verhüllt durch den Wahn, der ,Monotheismus' sei eine Selbstverständlichkeit. Der ,Monotheismus' vielleicht. Der Glaube an den Einen nicht. Diesem Glauben widersetzt sich vielmehr die Erfahrung des Lebens, die uns alle zwingen möchte, an vielerlei Mächte zu glauben. Die Namen wechseln, das Vielerlei bleibt. Kultur und Zivilisation, Volk und Staat, Nation und Rasse, Kunst und Wissenschaft, Wirtschaft und Klasse, Ethos und Religiosität – das ist eine, sicher nicht vollständige, Übersicht des Pantheons von heute. Wer wird die Wirklichkeit dieser Mächte leugnen? Aber nie hat ein ,Heide' seinen Göttern anders und gläubiger und opferbereiter gedient als wir Menschen von heute jenen. Und begegnet uns der Eine, so ist auch heute der Kampf mit den Vielen unvermeidlich und sein Ausgang, freilich nur soweit es uns anbetrifft, ungewiß."[33]

An einer anderen Stelle des Halewi-Kommentars, die dem Gedicht „Heilig" gilt, tritt ein für das Offenbarungsdenken Rosenzweigs entscheidender Gedanke hervor. War schon für den Verfasser des „Stern der Erlösung" der Begriff einer „abgeschlossenen Offenbarung" unbrauchbar, weil es unmöglich ist, mittels seiner das Verhältnis von Offenbarung und Tradition biblisch wesensgemäß zu bestimmen, so kommt die jetzt getroffene Unterscheidung noch näher an das Geheimnis der *Gegenwärtigkeit* der Offenbarung heran:

„Gott ist nicht bloß der, der war. Er ist nicht bloß Grund, tragender, der Welt und des Menschen; ja dies ist ein leerer Glaube, ein bloßes ,Zugeben', wenn es der Erfahrung der lebendigen Gegenwart ermangelt, ja nicht gradezu aus ihr stammt. Ohne den Gott, der gewaltig wirkend in den Tag unsres gegenwärtigen Lebens eingreift, wird der Leise und Unhörbare, der die Welt und unser Herz, die er schuf, erhält, zum Märchen, schlimmer: zum Dogma. Es ist der Heilige, der sich selbst besondert und überall Besonderung, Unerhörtes, Erwählung, Heiligkeit setzt. Ohne diese offenbaren Wunder des heutigen Tags wären die verborgenen Wunder jeden Tags unsichtbar, mindestens als Wunder unsichtbar. Erst die Offenbarung des Besonderen lehrt uns, auch im ,Natürlichen' den Schöpfer zu ehren; erst die Schauer der Heiligkeit heiligen auch den Alltag des Profanen."[34]

Schließlich sei noch eine dritte Stelle zitiert, die sich unmittelbar auf die Offenbarung und die menschliche Antwort darauf bezieht. Rosenzweig interpretiert das Gedicht „Hier bin ich". Seiner Aussage gemäß gibt es Sendung und Auftrag des von Gott Angerufenen nicht ohne Leidenserfahrung. Die Betroffenheit durch sie darf aber nach Rosenzweig nicht und nie lehrhaft fixiert werden, weil solche Festlegung eines möglichen Leidenssinnes zutiefst der Freiheit und Würde des Menschen widerspricht. Die folgenden Schlußsätze des Kommentars lassen sich wie eine Auslegung der Rechtfertigung Ijobs durch Gott gegenüber seinen nur dogmatisch argumentierenden Freunden (42, 7–9) verstehen:

---

[33] Vgl. *F. Rosenzweig*, Jehuda Halevi. Zweiundneunzig Hymnen und Gedichte, mit einem Nachwort und mit Anmerkungen (Berlin o. J.) 185.
[34] Ebd., 193.

„Das menschliche Herz hat das unveräußerliche Recht, die große Wahrheit der Offenbarung, daß das Leiden ein Geschenk Gottes ist, wenn sie, wie immer wieder geschieht, zum theologischen Schema wird, immer wieder zu leugnen und gegen sie den alten Urstand der Natur wiederherzustellen, für den das Leiden Leiden ist und nichts andres. Gott antwortet nur dem Wort, das aus der Tiefe aller menschlichen Kräfte, der anerschaffnen wie der erweckten, aufsteigt."[35]

Rosenzweig stellt sich im letzten Abschnitt seines Halevi-Kommentars der Frage nach der messianischen Botschaft des Judentums anhand der *Zionslieder* seines Dichters. Er läßt sich damit, nachdem er es im „Stern der Erlösung" und in Briefen schon getan hatte, noch einmal auf eine Thematik ein, die für den jüdischen Offenbarungsglauben von zentraler Bedeutung ist. In der messianischen Hoffnung nämlich erweist sich seine Unabgeschlossenheit, seine zukunftsoffene Grundrichtung im bleibenden Widerspruch zur *christlichen* Messiasgewißheit am stärksten.

Rosenzweig ist schmerzlich bewußt, in welche Existenzerprobung der Messianismus das Judentum stellt, welches schwankende Zeitverständnis gerade diese Idee auslöst, wie zweideutig die von ihr inspirierte Erwartung sein kann. Die oft tragische Verflechtung von Erlösungssehnsucht und Irrtum innerhalb der geschichtlichen Überlieferung des messianischen Bewußtseins, das unter den Religionen der Menschheit beispiellose Gespanntsein auf die messianische Wende der Geschichte in der „brennenden Landschaft der Erlösung" (G. Scholem), ohne daß durch ihr mögliches Eintreten die Differenz zwischen messianischem Zeitalter und kommender Welt beseitigt würde, die Not und Glut verzweifelten Weiterhoffens nach der Entlarvung eines falschen Messias, nach dem Zusammenbruch der errechneten Heilstermine – Vorgänge dieser Art stehen Rosenzweig vor Augen, wenn er mit schonungslosem Realismus beschreibt, wie die Hoffnung auf den Anbruch der messianischen Zeit jüdische Existenz als *gefahrvoll* gerade *durch* ihre geschichtliche Wirksamkeit kennzeichnet.

„... die Erwartung des Messias, von der und um derentwillen das Judentum lebt, wäre ein leeres Theologumen, eine bloße ‚Idee', ein Geschwätz – wenn

---

[35] Ebd., 196.

sie sich nicht immer wieder verwirklichte und entwirklichte, täuschte und enttäuschte an der Gestalt des ‚falschen Messias‘. Der falsche Messias ist so alt wie die Hoffnung des echten. Er ist die wechselnde Form dieser bleibenden Hoffnung. Jedes jüdische Geschlecht teilt sich durch ihn in die, welche die Glaubenskraft haben, sich täuschen zu lassen, und die, welche die Hoffnungskraft haben, sich nicht täuschen zu lassen. Jene sind die Besseren, diese die Stärkeren. Jene bluten als Opfer auf dem Altar der Ewigkeit des Volks, diese dienen als Priester vor diesem Altar. Bis es einmal umgekehrt sein wird und der Glaube der Gläubigen zur Wahrheit, die Hoffnung der Hoffenden zur Lüge wird. Dann – und niemand weiß, ob dies ‚Dann‘ nicht noch heute eintreten wird – dann ist die Aufgabe der Hoffenden zu Ende, und wer dann, wenn der Morgen dieses Heute angebrochen ist, noch zu den Hoffenden und nicht zu den Glaubenden gehört, der läuft Gefahr, verworfen zu werden. Diese Gefahr hängt über dem scheinbar gefahrloseren Leben des Hoffenden."[36]

Christlicher Glaube ist, obwohl er in seiner bisherigen Geschichte kraft seiner in Jesus Christus verkörperten Messiasgewißheit (Joh 1,14) nicht von enttäuschten Messiaserwartungen im jüdischen Verständnis betroffen ist, doch nicht grundsätzlich und für immer der Gefahrenzone entronnen, in der die Hoffnung auf Erlösung an einen Pseudomessias verschwendet werden könnte. Die Heilsbotschaft vom *wiederkommenden* Christus, die vom *schon* gekommenen Messias Jesus verkündet wird (Mt 24,29–31), ist nach seiner die geschichtliche Drangsal der *Endzeit* betreffenden Rede der Bedrohung, der möglichen Verwirrung durch das Auftreten eines falschen Messias ausgesetzt. Von jenen Tagen heißt es bei Matthäus (24,23–24):

„Wenn dann jemand zu euch sagt: Seht, hier ist der Messias!, oder: Da ist er!, so glaubt es nicht! Denn es wird mancher falsche Messias und mancher falsche Prophet auftreten, und sie werden große Zeichen und Wunder tun, um, wenn möglich, auch die Auserwählten irrezuführen."

Demzufolge sind Juden und Christen in ihrem Glauben auch darin verbunden, daß sie nur durch ständige Wachsamkeit und prophetische Unterscheidungskraft den Versuchungen standhalten können, die von Scheinerlösern ausgehen. Daß diese solidarische Verflechtung im Horizont der messianisch-eschatologischen Verheißung bisher im christlichen Denken selten wahrgenommen wurde, hängt damit zu-

---

[36] Ebd., 239.

sammen, daß Substanzmetaphysik und Transzendentalphilosophie den Zugang zur *ursprünglichen christlichen Zeiterfahrung* versperrt haben. Die radikale Unverfügbarkeit der Zeit, ihre eschatologische Offenheit, das Harren auf ein urplötzlich einbrechendes Ereignis gehören ebenso zu ihren Kennzeichen wie die rätselhafte Verheißung bei Mt 24,22, daß, wenn die endzeitliche Not um der Auserwählten willen nicht verkürzt würde, kein Mensch gerettet würde.

Die Antwort auf die Frage nach dem *Zeitverständnis* der messianischen Hoffnung zwingt christliche Verkündigung und Theologie, die traditionelle Unterscheidung der Schrift in ein „Altes" und in ein „Neues" Testament in die umfassendere Perspektive prophetischer Zeiterfahrung aufzuheben (Jes 41,4; 44,6; Offb 1,8; 2,8).

Nach der Übersetzung und Kommentierung der Dichtungen Jehuda Halevis vergegenwärtigt sich Franz Rosenzweig im Jahre 1925 noch einmal das mit dem „Stern der Erlösung" heraufgeführte „neue Denken". Dieser Beitrag enthält einige Bestimmungen, die das geschichtlich-dialogische Offenbarungsverständnis gegenüber dem metaphysischen, zeitlosen Substanzdenken erhärten. Dazu gehört in erster Linie ein Wahrheitsbegriff, der vom Ernstnehmen der Zeit geprägt ist, der Zeit, an der vorbei oder über die hinweg sich dem Menschen Wahrheit nicht zuspricht. Dieser zeitlich-geschichtliche Wahrheitsweg des Menschen kennt keine Rückzugsmöglichkeit mehr in die spekulative Dimension der nur seienden Wahrheit, für die niemand selbst einzustehen braucht. Auf dem Hintergrund biblischer Geschichtserfahrung dringt Rosenzweig zum „Begriff der Bewährung der Wahrheit" vor. Von ihm allein aus ist jenes Urverhältnis nachzuvollziehen, in das der Mensch gestellt ist, indem er, angerufen vom Offenbarungswort, diesem vertrauend und hoffend antwortet:

„Wahrheit hört so auf, zu sein, was wahr ,ist', und wird das, was als wahr – bewährt werden will. Der Begriff der Bewährung der Wahrheit wird zum Grundbegriff dieser neuen Erkenntnistheorie, die an die Stelle der Widerspruchslosigkeits- und Gegenstandstheorien der alten tritt und an Stelle des statischen Objektivitätsbegriffs jener einen dynamischen einführt..."[37]

---

[37] Vgl. *F. Rosenzweig* (Anm. 5) 395.

Rosenzweig bildet so durch die phänomenologische Strenge, mit der er die Denkweise des Glaubens und seiner Sprache im Unterschied zur spekulativ-philosophischen Gotteserkenntnis analysiert, den Begriff einer „messianischen Erkenntnistheorie". Wer die folgenden Sätze liest, darf gerade als Christ nie vergessen, welche jahrtausendelange Leidensgeschichte der Juden hinter ihnen steht:

„Von jenen unwichtigsten Wahrheiten des Schlages ‚zwei mal zwei ist vier‘, in denen die Menschen leicht übereinstimmen, ohne einen andern Aufwand als ein bißchen Gehirnschmalz – beim kleinen Einmaleins etwas weniger, bei der Relativitätstheorie etwas mehr –, führt der Weg über die Wahrheiten, die sich der Mensch etwas kosten läßt, hin zu denen, die er nicht anders bewähren kann als mit dem Opfer seines Lebens, und schließlich zu denen, deren Wahrheit erst der Lebenseinsatz aller Geschlechter bewähren kann." [38]

Was Offenbarungsglaube und das ihm entsprechende Denken ist, hat Rosenzweig in seinen letzten Lebensjahren mit unverminderter Denkkraft, aus philologischer Treue und existentiellem Aneignungsvermögen, herausgestellt. Er wird bis zuletzt aus „dem Kampf des Philologen für den Sprachgeist gegen die Philosophie und ihre Geistsprache" [39] nicht entlassen. Im Zentrum dieser Bemühungen steht die Frage der *Übersetzung* der berühmten Exodus-Stelle 3,14 *aus hebräischem Sprachgeist* in der Erkenntnis, daß es sich hier um den biblischen Offenbarungskern handelt. In einem Brief an Martin Goldner vom 23. Juni 1927 bezieht sich Rosenzweig unmittelbar auf das Ereignis der Namensoffenbarung Gottes aus dem brennenden Dornbusch gegenüber Mose. Rosenzweig lehnt die *platonisierenden* Übersetzungen der Stelle der Selbstbenennung Gottes mit „das Sein", der „Seiende", der „Ewige" ab, weil solche Begriffe aus der metaphysischen Denküberlieferung des Abendlandes dem biblischen Text nicht gemäß sind:

„Die Selbstbenennung Gottes wächst unmittelbar hervor aus der vorausgehenden Stelle Seite 14, Kolon 18. Gott nennt sich nicht den Seienden, sondern den Daseienden, den dir Daseienden, dir zur Stelle Seienden, dir Gegenwärtigen, bei dir Anwesenden oder vielmehr zu dir Kommenden, dir Helfenden." [40]

---

[38] Ebd., 396.
[39] Vgl. Briefe und Tagebücher II (Anm. 6) 1151.
[40] Ebd., 1161.

Rosenzweig ist sich gleichwohl bewußt, daß philosophische Gotteserkenntnis, wenn sie von Gott als dem „Ewigen" spricht, durchaus
an eine menschliche Urerfahrung rührt, nur fällt diese in der biblischen
Offenbarung mit der Ineinssetzung des Gottes Abrahams als eines
Gottes der geschichtlichen Benennung zusammen:

> „Nur weil dieser dir gegenwärtig Werdende dir immer gegenwärtig werden
> wird, wenn du ihn brauchst und rufst – ich *werde* dasein –, nur deshalb ist
> er dann unserm Nachdenken, Nach-denken, freilich auch der Immerseiende,
> der Absolute, der Ewige, losgelöst dann von meiner Bedürftigkeit und meinem
> Augenblick, aber doch nur loszulösen, weil jeder zukünftige Augenblick eines
> jeden an der Stelle dieses meines jetzigen stehen könnte. Diese Ewigkeit wird
> also nur sichtbar an einem, an meinem Jetzt, dieses ‚absolute Sein' nur an mei-
> nem präsenten Dasein, jenes ‚Reine' nur am Unreinsten."[41]

Diese Thematik wird von Rosenzweig ausdrücklich in seinem letzten Lebensjahr (1929) noch einmal aufgenommen, und zwar in dem
Beitrag: „Der Ewige – Mendelssohn und der Gottesname". Wieder
betont er im Blick auf Ex 3,14, daß „aus dem erzählerischen Zusammenhang nur eine Übersetzung gerechtfertigt ist, die nicht das Ewig-
sein in den Vordergrund rückt, sondern das Gegenwärtigsein, das Für-
euch- und Bei-euch-dasein und -dasein-werden". Die traditionelle
Übersetzung der Selbstbenennung Gottes in seiner Namensoffenbarung gegenüber Mose durch den metaphysischen Grundsatz: „Ich
bin, der ich bin" ist also nicht haltbar. Sie widerspricht, wie Rosenzweig ja schon in dem oben zitierten Brief betonte, dem Sprachgeist
des Hebräischen und konnte sich nur durch den Einfluß platonisch-
aristotelischen Denkens auf jüdische und christliche Philosophie
und Theologie der nachbiblischen Epochen bilden. Demzufolge ist die
zentrale Stelle Ex 3,14 so zu übersetzen:

> „Gott aber sprach zu Mose:
> Ich werde dasein, als der ich dasein werde.
> Und sprach:
> So sollst du zu den Söhnen Israels sprechen:
> ICH BIN DA schickt mich zu euch."[42]

---

[41] Ebd.
[42] Der Text der neuen Einheitsübersetzung der Heiligen Schrift (Stuttgart 1980) entspricht mit der Wiedergabe von Ex 3,14 durch: „Da antwortete Gott dem Mose: Ich
bin der ‚Ich-bin-da'" dem ursprünglichen Sinn.

Wenn Gott sich in seiner Namensoffenbarung nur als „der Seiende" geoffenbart hätte, der Seiende, der als der alles bewegende, unbewegte Beweger sprachlos und unansprechbar über Zeit und Geschichte thront, dann hätte die Erkenntnis des Namens nie „als großes umwälzendes Ereignis, ja als das große umwälzende Ereignis, die Wende der Weltgeschichte, gefaßt"[43] werden können, als das es in der jüdischen und christlichen Glaubensgeschichte erscheint.

Wenige Wochen vor seinem Tode, im November 1929, nimmt Franz Rosenzweig, angestoßen durch einen Artikel im zweiten Band der „Endcyclopaedia Judaica", zum *Anthropomorphismus-Problem* Stellung. Seine Kritik entzündet sich an der Herabsetzung der anthropomorphistischen Redeweise hinsichtlich der religiösen Erfahrung im Allgemeinen. Der Artikel hält diese Sprachform, gemessen an der „absoluten Geistigkeit Gottes", für unzulänglich und billigt ihr nur eine beschränkte Gültigkeit zu. Wie aber, so fragt Rosenzweig, wenn diese Ansicht schon rein erkenntnistheoretisch zurückgewiesen werden müßte, weil sie vom fragwürdigen Primat des Geistes gegenüber der Sprache, überhaupt von einem völlig ungeklärten Verhältnis von Geist und Sprache, Denken und Sein, Erfahrung und Reflexion ausgeht? Kann man sich dem durch den Offenbarungsglauben gegebenen, schwerwiegenden Problem des Anthropomorphismus einfach dadurch entziehen, daß man sagt, der Mensch forme sich Gott nach seinem Bild? Ist es gemäß dem Bibelwort nicht vielmehr umgekehrt? Dann wären nämlich die Anthropomorphismen der Bibel in Wahrheit „Theomorphismen"[44]. Was bedeutet diese Erkenntnis für den Offen-

---

[43] Vgl. Kleinere Schriften (Anm. 5) 195.
[44] Rosenzweig erkennt also, daß die *Anthropomorphismen* der Bibel in ihrem Wahrheitsgehalt nicht getroffen sind, wenn man sie rein anthropologisch-psychologisch deutet. Sie haben vielmehr *als* Erfahrung des in der Geschichte, im menschlichen Dasein handelnden Gottes *ontologischen* Rang. Die *philosophische* Kritik der anthropomorphistischen Redeweise (Spinoza!) verfehlt diese Dimension. Mit *Heidegger* ist zu sagen: „Aber die entscheidende Frage stellen weder die Vollzieher des gewöhnlichen Anthropomorphismus noch seine Ablehner, die Frage nämlich: ob nicht dieser Maßstab notwendig sei und warum er das sei" (vgl. *M. Heidegger*, Schellings Abhandlung über das Wesen der menschlichen Freiheit (1809), hrsg. von H. Feick [Tübingen 1971] 197). Und er fährt, die Frage in ihrer grundsätzlichen Bedeutung stellend, fort: „Kann menschliches Denken und Erkennen überhaupt jemals anders verfahren als in einer ständigen Bezugnahme auf das menschliche Dasein?" Wenn aber jeder Versuch einer denkerischen Bestimmung des Menschseins über dieses hinausführt und zugleich jede menschliche Erkenntnis des „Absoluten" menschlich bedingt bleibt, dann ist zu

barungsglauben? Warum steht bei der Wahrnehmung der anthropomorphistischen Redeweise der Bibel mehr auf dem Spiel, als es zunächst den Anschein hat? Und vor allem: warum darf sie nicht durch
eine abstraktere, der Leib- und Bildhaftigkeit entkleidete Sprache ersetzt werden?

Rosenzweig gibt auf diese Fragen im letzten Beitrag seines Lebens
eine souveräne Antwort. Aus der Einsicht, daß der Gott der biblischen
Offenbarung ein *Gott der Begegnung* und nicht des absolut in sich
ruhenden Für-sich-Seins ist, entspringt unumgänglich die anthropo-
morphistische Art, von ihm zu reden. Es wäre demzufolge ein Mißverständnis, diesen Sprachmodus der biblischen Offenbarung bloß auf die
Unzulänglichkeit alles Menschlichen zurückzuführen. Es geht hier
vielmehr um ein Verhältnis von *ontologischem* Rang, denn, so sagt
Rosenzweig,

> „nicht wir stellen uns Gott stehend, hörend, redend, zürnend, liebend vor,
> weil wir selbst sehen, hören, reden, zürnen, lieben; sondern wir können nur
> deshalb sehen, hören, reden, zürnen, lieben, weil Gott sieht, hört, redet,
> zürnt, liebt... Theologische Erfahrungen haben eben, soweit es echte Er-
> fahrungen sind und nicht Hirngespinste, das Gemeinsame, daß sie Erfah-
> rungen von Begegnungen sind; nicht Erfahrungen gegenständlicher Art wie
> die Welterfahrungen, nicht aus beidem gemischt wie die zwischenmensch-
> lichen Erfahrungen. Will man also hier innerhalb des Bezirks der Erfahrung
> bleiben, so darf man weder über Gott etwas aussagen wollen noch über den
> Menschen, sondern nur über ein Geschehen zwischen beiden. Und eben
> hierzu gibt die Bibel die beste Anleitung."[45]

Rosenzweig weiß nicht nur, welches große Spannungsverhältnis
zwischen dem biblischen Gebot, sich kein Bild von Gott zu machen,
und der Notwendigkeit besteht, in Anthropomorphismen von ihm zu
reden. Er hält an diesem Gebot fest, ohne an irgendeiner Stelle die
Anthropomorphismen als Aussagen über gottmenschliche Begegnungen preiszugeben.

---

fragen: „Ist nicht der Mensch solcher Art seiend, daß er, je ursprünglicher er er selbst
ist, er gerade nicht nur und nicht zuerst er selbst ist?"
[45] Vgl. Kleinere Schriften (Anm. 5) 195.

„Nicht ein Wissen um Gottes ‚Haben' oder ‚Sein' steht uns zu – solch Wissenwollen wäre stets ein Versuch, ihn abbildend festzulegen –, sondern ein unbegrenztes Vertrauen in seine unzubegrenzenden Kräfte, stets, jeden Augenblick, unsrer und aller Schöpfung augenblicklichen Leiblichkeit und Seelischkeit leiblich und seelich, leibhaft und seelenhaft, zu begegnen."[46]

Was Rosenzweig schon in den Briefen aus dem Jahre 1913 und 1914 als entscheidenden Grundzug des Offenbarungsglaubens festhielt, nämlich die Faktizität, die geschichtliche Konkretheit gottmenschlicher Begegnungen, und was im „Stern der Erlösung" dann systematischer aufgezeigt wurde, ohne im System zu erstarren, tritt jetzt im geistesgeschichtlichen Rückblick auf die Etappen der jüdischen Religionsphilosophie noch klarer hervor. Rosenzweig erinnert in diesem Zusammenhang an den *innerjüdischen* Kampf gegen die biblischen Anthropomorphismen in der Religionsphilosophie des Maimonides und im Denken Spinozas[47]. Dieser philosophischen Tendenz, Gott zu *vergeistigen*, die Hand in Hand mit dem Versuch geht, die Geschichtlichkeit der Wahrheit als zeitlich bewährte zu entkräften, setzt Rosenzweig mit der Bibel das „erfahrungstreue Denken" entgegen[48]. Die jüdische Glaubensgeschichte zeigt den

---

[46] Ebd., 530. Zur gegenwärtigen Diskussion der Anthropomorphismus-Thematik in der Bibel vgl. *H. M. Kuitert,* Gott in Menschengestalt. Eine dogmatisch-hermeneutische Studie über die Anthropomorphismen der Bibel (München 1967); *U. Mauser,* Gottesbild und Menschwerdung. Eine Untersuchung zur Einheit des Alten und Neuen Testaments (Tübingen 1971); *J. Maier,* Anthropomorphismen in der jüdischen Gotteserfahrung, in: W. Strolz (Hrsg.), Kosmische Dimensionen religiöser Erfahrung, Schriftenreihe zur großen Ökumene, Bd. 5 (Freiburg i. Br. 1978) 39–99.
[47] Vgl. dazu *M. Schwarcz,* Franz Rosenzweigs Stellung in der jüdischen Philosophie, in: Freiburger Rundbrief, Jahrgang 1972, Nr. 89/92, 128–144.
[48] Müßte sich sog. „christliche Philosophie", insofern sie transzendentaler Beweisführung unter der Priorität des metaphysischen Geistprinzips folgt, nicht längst fragen, ob sie sich nicht einer *Sprachvergessenheit* schuldig macht, die im Widerspruch zum biblischen Offenbarungsglauben steht. Was ergibt sich durch die Besinnung auf das *Wort im Anfang* und *in seiner Fleichwerdung* (Joh 1, 1–3; 1, 14) im Verständnis der christlichen Heilsbotschaft für die Auslegung der Sprache *in ihrem Ursprung aus dem WORT?* Denn: nicht der Geist, nicht das Sein selbst, nicht die letzte Ursache alles Verursachten, nicht die Idee des Guten, nicht das absolute Geheimnis, ja nicht einmal Gott, sondern das WORT ist Fleisch geworden (vgl. zu dieser Thematik *F. Wiplinger,* Ursprüngliche Spracherfahrung und metaphysische Sprachdeutung, in: O. Loretz – W. Strolz (Hrsg.), Die hermeneutische Frage in der Theologie (Freiburg i. Br. 1968) 21–85.

‚„Anthropomorphismus' als die Schutzwehr des ‚Monotheismus'. Oder, um deutsch zu reden: sie zeigt, daß ohne den Mut, den wirklich erfahrenen Gotteserfahrungen auch die wirkliche und unmittelbare Herkunft von Gott zuzutrauen, diese Erfahrungen sich selbständig machen und sich einen eigenen oder mehrere eigene Träger neben Gott selbst, dem für untragkräftig gehaltenen, suchen. Je mehr Gott in die Ferne gebannt wird, um so leichter meint der Mensch, den göttlicher Kraftströme vollen Raum zwischen Gott und sich mit Halb- und Viertelgöttern bevölkern zu dürfen." [49]

Die letzte Kennzeichnung des jüdischen Offenbarungsglaubens im Denken von Franz Rosenzweig wenige Wochen vor seinem Tod im Blick auf den dritten und vierten Band der „Encyclopaedia Judaica" ist in mehrfacher Hinsicht ein denkwürdig bleibendes Vermächtniswort. In wenigen, sinnkonzentrierten Sätzen, durchpulst von der *messianischen* Hoffnung des Judentums und ökumenisch offen, spricht Rosenzweig vom „alten Judentrotz" als einem prophetischen Korrektiv. Er ist „der ewige Vorbehalt gegen die sichtbare, allzusichtbare Weltgeschichte zugunsten der unsichtbaren und erst ‚an jenem Tag' aus der Verborgenheit ins Offenbare tretenden..." Stolz und Last des Judeseins, einer geschichtlich beispiellosen Existenzweise, durch die seit Jahrtausenden das Verhältnis von Erwählung und Geschichte, Partikularität und Universalität, Offenbarung und Tradition, Eingedenksein und Zukunftsgewißheit und das Gegenüber zum Christentum verkörpert ist, sprechen aus dem letzten, glaubensstarken Wort des deutschen Juden Franz Rosenzweig:

„Denn wohl sollen und wollen wir im Eigenen beharren, am Eigenen festhalten, aber so sollen und wollen wir auch wissen, daß das Eigene nicht das Ganze ist, daß vielmehr dies trotzig behauptete Eigene, ob auch geheimer Mittelpunkt der geschaffenen Welt, und dieser unbeirrt beschrittene Weg, ob auch geheimer Richtweg der Schöpfung, nur Teil sind dieser geschaffenen Welt – einer Welt, in der auch die Umwege bestimmt sind, Wege zu sein." [50]

---

[49] Kleinere Schriften (Anm. 5) 531.
[50] Ebd., 538.

C.

Neuere Wandlungsprozesse
im Verständnis der Offenbarung

IX

Dei verbum religiose audiens: Wandlungen im christlichen Offenbarungsverständnis

Von Max Seckler, Tübingen

Franz Mußner
zum 65. Geburtstag

Sowohl im herkömmlichen Sprachgebrauch der Religionswissenschaften wie auch nach seiner eigenen Einschätzung gilt das Christentum als „Offenbarungsreligion". Es teilt diesen Umstand mit der jüdischen und der islamischen Religion. Die zahlreichen Gemeinsamkeiten, durch welche die drei Hochreligionen historisch und sachlich miteinander verbunden sind, gipfeln in diesem Charakteristikum. Dabei geht es aber nicht einfach nur um formal gleichlautende Offenbarungsansprüche, sondern um deren Verankerung in einer gemeinsamen Grunderfahrung. Alle drei Religionen beziehen sich auf geschichtliche Erfahrungen und Überlegungen, die ihnen weithin gemeinsam sind und aus denen sie sich herleiten, und sie bezeichnen diesen ihnen gemeinsamen Wurzelgrund als „Offenbarung Gottes".

Eine einzige Offenbarungsreligion?

Diese Gleichartigkeit nicht nur auf der formalen *Bezeichnungsebene* (daß die drei Religionen das sie Gründende „Offenbarung" und sich selbst deshalb „Offenbarungsreligion" nennen), sondern bis hinein in das historische und sachliche *Bezugsfeld* (indem sie bis zu einem gewissen Grad in denselben geschichtlichen Ereignis- und Überlieferungszusammenhängen den selben Gott der Offenbarung am Werk sehen) ist bemerkenswert. Das Bewußtsein, in diesem Sinne Offenbarungsreligionen und eigentlich, der göttlichen Absicht und der Logik der Sache nach, eine einzige Offenbarungsreligion, wenngleich „in rituum varietate", zu sein, ist alt. Es war nicht erst eine Einsicht und ein Postulat des Nikolaus von Kues[1]. Die Inschriften am und im Fel-

---

[1] Vgl. De pace fidei I, VI, XVI.

sendom auf dem Tempelberg in Jerusalem, die zum Teil noch auf die allererste Zeit, nämlich auf den Omaiyadenkalifen Abd al-Malik ibn Marwan (685–705), zurückgehen (der Felsendom wurde 685–691 erbaut), drücken dieses Bewußtsein einer Einheit der drei Offenbarungsreligionen aus der Sicht des *Islams* sehr pointiert und geradezu in einer aggressiven Programmatik aus[2]. Erst recht war sich schon das *frühe Christentum* bewußt, in und mit dem wahren Israel Religion aus Offenburg, *vera religio,* weil *Religion aus göttlicher Offenbarung,* zu sein[3]. Auch und gerade die Offenbarungsgeschichte und der Offenbarungsglaube des *Alten Israel* gehören nach dieser Auffassung in die eine göttliche Offenbarung mit hinein. Die christliche Theologie hat immer daran festgehalten, daß das Alte Testament, das ja die Bibel Jesu und der frühen Kirche war, mit dem Neuen eine Einheit bildet. Gegen den Versuch, manche Bücher oder das ganze Alte Testament als kanonisch zweiten Ranges zurückzusetzen, haben sich verschiedene Konzilien ausgesprochen: der eine und selbe Gott ist Urheber der beiden Testamente, und beide Testamente sind „pari pietatis affectu ac reverentia" anzunehmen und zu verehren[4].

Diese Gemeinsamkeiten des Ursprungs und der Selbstinterpretation der drei Offenbarungsreligionen werden vielleicht eines Tages im jüdisch-christlich-islamischen Dialog eine erneute und vertiefte Bedeutung gewinnen. In der Erklärung des Zweiten Vatikanums „Über das Verhältnis der Kirche zu den nichtchristlichen Religionen" (Nostra aetate, 28. Oktober 1965) wurde in Artikel 4 und 5 bereits ein Schritt in diese Richtung getan.

Daß indessen trotz der genannten formalen und sachlichen Gemeinsamkeiten und Übereinstimmungen die drei Offenbarungsreligionen ihre eigenen Wege *auch in der theoretischen Einschätzung dessen, was Offenbarung eigentlich heißt und bedeutet,* gegangen sind, ist zwar nicht völlig unbekannt. Aber im Grunde sind die Dinge kaum er-

---

[2] *H. Busse,* Die arabischen Inschriften im und am Felsendom in Jerusalem, in: Das Heilige Land 109 (1977) 8–24 (Lit.).

[3] Vgl. *P. Stockmeier,* „Offenbarung" in der frühchristlichen Kirche, in: Handbuch der Dogmengeschichte (HDG), Hrsg. von M. Schmaus, A. Grillmeier, L. Scheffczyk, Bd. I, Fasz. 1a (Freiburg i. Br. 1971), 27–87 (Lit.).

[4] Konzil von Trient: DS 1501; vgl. Konzil von Florenz: DS 1334 (und schon das Symbolum fidei Leos IX.: DS 685); I. Vatikanum: DS 3006; II. Vatikanum, Dei Verbum Nr. 11. – Zur Würdigung der unverkürzten Eigenbedeutung des Alten Testaments vgl. *H. Haag,* Vom Eigenwert des Alten Testaments, in: ThQ 160 (1980) 2–15.

forscht. Um so begrüßenswerter ist es, wenn das Religionskundliche Institut mit seiner Tagung über „Jüdisches und christliches Offenbarungsverständnis" (16.–18. Oktober 1980 in Freiburg i. Br.) damit einen Anfang macht.

Genuine Lehre über die Offenbarung

Unterschiede im Offenbarungsverständnis sind nun aber nicht nur bei den drei Offenbarungsreligionen im Vergleich miteinander festzustellen, sondern auch *innerhalb des Christentums selbst.* Es sind sogar sehr auffallende und tiefgreifende *Wandlungen* im christlichen Offenbarungsverständnis zu beobachten. Davon soll nachfolgend die Rede sein mit dem Ziel, den heute erreichten Stand der Entwicklung des offenbarungstheoretischen Bewußtseins in Abhebung von anderen Paradigmen in seiner Eigengestalt in den Blick zu bekommen. Als Orientierungstext dient uns dabei die „Dogmatische Konstitution über die göttliche Offenbarung" (Dei Verbum) des Zweiten Vatikanums vom 18. November 1965[5]. In dieser sogenannten Offenbarungs-Konstitution des Zweiten Vatikanischen Konzils kommen der Offenbarungsglaube und das Offenbarungsverständnis der katholischen Kirche im Zeugnis ihres obersten Lehramtes für unsere Zeit authentisch und verbindlich zum Ausdruck. Das Konzil selbst will in diesem Text nach seinen eigenen Worten „die genuine Lehre über die göttliche Offenbarung" (genuinam de divina revelatione doctrinam) vorlegen (Prooemium, Artikel 1). Es ist dies der erste Text in der Geschichte der Allgemeinen Konzilien überhaupt, der sich ausdrücklich und ausschließlich mit der Offenbarungsthematik befaßt[6]. Da in das Offenbarungsverständnis dieses Textes teils unbewußt, teils aber auch sehr

---

[5] Der Text ist in seiner lateinischen und deutschen Fassung und versehen mit historischen und theologischen Kommentaren bequem zugänglich in Erg.-Bd. II des LThK[2] (Freiburg i. Br. 1967) 497–583.
[6] Bereits das Erste Vatikanische Konzil (1869–70) brachte Äußerungen zur Offenbarungs-Thematik, doch sind diese dort in die Dogmatische Konstitution „Dei Filius", deren leitendes Anliegen das Verhältnis von Glaube und Vernunft im Horizont der neuzeitlichen Vernunftautonomie war, eingebaut (vgl. I. Vaticanum, Const. dogm. „Dei Filius", Cap. 2: De revelatione: DS 3004–3007). Vgl. dazu *H. J. Pottmeyer,* Der Glaube vor dem Anspruch der Wissenschaft. Die Konstitution über den katholischen Glauben „Dei Filius" des 1. Vatikanischen Konzils und die unveröffentlichten theologischen Voten der vorbereitenden Kommission (Freiburg i. Br. 1968), bes. 59 ff (= Freiburger

bewußt das Offenbarungsdenken der evangelischen Theologie mit eingegangen ist, ist er nicht nur der Ausdruck einer konfessionell katholischen Sichtweise. Er spiegelt vielmehr in seinen Grundaussagen über die Offenbarung weitgehend einen Konsens der christlichen Offenbarungstheologie unseres Jahrhunderts und kann darum als paradigmatischer Text für das christliche Offenbarungsverständnis der Gegenwart überhaupt gelten[7].

Offenbarung als Fundament und als Kategorie

Die gesteigerte Aktualität der Offenbarungsthematik, der das Zweite Vatikanum mit seiner Offenbarungskonstitution zu entsprechen suchte, entspricht nun aber an sich kaum einem unmittelbar gefühlten Bedürfnis der Gegenwart. Trotz des geradezu inflationären Gebrauchs der Offenbarungsterminologie in der theologischen Sprache unseres Jahrhunderts[8] spielen ja doch Offenbarung und Offenbarungen in der Erfahrungswelt des heutigen Menschen, verglichen etwa mit Antike und Mittelalter, eine verschwindend geringe Rolle. Offenbarungen, Erleuchtungen, Inspirationen sind teils in die eher fragwürdigen Randbereiche der religiösen Praxis abgewandert (wo auch die Privatoffenbarungen ihren systematisch-theologischen Ort gefunden haben), teils sind sie unter profanen Vorzeichen zum Gegenstand der empirischen Inspirationsforschung geworden[9]. In einem merkwürdigen Gegensatz dazu steht die neuzeitliche Theologie mit ihrem *theoretischen* Interesse am Offenbarungsbegriff. Hier, in Theologie und Kirche, ist die Offenbarung in ebendemselben Maße, in dem der Offenbarungsglaube für die autonome, kritische und aufgeklärte Vernunft suspekt wurde, in-

---

Theologische Studien Bd. 87); *P. Eicher*, Offenbarung. Prinzip neuzeitlicher Theologie (München 1977) 73 ff; *R. Latourelle*, Theologie de la Révélation (Bruges – Paris 1963) 269 ff.

[7] Vgl. *A. Dulles*, Revelation Theology (New York 1969); dt.: Was ist Offenbarung? (Freiburg i. Br. 1970), bes. 105–198; *H. Waldenfels*, Offenbarung. Das Zweite Vatikanische Konzil auf dem Hintergrund der neueren Theologie (München 1969), bes. 26–127 (= Beiträge zur ökumenischen Theologie, Bd. 3); *P. Eicher*, Solidarischer Glaube. Schritte auf dem Weg der Freiheit (Düsseldorf 1975), bes. 15–34.

[8] Vgl. *P. Althaus*, Die Inflation des Begriffs der Offenbarung in der gegenwärtigen Theologie, in: ZSTh 18 (1941) 134–149; vgl. dazu *A. Dulles* (Anm. 7) 154–157.

[9] Vgl. *M. Curtius* (Hrsg.), Theorien der künstlerischen Produktivität (Frankfurt a. M. 1976) (= stw Nr. 166) (mit Lit.!). – Zum Begriff „Inspirationsforschung" vgl. ebd. 21.

teressant und wichtig geworden. Jetzt erst, d.h. im Zuge der Proble-
matisierung des christlichen Offenbarungsglaubens durch die kritische
Aufklärungsphilosophie des siebzehnten und achtzehnten Jahrhunderts, hat sich das Christentum fundamental darauf besonnen,
Offenbarungsreligion im umfassenden Sinn, d.h. im Blick auf seinen
Ursprung und sein Fundament im Ganzen, zu sein[10]. Jetzt erst wurde
der Begriff der Offenbarung zum theologischen Generalinterpretament
des ontologischen Fundaments des Christentums[11]. Jetzt erst wird die
Offenbarung als „transzendentaltheologische Bestimmung"[12] der
Sache des Christentums zunehmend thematisiert. Das heißt: Es gibt
in der Theologie nicht nur neben anderen Lehrstücken auch noch einen
Traktat „De revelatione" (der als solcher übrigens auch erst im Laufe
der Auseinandersetzungen mit der Kritik der Aufklärung entsteht),
sondern die grund-legende Bedingung der Möglichkeit christlichen
Glaubens und christlicher Theologie, principium essendi et cognos-
cendi, ist gerade die im Begriff der Offenbarung als Offenbarung
erfaßte Realität.

Theozentrische Radikalisierung

Dieser Reflexionsbegriff von Offenbarung, der nun die grundlegende
Ursprungs- und Wesensdimension dessen ausdrückt, was der christ-

---

[10] Vgl. *M. Seckler*, Die Aufklärung – eine Herausforderung für das Christentum als
Offenbarungsreligion, in: ThQ 159 (1979) 82–92; *ders.*, Aufklärung und Offenbarung,
in: Christlicher Glaube in moderner Gesellschaft. Enzyklopädische Bibliothek in 30
Teilbänden, hrsg. von F. Böckle, F.-X. Kaufmann, K. Rahner, B. Welte in Verbindung
mit R. Scherer, Bd. 21 (Freiburg i. Br. 1980) 8–78, bes. 54–59.
[11] Zur Unterscheidung von Offenbarung als Fundament und als Kategorie sowie zur
Würdigung des Offenbarungsbegriffs als Generalinterpretament im Vergleich zu anderen Interpretationsparadigmen vgl. bes. *R. L. Hart*, Unfinished Man and the Imagination. Toward an Ontology and a Rhetoric of Revelation (New York 1968). Die begrifflichen Klärungen Harts stellen für die offenbarungstheoretische Reflexion der Gegenwart
einen wesentlichen Fortschritt dar. Sie erlauben es endlich, den Sinn des von der Theologie singularisch gebrauchten Offenbarungsbegriffs eindeutig von den in der Religionsgeschichte bezeugten Offenbarungen und ihrer Kategorialität abzugrenzen. Die Einwände, die *C. F. Braaten*, History and Hermeneutics (Philadelphia 1966) 14, gegen die
interpretatorische Leistungskraft des Offenbarungsbegriffs vorbringt, tragen Harts
Analysen noch nicht Rechnung.
[12] Vgl. dazu *H. Fries*, Art. Offenbarung, in: LThK VII (Freiburg i. Br. ²1962) 1109
bis 1115; *ders.*, Die Offenbarung, in: Mysterium Salutis, hrsg. von J. Feiner und
M. Lohrer, Bd. I (Einsiedeln 1965) 159 ff.

liche Glaube überhaupt bejaht und worauf er antwortet, entfernt sich zunehmend von dem, was die religiöse Erfahrung als „Offenbarungen" zu bezeichnen pflegt. *Er wird zu der auf dem biblischen Erfahrungsmaterial zwar aufbauenden, aber nun nicht mehr an einen ganz bestimmten Erfahrungstypus* (etwa den Typus „religiöse Erleuchtung" oder „Audition" oder „Vision") *gebundenen Globalbezeichnung für das, was im Prozeß der biblischen Geschichte von Gott her gesamthaft zum Durchbruch und zur Erscheinung gekommen ist.* Hand in Hand damit erfolgt eine zunehmende theozentrische Radikalisierung des Offenbarungsbegriffs. Der Offenbarungsbegriff löst sich also zunehmend von den phänotypischen Erfahrungsmerkmalen der Religionsgeschichte, die im Kontext religiös-kognitiver Erschließungssituationen[13] aufgetreten sind (und herkömmlich als „Offenbarungen" bezeichnet wurden), und meint nun *das Prozeßfundament und das Prozeßresultat im Ganzen* im Blick auf seinen göttlichen Ursprung. Darüber hinaus aber wird damit zugleich eine Aussage über *Gott und das Wesen seiner Selbstmitteilung* gemacht. In fortschreitender theozentrischer Radikalisierung wird nämlich erkannt, daß es im Offenbarungsverständnis nicht nur auf die *Ursprungsrelation* und die *prozeduralen Ereignismerkmale* ankommt, sondern auf den unverwechselbar einmaligen, ewig mit sich identischen und doch ewig neuen und je und je ereignishaften *Inhalt*. Gott offenbart nicht dies und das und irgend etwas, das dann, weil von göttlicher Herkunft und mit göttlicher Autorität verbürgt, zu glauben wäre, sondern *sich selbst*. Der Begriff der *Selbstoffenbarung* Gottes wird gebildet. Aber Selbstoffenbarung Gottes nicht nur im Sinne einer kognitiven *Selbsterschließung* des göttlichen Wesens in ein Erkennen, Verstehen oder Schauen hinein mitsamt anschließender Ausbildung einer göttlich verbürgten und glaubend für wahr zu haltenden Lehre, sondern als *Selbstmitteilung* der Wirklichkeit Gottes zur erlösenden Teilhabe für das Geschöpf.

---

[13] Vgl. *W. A. de Pater*, Theologische Sprachlogik (München 1971); *J. T. Ramsey*, Religious Language. An Empirical Placing of Theological Explorations (London 1965); *J. L. Austin*, How to do Things with Words, in: The William James Lectures, hrsg. von J. O. Urmson (Oxford 1965); *J. R. Searle*, Speech Acts. An Essay in the Philosophy of Language (Cambridge 1969; dt.: Sprechakte. Eine sprachphilosophischer Essay (Frankfurt a. M. 1971); *A. Grabner-Haider*, Semiotik und Theologie. Religiöse Sprache zwischen analytischer und hermeneutischer Philosophie (München 1973).

Mit diesen Hinweisen sind wir nun aber der geschichtlichen Entwicklung vorausgeeilt bis zu dem Punkt, aus dem heraus der Text des Zweiten Vatikanums konzipiert ist. Bevor wir uns die einschlägigen Texte genauer anschauen, soll jetzt ein kurzer Blick auf die geschichtliche Entwicklung bzw. auf einige Stationen dieser Entwicklung geworfen werden. Dabei können drei Stufen unterschieden werden, die sich an die geläufige Periodisierung in Altertum, Mittelalter und Neuzeit anlehnen, ohne aber völlig damit übereinzustimmen. Dabei soll unser Hauptinteresse der neuzeitlichen Entwicklung gelten. Die drei typischen Ausprägungen, die wir erkennen können, folgen aufeinander nicht in der Weise, daß das spätere Offenbarungsverständnis das jeweils frühere einfach ablösen würde. Sie koexistieren vielmehr teilweise nebeneinander weiter und vermischen sich auch miteinander. So kann z. B. in Lehrbüchern und Traktaten von heute, die dem Zweiten Vatikanum chronologisch gleichzeitig sind, in sachlich höchst ungleichzeitiger Weise das Offenbarungsverständnis der ersten und vor allem der zweiten Stufe die Darstellung beherrschen. Das ist nicht selten der Fall. Erst recht gilt das für das christliche Normalbewußtsein von heute. Es hat von dem Wandel, der in der Offenbarungskonstitution des Konzils zum Ausdruck kommt, noch kaum etwas bemerkt. Das liegt nicht zuletzt daran, daß das Konzil selbst das Neue, das es zu diesem Thema bringt, als solches kaum vermerkt und vielleicht nicht einmal so sehr selbst bemerkt, einige Konzilsväter und Theologen, die die Texte erarbeitet haben, ausgenommen.

Epiphanisches Offenbarungsverständnis

Doch nun zum geschichtlichen Überblick, zunächst mit einigen Beobachtungen zum Offenbarungsdenken in der Antike[14]. Einen ausgebil-

---

[14] Zum *Offenbarungsdenken in der Antike* vgl. *C. Clemen*, Die göttliche Offenbarung nach dem Zeugnis der Religionsgeschichte, in: ZThK 17 (1936) 333–353; *P. Courcelle*, Art. Divinatio, in: RAC III (1957) 1235–51; *A.-J. Festugière*, La révélation d'Hermès Trismegiste, 4 Bde (Paris ²1949–54); *Th. Hopfner*, Griechisch-ägyptischer Offenbarungszauber. Mit einer eingehenden Darstellung des griechisch-synkretistischen Dämonenglaubens und der Voraussetzungen und Mittel des Zaubers überhaupt und der magischen Divination im besonderen, 2 Bde.: Studien zur Paläographie und Papy-

deten und allgemein rezipierten Offenbarungsbegriff gibt es hier nicht.
Wenn wir bestimmte Phänomene und Phänomengruppen rückblik-
kend unter dem Offenbarungsbegriff subsumieren, so ist das eine
Arbeit unseres ordnenden Verstandes, mit der Voraussetzung, daß wir
(und darin folgen wir einem bereits in der Antike verbreiteten und sich
verstärkenden Sprachgebrauch) alles, was in den Bereich der göttlichen
Selbstbekundung fällt, als *Offenbarungen* bezeichnen wollen. In diesem Sinne gibt es in der Antike zwar keinen generellen Offenbarungsbegriff, wohl aber eine allgemeine Erwartenshaltung und Erfahrungs-
praxis für göttliche Offenbarungen. Dem zugeordnet sind verschiedene Termini des Sich-Zeigens, Sich-Bekundens auf der einen Seite und
des Sehens, Hörens, Vernehmens auf der anderen Seite. Das Göttliche
zeigt sich, sein Wesen, seine Macht, seine Nähe, seinen Willen auf viel-
fache Weise in Theophanien, Kratophanien, Hierophanien, Epipha-
nien. Willensmanifestationen, Einzelweisungen, göttliche Kundgabe
von Einsichten spielen in zahlreichen Erfahrungsparadigmen eine bedeutende Rolle. Dazu entwickelt sich eine breitgefächerte divinatori-
sche Praxis. Dominierend ist aber doch die Dimension der konkreten
Erfahrung des Göttlichen in seinem heiligen Sein, seiner Gegenwart,

---

ruskunde 21 u. 23 (1921–24); *K. Latte,* Römische Religionsgeschichte (München 1960);
H. Lewy, Chaldaen Oracles and Theurgy. Mysticism, Magic and Platonism in the Later
Roman Empire, in: Rech. d'Archéologie, de Philologie et d'Histoire 13 (Kairo 1956);
E. Norden, Agnostos Theos. Untersuchungen zur Formgeschichte religiöser Rede
(Darmstadt [4]1956); *E. Pax,* EPIPHANEIA. Ein religionsgeschichtlicher Beitrag zur bi-
blischen Theologie (München 1955) (= MThSt, Bd. 10) *K. Prümm,* Religionsgeschicht-
liches Handbuch für den Raum der altchristlichen Umwelt... (Freiburg i. Br. 1943);
H. Temporini – W. Haase (Hrsg.), Aufstieg und Niedergang der römischen Welt, bes.
die Teilbände II, 16 – II, 23/2 (Berlin 1978 ff).
Zum *Offenbarungsverständnis in der Bibel* vgl. *R. Bultmann,* Der Begriff Offenbarung
im Neuen Testament, in: ders., GuV Bd. III, (Tübingen [2]1962) 1–34; *A. Dulles* (Anm. 7)
13–34; *H. Fries,* Myst. Salutis Bd. I (Anm. 12) 180–238 (Lit.); *J. Lindblom,* Die Vorstellung vom Sprechen Jahwes zu den Menschen im Alten Testament, in: ZAW 75 (1963)
263–288; *ders.,* Gesichte und Offenbarungen. Vorstellungen von göttlichen Weissagungen und übernatürlichen Erscheinungen im ältesten Christentum (Lund 1968);
R. Rendtorff, Die Offenbarungsvorstellungen im Alten Israel, in: W. Pannenberg
(Hrsg.), Offenbarung als Geschichte (Göttingen [3]1965) 21–41; *A. Sand,* Die biblischen
Aussagen über die Offenbarung, in: HDG Bd. I, Fasz. 1a (Freiburg i. Br. 1971) 1–26
(Lit); *H. Schulte,* Der Begriff der Offenbarung im Neuen Testament (München 1949);
A. Vögtle, Offenbarung und Geschichte im Neuen Testament. Ein Beitrag zur bibli-
schen Hermeneutik, in: Concilium 3 (1967) 18–23; *U. Wilckens,* Das Offenbarungs-
verständnis in der Geschichte des Urchristentums, in: W. Pannenberg (Hrsg.)
(Anm. 14) 42–90.

seiner schöpferischen, richtenden und erlösenden Macht. Wegen der Prädominanz dieses Aspektes könnte man diesen Typus des Offenbarungsdenkens als *epiphanisch* bezeichnen[15].

Übergänge

Es ist aber nicht zu übersehen, daß mit dem Hellenismus, die kognitive oder vielleicht besser gnoseologische Komponente im Offenbarungsdenken ein zunehmendes Gewicht gewinnt. Die Erkenntnis wird in ihrer Fülle von Gott her geschenkt, und im Erkennen Gottes und seiner Heilswege ist das Heil. Dieses durchaus biblische Motiv nimmt den Weg der Theoretisierung der Erkenntnis. Die Weisheitsspekulation ist ein Schritt auf diesem Weg. Wie Peter Stockmeier gezeigt hat[16], wird bereits bei den frühchristlichen Apologeten die christliche Botschaft im Ganzen als *Weisheit aus Offenbarung* (gegenüber bloß menschlicher Erkenntnis), als „Lehre von Gott her" und als „geoffenbarte Lehre" verstanden. Die Auseinandersetzungen mit der Gnosis verstärken diesen Trend: Offenbarung erscheint als der Akt, aus dem Gnosis entspringt, und als das gottgegebene und gottverbürgte Wissen selbst. Damit tritt auch die legitimatorische Funktion des Offenbarungsmotivs, das auch dem biblischen Denken nicht fremd war, in aller Deutlichkeit hervor[17]: Offenbarung wird zum apologetischen Beweisgrund des Christentums.

---

[15] Grundlegend für die Erfassung dieses Typus in seiner religionsgeschichtlichen Genese ist nach wie vor die Untersuchung von *E. Pax*, EPIPHANEIA. Ein religionsgeschichtlicher Beitrag zur biblischen Theologie (München 1955) (= MThSt Bd. 10). – Für das Verständnis von Epiphanie und Theophanie im Raum altgriechischer Religiosität vgl. *W. F. Otto*, Theophaneia. Der Geist der altgriechischen Religion (Hamburg ²1959); *ders.*, Die Götter Griechenlands. Das Bild des Göttlichen im Spiegel des griechischen Geistes (Frankfurt a. M. ⁴1956); ferner den instruktiven Aufsatz von *D. Bremer*, Die Epiphanie des Gottes in den homerischen Hymnen und Platons Gottesbegriff, in: Zs. f. Religion- u. Geistesgeschichte 27 (1975) 1–21; zum Zusammenhang von Epiphanie, Parusie und Theophanie vgl. ferner *H. Usener*, Religionsgeschichtliche Untersuchungen Bd. I (Bonn ²1911).

[16] *P. Stockmeier* (Anm. 3) 44f. – Vgl. auch *L. DeMoor*, The Idea of Revelation in the early Church, in: Evangelical Quarterly 50 (1978) 230–238.

[17] Vgl. dazu *P. Eicher*, „Offenbarungsreligion". Zum sozio-kulturellen Stellenwert eines theologischen Grundkonzepts, in: P. Eicher (Hrsg.), Gottesvorstellung und Gesellschaftsentwicklung (München 1979) 109–126.

In der Hochscholastik des *Mittelalters* begegnen wir einem Typus des Offenbarungsdenkens, den man als Offenbarungs-Intellektualismus zu bezeichnen pflegt. Zwar herrscht in der mittelalterlichen Theologie durchaus nicht jene homogene Uniformität, die man ihr aus der Ferne nachsagt[18]. Aber es kommt zu einer *ersten grundsätzlichen systematischen Fassung* des Offenbarungsbegriffs. Das heißt: Offenbarung (revelatio) wird als umfassende Grundlagenkategorie für Christentum und Theologie reflektiert. Der Ursprung des Christentums wird „transzendentaltheologisch" als Ursprung aus Offenbarung verstanden. Die vielen einzelnen Offenbarungsereignisse, von denen die Bibel berichtet, sind die Weise, in der „die" Offenbarung geschichtlich real wurde. Aus dem Erfahrungsplural „Offenbarungen" wird der Reflexionssingular „Offenbarung".

Diese Offenbarung ist nun intellektualistisch gedacht als ein Vorgang der übernatürlichen göttlichen Belehrung. Offenbarung bedeutet: Mitteilung von Heilswissen durch Gott. Offenbarung ist der heilsnotwendige Instruktionsvorgang (instruere)[19], in welchem Gott das Heilswissen gibt. Offenbarung wird formell gefaßt als *manifestatio veritatis*[20] und in diesem Sinn als *manifestatio fidei*[21], d.h. der *fides quae creditur*. Offenbarung ist gleichsam der intellektuelle und kognitive Teil der Heilsgeschichte. Dabei wird, wie auch heute noch, das Wort „Offenbarung" (revelatio) sowohl als *Ereignisbegriff* zur Bezeichnung des Vorgangs der *manifestatio fidei* wie auch als *Sub-*

---

[18] J. Ratzinger hat in seinen Bonaventura-Studien einige Alternativen aufgewiesen. Vgl. *J. Ratzinger*, Die Geschichtstheologie des hl. Bonaventura (München 1959) Kap. 2, S. 57 ff. Vgl. auch *M.-D. Chenu*, La théologie au douzième siècle (Paris 1957; engl. Teilübersetzung u. d. T. Nature, Man and Society in the Twelfth Century. Essays on new theological perspectives in the Latin West [Chicago 1968])

[19] Vgl. *Thomas von Aquin*, Summa theologiae I 1,1 u. ö. – Literatur zum mittelalterlichen Offenbarungsdenken: *J. de Ghellinck*, Pour l'histoire du mot „revelare", in: Rev SR 6 (1916) 149–157; *E. Gilson*, Reason and Revelation in the Middle Ages (New York – London 1950); *B. Decker*, Die Entwicklung der Lehre von der prophetischen Offenbarung von Wilhelm von Auxerre bis zu Thomas von Aquin (Breslau 1940); *U. Horst*, Das Offenbarungsverständnis der Hochscholastik, in: HDG Bd. I, Fasz. 1a, 116–143 (Lit.); *M. Seybold*, Die Offenbarungsthematik in der Spätpatristik und Frühscholastik, in: HDG Bd. I, Fasz. 1a, 88–115 (Lit.).

[20] Vgl. *Thomas von Aquin*, I Gent. 1,4; Summa theologiae III 40,1.

[21] Thomas von Aquin, Summa theologiae II II 1,7 ad 3.

stanzbegriff zur Benennung des *Produkts* dieses Vorgangs, nämlich der *doctrina fidei,* verwendet. Der Theologie aber fällt die Aufgabe zu, die in den Wirrnissen der Offenbarungsgeschichte ausgestreute Offenbarungslehre systematisch zu rekonstruieren. Sie wird darin zum Mitarbeiter am göttlichen Instruktionsgeschehen[22]. Zusammenfassend kann man also sagen: In dieser ersten grundsätzlichen systematischen Fassung des Offenbarungsbegriffs liegt eine instruktionstheoretische Auslegung der biblisch-christlichen Offenbarung vor; es ist *ein instruktionstheoretisches Offenbarungsmodell*[23].

Modell der realen Selbstmitteilung Gottes

In der Philosophie und Theologie der *Neuzeit* begegnen wir dem dritten Stadium des offenbarungstheoretischen Denkens. Offenbarung und Offenbarungskritik werden zu einem der großen Themen der Aufklärung. Am Ende der damit verbundenen dramatischen Bewegungen wird mit der „genuina de divina revelatione doctrina" des Zweiten Vatikanischen Konzils eine *neue grundsätzliche systematische Fassung* des Offenbarungsbegriffs stehen. Mit Rücksicht darauf, daß dabei als Sinn und Ziel der Selbstoffenbarung Gottes die Stiftung gottmenschlicher *communio* genannt wird, könnte man dieses Modell als „kommunikationstheoretisch" bezeichnen. Da dieser Terminus jedoch von der Kommunikationstheorie her bereits mit einem anderen

---

[22] Vgl. Thomas von Aquin, Summa theologiae I 1; Boet. de Trin. Prooem. 1 und 2.
[23] Da das instruktionstheoretische Offenbarungsmodell hier unter Bezugnahme auf Thomas skizziert wurde, ist einem möglichen Mißverständnis vorzubeugen. Daß dieses Modell in der mittelalterlichen Scholastik formalisiert wurde und daß es seither in Theologie und Kirche eine beherrschende Rolle spielte, steht fest. Bei Thomas indessen, der in diesem Punkt als Exponent des Offenbarungs-Intellektualismus in der Dogmengeschichte gilt, sind bedeutsame Gegengewichte zu dem vorhanden, was in der Neuscholastik als Offenbarungsintellektualismus figuriert. Dafür drei Texte:
1. Christus ... venit in mundum *ad manifestandam veritatem* (Summa theologiae III 40,1): Der zentrale Offenbarungsvorgang liegt auf der *Wahrheitsebene.*
2. Christus ... *viam veritatis* nobis *in seipso* demonstravit (Summa theologiae III, prol.): Das Wahrheitsgeschehen ist *personhaft-existenzbezogen* (in seipso) und *handlungsorientiert* (via veritatis – Wahrheit als Weg); Offenbarungsbedeutung des von Christus gegangenen und eröffneten Weges.
3. Cum enim Christi *humanitas* sit nobis *via* tendendi in Deum ... (In Ioan. c. VII lect. 4 Nr. 1074): Was er als Mensch war, ist Existenzvorschlag mit Richtungssinn für das, *wofür* er lebte.

Sinn belegt ist, wäre diese Bezeichnung in unserem Zusammenhang mißverständlich. Deshalb ist es jedenfalls vorerst besser, von Offenbarung als Stiftung von communio oder vom *Modell der realen Selbstmitteilung* Gottes zu sprechen.

Bis zu diesem Offenbarungsverständnis, das in den ersten Artikeln der Offenbarungskonstitution (Dei Verbum) des Zweiten Vatikanums formuliert ist, war es indessen ein weiter und schwieriger Weg. Er umfaßt als erste und historisch grundlegende Stufe die 160 Jahre der Aufklärung, die zwischen Herbert von Cherburys „De Veritate" (1624) und Fichtes „Versuch einer Critik aller Offenbarung" (1792) liegen. Im kritischen und spekulativen Denken dieser Zeit wurden die Voraussetzungen für jene Umorientierung und Neufassung des Offenbarungsdenkens geschaffen, die dann in der Zeit zwischen den beiden Vatikanischen Konzilien in der evangelischen und katholischen Theologie zum Tragen kam. Die „genuine Lehre von der Offenbarung" des Zweiten Vatikanums kann somit zwar unmittelbar als Frucht der theologischen Neubesinnung zwischen den Konzilien bezeichnet werden. Sie ist aber der Sache nach eine Spätwirkung der Offenbarungskritik der Aufklärung. Teils geschoben, teils gezogen von ihr, vollzog sich der Wandel[24].

Aufklärung und Offenbarung

Es war in der Tat so, daß der Offenbarungsglaube des Christentums und vor allem seine theologische Fassung im instruktionstheoretischen Offenbarungsmodell erst in der Aufklärungszeit zum beherrschenden Thema kritischer Reflexion geworden sind. Niemals vorher oder nachher wurde so über „Offenbarung" gestritten wie damals. Der Offenbarungsglaube der Religionen war das große Ärgernis der Aufklärer, ihre Offenbarungskritik, die wir vor allem als Kritik am *damals herrschenden* Offenbarungsverständnis verstehen müssen (ein anderes stand nicht zur Debatte), wurde zur großen Herausforderung des

---

[24] Vgl. neben den oben, Anm. 10 gegebenen Hinweisen noch zusätzlich *H. D. McDonald*, Ideas of Revelation. An Historical Study A. D. 1700 to A. D. 1860 (London 1959); *A. Dulles* (Anm. 7) 60–89; *H. J. Birkner*, Natürliche Theologie und Offenbarungstheologie. Ein theologiegeschichtlicher Überblick, in: NZsTh 3 (1961) 279–295. Interessant auch bereits *J. Winkelmann*, Die Offenbarung. Dogmatische Studien (Gütersloh 1913).

Christentums. Die Auswirkungen sind gerade im Bereich der *theoretischen Selbsterfassung* des Christentums als Offenbarungsreligion bedeutend größer, als man sich im allgemeinen bewußt ist. Das liegt einerseits an den *langsamen,* peu à peu sich vollziehenden und unter der Oberfläche eines lautstarken Widerstandes verborgenen Metamorphosen, die der christliche Offenbarungsglaube dabei schließlich doch durchmachte. Es liegt aber auch daran, daß die Geschichte der Offenbarungskritik in der Aufklärung *kaum bekannt und fast völlig unerforscht* ist. Unser Bewußtsein ist immer noch in den Abwehrreflexen befangen, mit denen man auf die Herausforderung reagierte.

Der Stein des Anstoßes

Das Offenbarungsdenken der Aufklärungszeit vollzog sich in konkreten Frontstellungen. Auch wo die Offenbarungskritik sich prinzipiell gab, hatte sie ihren Sitz im Leben jener Epoche. Das heißt: sie hatte das *damals* herrschende Offenbarungsverständnis und einige daraus resultierende Praktiken zum Gegenstand.

Worin besteht dieses? Grob verallgemeinernd könnte man sagen: Es war das im Gefolge des Nominalismus und der konfessionellen Streitigkeiten in der Schultheologie *intellektualistisch und positivistisch degenerierte instruktionstheoretische Offenbarungsmodell*[25].

Verdeutlichen wir uns kurz seine wichtigsten Merkmale. Offenbarung wird zunächst im Plural gedacht, als Bezeichnung jener außergewöhnlichen Ereignisse, durch welche Gott dem Menschen die Glaubenswahrheiten zum Bewußtsein gebracht hat. So viele Wahrheiten, so viele Offenbarungen. „Übernatürlich" sind Offenbarungen, a) weil sie außergewöhnliche Belehrungen in ihrem Vorgang sind (prozedurale oder modale Übernatürlichkeit) und b) weil sie in ihrem kognitiven Gehalt das Begreifen übersteigen (essentielle kognitive Übernatürlichkeit). Der Eigenart nach waren sie als intellektuelle Belehrungen gedacht, dem Objektbereich nach sollten sie sich sowohl auf Gegenstände der natürlichen Vernunft, deren Erkenntnis durch Offenbarung

---

[25] Einen guten Eindruck davon vermittelt die Darstellung von *F. X. Bantle,* Die Ablehnung der Unfehlbarkeit des Papstes durch Döllinger, betrachtet im Lichte der dogmatischen Erkenntnislehre des ausgehenden 18. Jahrhunderts, in: MThZ 26 (1975) 364–386, bes. 371 ff.

erleichtert würde, wie auch und vor allem auf die übernatürlichen Mysterien des Glaubens beziehen. Das Produkt der vielen Offenbarungen kann nun auch „die Offenbarung" (als *manifestatio veritatum*) genannt werden. Gemeint ist damit, konkret gesprochen, das System der göttlichen Lehren von Theologie und Kirche. Alles aber, was von Gott geoffenbart (= belehrend mitgeteilt) ist, ist im Glaubensgehorsam zu bejahen (= fest für wahr zu halten), sobald feststeht, daß Gott dahintersteht. Das Offenbarungsgeschehen liegt also prinzipiell auf der intellektuellen Ebene, in der göttlichen Mitteilung einsichtiger und nicht einsichtiger, das Begreifen übersteigender Sätze. Gerade die das Begreifen übersteigenden Sätze sind die eigentliche Domäne der übernatürlichen Offenbarung. Mit ihrem Wahrheitsanspruch wenden sie sich an die Vernuft. Sie sind aber übervernünftige Wahrheiten und können deshalb von der Vernunft nur im Glaubensgehorsam bejaht werden. Ein eindringendes, inneres Begreifen, eine innere Prüfung nach Sinn und Unsinn, Nützlichkeit und Wahrheitswert ist nicht zulässig und nicht möglich. Man kann nur an den Begleitumständen untersuchen, ob die Sätze von Gott stammen. Diese Untersuchung ist streng rational. Ihr Ergebnis ist das rationale Glaubwürdigkeitsurteil, das der transrationalen Glaubenszustimmung vorausgeht.

Wesentlich für dieses Offenbarungsverständnis, in dem manche das reine System des Katholizismus erblicken, das aber zum Beispiel der altprotestantischen Orthodoxie eigentümlich ist, ist es also, auf intellektueller Ebene und für bestimmte satzhaft formulierbare Wahrheiten einen Wahrheitsanspruch zu erheben, der durch innere Rationalität nicht einlösbar ist. Für die Aufklärung mit ihrer grundsätzlichen Forderung nach vernünftiger Begründung von Geltungsansprüchen war dies ein grober Stein des Anstoßes. Eine nur äußere Beglaubigung einer Wahrheit, die uneinsichtig sein und bleiben soll, kam für sie nicht in Frage. Erstens, weil ein solches Beweisverfahren nicht möglich sei, und zweitens, weil die Forderung nach gehorsamer Bejahung uneinsichtiger Wahrheiten sowohl gegen die Würde der Vernunft wie gegen den Sinn der Wahrheit verstoße. Es wäre unverantwortlich, für wahr zu halten, was man nicht als wahr einsieht; und es wäre auch sinnlos, dies zu tun, wenn einem keine Wahrheit dabei aufgeht. Offenbarung aber soll doch, wie schon ihr Name sagt, einen Zuwachs an lichtvoller Wahrheit und nicht nur an Gehorsam bringen. So entwickelte sich das Bestreben, in das Innenwesen der Offenbarung einzudringen. Nicht nur, um die Inhalte endlich unter Kontrolle zu bringen, sondern auch, um von dort wirkliche Wahrheit zu empfangen, falls es dort solche zu finden gibt.

Umschichtungen

Diese Entwicklung führte zwar auf Umwegen, aber mit innerer Logik dazu, dem Offenbarungsbegriff neue Dimensionen abzugewinnen. Erschien der Offenbarungsbegriff zunächst vor allem geeignet, die *Ursprungsdimension* der Glaubenslehre auszudrücken und sicherzustellen (die Dogmen des Glaubens entstammen göttlicher Belehrung), so verband sich damit im Fortgang der Reflexion die Einsicht, daß sich im Offenbarungsgeschehen zugleich und vor allem die *Wesensdimension* des Christentums konstituiert, nämlich Heilsgeschehen aus freier göttlicher Selbstmitteilung zu sein, und zwar in der Weise, daß Gott nicht Wahrheiten *über* das Heil kundtut und eigentlich auch nicht das Heil als Wahrheit (oder als Heilswissen), sondern daß er selbst in seiner erlösenden Wirklichkeit sich realiter (und nicht nur verbaliter) mitteilt. Das ist zwar keine neue Einsicht. Aber diese Dimension der realen Selbstmitteilung Gottes war bis dahin in der Theologie nicht im Offenbarungsbegriff thematisiert worden, sondern zum Beispiel in der Gnaden- und Rechtfertigungslehre. Offenbarung war ja, wie wir gesehen haben, verstanden worden als der theoretisch-kognitive Teil des Heilsgeschehens (was eine eigene Plausibilität hat, solange das Heil in der höchsten Tätigkeit des höchsten menschlichen Vermögens, nämlich in der *visio veritatis,* erblickt wird). Aber nun rückt das Heilsgeschehen selbst (und nicht nur die Kunde von ihm) in den Offenbarungsbegriff ein. Es wird erkannt, daß jenes Licht- und Lebensgeschehen, das sich von Gott her ereignet, sehr zutreffend und essentiell als Selbstmitteilung Gottes zu denken ist – eben als jene Selbstmitteilung Gottes, welche die eigentliche Tiefendimension seiner Selbstoffenbarung ausmacht.

Die Offenbarungskonstitution

Dieser Gedanke ist nun in der Offenbarungskonstitution des Zweiten Vatikanums beherrschend geworden[26]. Diese steht zwar ganz im Zeichen der Worttheologie (vgl. die kennzeichnenden Anfangsworte „Dei verbum"). Aber die Theologie des Wortes Gottes hatte bis zum Konzil

---

[26] Zur Offenbarungskonstitution des II. Vatikanums vgl. *K. Aland*, De duplici fonte revelationis. Ein Bericht zum Problem Schrift und Tradition auf dem II. Vaticanum, in: Erneuerung der einen Kirche. Arbeiten zur Kirchengeschichte und Konfessionskunde. Heinrich Bornkamm zum 65. Geburtstag gewidmet, hrsg. von J. Lell (Göttingen 1966) 168–178; *D. Arenhoevel*, Was sagt das Konzil über die Offenbarung? (Mainz 1967); *I. Backes*, Tradition und Schrift als Quellen der Offenbarung, in: TThZ 6 (1963) 321–333; *G. Baum*, Die Konstitution De Divina Revelatione, in: Catholica 20 (1966) 85–107; *ders.*, Vatican II's constitution on revelation: History and interpretation, in: ThSt 28 (1967) 51–75; *U. Betti* u. v. a., Commento alla Costituzione dogmatica sulla divina Rivelazione (Mailand 1966); *ders.*, La tradizione e una fonte de rivelazione?, in: Antonianum 38 (1963) 31–49; *G. C. Berkouwer*, Das Konzil und die neue katholische Theologie (München 1968); *G. G. Blum*, Offenbarung und Überlieferung. Die dogmatische Konstitution Der Verbum des II. Vatikanum im Lichte altkirchlicher und moderner Theologie (Göttingen 1971) (= Forschungen z. systematischen u. ökumenischen Theologie, Bd. 28); *ders.*, Das II. Vatikanum – Selbstrechtfertigung oder ökumenischer Aufbruch?, in: Quatember 33 (1968/69) 36–37; *B.-D. Dupuy* (Hrsg.), La révélation divine. Constitution dogmatique „Dei verbum" (Paris 1968); *H. Geißer*, Viva vox Evangelii in Ecclesia. Beobachtungen an der dogmatischen Konstitution „Über die göttliche Offenbarung", in: MdKI 17 (1966) 41–50; *P. Grelot*, La Constitution sur la Révélation, in: Études 324 (1966) 99–113. 233–246; *A. Grillmeier*, LThK², Erg.-Bd. II (Freiburg i. Br. 1967); *J. Chr. Hampe* (Hrsg.), Die Autorität der Freiheit. Gegenwart des Konzils und Zukunft der Kirche im ökumenischen Disput, Bd. I (München 1967) 155–174; *H. Holstein*, Les ‚deux sources' de la révélation, in: RSR 57 (1969) 375–434; *U. Kühn*, Die Ergebnisse des II. Vatikanischen Konzils (Berlin 1967); *R. Latourelle*, La Révélation et sa transmission selon la Constitution „Dei Verbum", in: Greg 47 (1966) 5–40; ders., Le Christ signe de la révélation selon la constitution ‚Dei Verbum', in: Gr 47 (1966) 685–709; *ders.*, Vatican II et les signes de la Révélation, in: Gr 49 (1968) 225–252; *P. van Leeuwen*, Der Reifungsprozeß des Zweiten Vatikanischen Konzils in der Lehre über die göttliche Offenbarung und ihre Weitergabe, in: Concilium 3 (1967) 2–8; *D. Papandreou* (Hrsg.), Stimmen der Orthodoxie. Zu Grundfragen des II. Vatikanums (Freiburg 1969); *J. Ratzinger*, LThK² Erg.-Bd. II (Anm. 5) 498–528 u. 571–581; *B. Rigaux*, LThK² Erg.-Bd. II (Anm. 5); Schemata Constitutionum et Decretorum de quibus disceptabitur in Concilii sessionibus, Series I Typis Polyglottis Vaticanis 1962); *R. Schutz – M. Thurian*, Das Wort Gottes auf dem Konzil. Die dogmatische Konstitution über die göttliche Offenbarung, Wortlaut und Kommentar (Freiburg 1967); *D. A. Seeber*, Das Zweite Vatikanum. Konzil des Übergangs (Freiburg i. Br. 1966); *O. Semmelroth – M. Zerwick*, Vaticanum II über das Wort Gottes, in: SBS 16 (1966) 5–95; *K. E. Skydsgaard*, Schrift und Tradition. Eine vorläufige Untersuchung zur Entstehung und Aussage des Dokuments Constitutio dogmatica de Divina Revelatione „Dei Verbum", in: Wir sind gefragt. Antworten evangelischer Konzilsbeobachter, hrsg. von F. W. Kantzenbach u. V. Vajta (Göttingen 1966) 167–178; *E. Stakemeier*, Die Konzils-

hin selbst ihre Entwicklungen durchgemacht und ihre Vertiefungen gewonnen[27]. Man könnte die ganze Offenbarungskonstitution als eine einzige, in sich reich differenzierte und vielschichtige Theologie des *Wortes* lesen, und sie ist explizit eine solche, trotz oder gerade wegen des Vorhabens, eine genuine Lehre über die *Offenbarung* vorzulegen. Beides widerspricht sich nicht, sondern findet in der Tiefe des Denkens zusammen. Denn das Wort Gottes kann zwar in einem sehr abkünftigen Sinn zu *Sprechworten* in unserer Sprache werden oder in solchen sich vermelden, aber es ist letztlich und erstlich *Gott selbst im Akt seiner Selbstmitteilung:* das Wort war bei Gott, und Gott war das Wort, und das Wort ist Fleisch geworden (Joh 1).

Dieses Realgeschehen der Selbstmitteilung Gottes wird in Kap. 1 Nr. 2 der Offenbarungskonstitution nun im Begriff der Offenbarung ausgefaltet. In der Offenbarung teilt demnach Gott sich selbst *(Seipsum)* mit und tut das Geheimnis seines Willens *(sacramentum voluntatis suae)* kund. Dies erfolgt in einem planvollen Prozeß *(oeconomia revelationis)*, dessen innergeschichtlicher Teil *historia salutis* genannt wird. Als strukturierende Motive des Mitteilungsgeschehens werden

---

konstitution über die göttliche Offenbarung. Werden, Inhalt und theologische Bedeutung. Lateinischer und deutscher Text mit Kommentar (Paderborn 1966); *G. H. Tavard*, The Dogmatic Constitution on Divine Revelation of Vatican Council II (London 1966); *ders.*, Commentary on De Revelatione, in: Journal of Ecumenical Studies 3 (1965/66) 1–35; *G. Voß*, Die dogmatische Konstitution „Über die göttliche Offenbarung", in: Una Sancta 21 (1977) 30–45; *H. Waldenfels*, Das Offenbarungsverständnis im zwanzigsten Jahrhundert, in: HDG Bd. I, Fasz. 1b (Freiburg i. Br. 1977) 108–208, bes. 193ff (Lit.); *M. Zerwick*, De S. Scriptura in Constitutione dogmatica „Dei Verbum", in: VD 44 (1966) 17–42.

[27] Zur Wort-Theologie vgl. *K. Barth*, KD I/1–2 (Zollikon–Zürich ²1947); zur Interpretation und zur Konfrontation von K. Barth und R. Bultmann vgl. *E. Jüngel*, Gottes Sein ist im Werden (Tübingen 1964); ferner: *G. Ebeling*, Wort und Glaube (Tübingen 1962); *ders.*, Wort und Glaube II (Tübingen 1969); *H. Noack*, Sprache und Offenbarung (Gütersloh 1960); *B. Schulz*, Theologie des Wortes und Theologie des Kreuzes nach ihrer trinitarischen Begründung, in: MThZ 11 (1960) 34–45; *O. Semmelroth*, Wirkendes Wort. Zur Theologie der Verkündigung (Frankfurt a. M. 1962); *H. Volk*, Zur Theologie des Wortes Gottes (Münster 1962); *J. M. Robinson – J. B. Cobb* (Hrsg.), Die neue Hermeneutik (Zürich 1965); *A. Gerken*, Theologie des Wortes. Das Verhältnis von Schöpfung und Inkarnation bei Bonaventura (Düsseldorf 1963); *G. Klein*, Theologie des Wortes Gottes und die Hypothese der Universalgeschichte (München 1964); *W. Kreck*, Die Wirklichkeit des Wortes Gottes (München 1966); *L. Scheffczyk*, Von der Heilsmacht des Wortes (München 1966); *M.-D. Chenu*, La Parole de Dieu, 2 Bde. (Paris 1964); *M. Schoch*, Verbi divini ministerium, 2 Bde. (Tübingen 1966f); *E. Thurneysen*, Offenbarung als Sprachereignis, in: ThZ 20 (1964) 192–206; *F. Schmid*, Hermeneutik und Ontologie in einer Theologie des Wortes Gottes (München 1964).

die Gutheit, Weisheit und überströmende Liebe Gottes angeführt. Der Inhalt dieser Offenbarung ist seiner Bestimmung nach Wahrheit vom Heil des Menschen, seinem Gehalt nach Gott selbst. In der Offenbarung, auf die der christliche Glaube sich bezieht, offenbart Gott demnach nicht irgend etwas oder irgendwelche übernatürlichen Geheimnisse, sondern sich selbst. Diese Selbstoffenbarung ist jedoch primär nicht als Selbsterschließung Gottes, sondern als seine Selbstmitteilung gedacht, d. h. als ein Nahekommen der erlösenden Wirklichkeit Gottes selbst. Offenbarung ist also nicht mehr instruktionstheoretisch als bloße Belehrung verstanden, sondern als interpersonale reale Seinsmitteilung. Gemäß diesem personal qualifizierten „kommunikationstheoretischen" Offenbarungsverständnis eröffnet sich im Akt der Offenbarung ein „Zugang zum Vater", in welchem die Menschen Miterben und Schicksalsgenossen der göttlichen Natur *(consortes divinae naturae)* werden, und zwar in der freiesten und personhaftesten Form einer Verbindung, die möglich ist: als „Freunde". Sie werden dadurch in die *societas* mit Gott aufgenommen.

Klarstellungen

Damit ist, in der Sache klar, wenngleich in der eingetretenen Wandlung fast unbemerkt, ein Offenbarungsverständnis zum Tragen gekommen, in welchem das Wesen des Heilsgeschehens als Offenbarungsgeschehen aussagbar ist, obwohl – oder vielleicht gerade weil – im einzelnen unentschieden und ungenannt bleibt, welcher Erlebnisformen dieses Geschehen zu seiner geschichtlichen Verwirklichung und kategorialen Erfassung sich bedient hat oder bedient. Dieses Offenbarungsverständnis ermöglicht es, die Sache der Bibel im ganzen als Offenbarung zu denken, ohne bestimmten prozeduralen Offenbarungsmustern verhaftet zu bleiben. Der Erforschung der Wege, auf denen die Selbstmitteilung Gottes erfolgt, und der Weisen, in denen diese dem Menschen zum Bewußtsein kam und kommt, kann damit für die Theologie in aller Freiheit gegenüber den Zwängen, die von bestimmten prozeduralen Erfahrungsmustern – etwa dem der Apokalyptik – auszugehen pflegten, erfolgen[28].

---

[28] Hier eröffnet sich auch eine Möglichkeit, das Heils- und Offenbarungsgeschehen nicht nur außerhalb des Christentums, sondern auch außerhalb der historischen Grenzen

Damit entfällt zugleich der Zwang (bis zu einem gewissen Grad aber auch die Möglichkeit), von bestimmten prozedural außergewöhnlichen religiösen Erfahrungsmustern her sich auch das Urteil über die *Sache der Offenbarung in ihrem Inhalt* diktieren und legitimieren zu lassen[29]. Bei Jesus von Nazaret zum Beispiel spielen die klassischen revelatorischen Erfahrungs- und Legitimationsmuster, wie Visionen, Auditionen, Träume, apokalyptische Himmelsreisen, ekstatischer prophetischer Wortempfang, Theophanien, Angelophanien etc., eine verschwindend geringe Rolle. Trotzdem ist er in seinen Worten und Taten, in seiner ganzen Erscheinung und in seinem Geschick höchst offenbarungsrelevant[30], ja der Offenbarer[31] schlechthin, der die

---

der biblischen Offenbarung zu bedenken und die erlösende Selbstmitteilung Gottes auch dort am Werk zu sehen, wo sie sich nicht in der Form von Offenbarungen verdeutlicht. Hier ist vor allem auf die Offenbarungstheologie Karl Rahners (mit der Unterscheidung von transzendentaler und kategorialer Offenbarung) zu verweisen. Vgl. *K. Rahner,* Bemerkungen zum Begriff der Offenbarung, in: Interpretation der Welt. Festschrift für R. Guardini (Würzburg [2]1965) 713–722; *ders.,* Art. Offenbarung II, in: Sacramentum Mundi. Theologisches Lexikon für die Praxis Bd. III (Freiburg i. Br. 1969) 832–842. – Um eine grundsätzliche Ausweitung der Perspektiven bemühen sich besonders die fünf Beiträge des Sammelbandes *P. Ricœur – E. Levinas – E. Haulotte – E. Cornélis – Cl. Geffré,* La Révélation (Bruxelles 1977) (= Publications des Facultés Universitaires Saint-Louis, Vol. 7).

[29] Hier ist vor allem an den problematischen Einfluß zu denken, den das Offenbarungsverständnis der Apokalyptik mit seinen revelatorischen Erfahrungs- und Legitimationsmustern und auch mit seinen Inhalten in der Geschichte des Offenbarungsdenkens gespielt hat, zumal da das Wort „Offenbarung" (ἀποκάλυψις) von daher kommt. Der Artikel ἀποκαλύπτω, ἀποκάλυψις in ThWNT Bd. III (1936) 565–597 (Oepke) ist dafür bezeichnend, gibt er sich doch schließlich als systematisch-historische Darstellung des *Offenbarungsdenkens überhaupt* „im Griechentum und Hellenismus" (567ff), „im Alten Testament" (573ff) und „im Neuen Testament" (582ff). Auch die verbreitete Sitte, in systematischen Darstellungen des christlichen Offenbarungsbegriffs etymologisch auf „ἀποκάλυψις" zurückzugreifen, gehört hierher. – Ein anderes Beispiel wäre die vor allem in der mittelalterlichen Theologie verbreitete Praxis, den christlichen Offenbarungsbegriff vom Muster des prophetischen Wortempfangs her zu entwickeln.

[30] Vgl. II. Vaticanum, Dogm. Konst. über die göttliche Offenbarung (Dei Verbum), Nr. 4: Jesus Christus ... tota Sui ipsius praesentia ac manifestatione, verbis et operibus, signis et miraculis, praesertim autem morte sua et gloriosa ex mortuis resurrectione ... revelationem complendo perficit ac testimonio divino confirmat ...

[31] Vgl. *J. R. Geiselmann,* Art. Jesus Christus, in: HThGb Bd. 2, Neuausgabe (München 1970) 379–412 (Lit.); *H. H. Huber,* Der Begriff der Offenbarung im Johannes-Evangelium. Ein Beitrag zum Verständnis der Eigenart des vierten Evangeliums (Göttingen 1934); *H. Zimmermann,* Das absolut Ἐγὼ εἰμί als die neutestamentliche Offenbarungsformel, in: BZ 4 (1960) 54–69. 266–276; *J. Blank,* Krisis. Eine Untersuchung zur johanneischen Christologie und Eschatologie (Freiburg i. Br. 1964); *E. Biser,* Der Helfer. Eine Vergegenwärtigung Jesu (München 1973); *W. Dantine,* Jesus von Nazareth in der gegen-

christliche Offenbarung eschatologisch vollendet[32]. Wenn aber die herkömmlichen revelatorischen Erfahrungsmuster ihre Monopolstellung als Indikatoren und Legitimatoren für das einbüßen, was der christliche Glaube als *die Offenbarung Gottes* erkennt – wie sind dann die wirklich offenbarungsrelevanten Zeugnisse von den scheinbaren oder belanglosen zu unterscheiden? Offensichtlich nur von einem wirklich *theologischen* Offenbarungsbegriff her, der sich nicht den Phänomenen ausliefert, sondern die *Sache* bedenkt. Ein solcher theologischer Sach- und Normbegriff von Offenbarung hat zugleich eine detektivische und kritische Funktion. Er ist kritisch, weil er den Weizen von der Spreu zu unterscheiden vermag, und er ist detektivisch, weil er Offenbarungsrelevantes auch dort zu entdecken vermag, wo der äußere Anschein dies nicht ausdrücklich tut.

Von daher gesehen, sind die Texte unserer Offenbarungskonstitution an einer Sinnfigur von Offenbarung orientiert, in welcher diese nicht mehr als göttliche Orakelsammlung oder als Kundgabe irgendwelcher Lehren erscheint, sondern als das Heilsmysterium der Selbstmitteilung Gottes zur Teilhabe und Gemeinschaft und als die Epiphanie der alles und alle erlösenden und richtenden Wirklichkeit Gottes. Der Sinn des Offenbarungsgeschehens liegt demnach in einer Lebensbegegnung, die nicht auf Information und Unterwerfung, sondern auf „Einheit und Verwandlung"[33] zielt, und das darin sich zuschickende Licht und Leben, theologisch „die Offenbarung" genannt, ist für den christlichen Glauben das Kriterium der religiösen Existenz und aller ihrer Erfahrungsformen und Inhalte.

---

wärtigen Diskussion (Gütersloh 1974); *A. Grillmeier*, Mit ihm und in ihm. Christologische Forschungen und Perspektiven (Freiburg i. Br. ²1977); *B. Casper* (Hrsg.), Jesus – Ort der Erfahrung Gottes (Freiburg i. Br. ²1977); *W. Kasper*, Jesus der Christus (Mainz ⁶1977); *H. Leroy*, Jesus. Überlieferung und Deutung (Darmstadt 1978); *J. P. Miranda*, Die Sendung Jesu im vierten Evangelium (Stuttgart 1977); *R. Pesch – H. A. Zwergel*, Kontinuität in Jesus (Freiburg i. Br. 1974); *H. G. Pöhlmann*, Wer war Jesus von Nazareth? (Gütersloh ³1978); *K. Kertelge* (Hrsg.), Rückfrage nach Jesus (QD 63) (Freiburg i. Br. ²1977); *E. Schillebeeckx*, Jesus. Die Geschichte von einem Lebenden (Freiburg i. Br. ⁶1978).
[32] Vgl. den Text von Anm. 30.
[33] *J. Ratzinger*, Kommentar zu „Dei Verbun", in: LThK² Erg.-Bd. II (Anm. 5) 510.

Anhang

Aus der dogmatischen Konstitution über die göttliche Offenbarung

1. Gottes Wort voll Ehrfurcht hörend und voll Zuversicht verkündigend folgt die Heilige Synode den Worten des heiligen Johannes: „Wir künden euch das ewige Leben, das beim Vater war und uns erschien. Was wir gesehen und gehört haben, künden wir euch, damit auch ihr Gemeinschaft habt mit uns und unsere Gemeinschaft Gemeinschaft sei mit dem Vater und mit seinem Sohn Jesus Christus" (1 Joh 1,2–3). Darum will die Synode in Nachfolge des Trienter und des Ersten Vatikanischen Konzils die echte Lehre über die göttliche Offenbarung und deren Weitergabe vorlegen, damit die ganze Welt im Hören auf die Botschaft des Heiles glaubt, im Glauben hofft und in der Hoffnung liebt[1].

2. Gott hat in seiner Güte und Weisheit beschlossen, sich selbst zu offenbaren und das Geheimnis seines Willens kundzutun (vgl. Eph 1,9): da die Menschen durch Christus, das fleischgewordene Wort, im Heiligen Geist Zugang zum Vater haben und teilhaft werden der göttlichen Natur (vgl. Eph 2,18; 2 Petr 1,4). In dieser Offenbarung redet der unsichtbare Gott (vgl. Kol 1,15; 1 Tim 1,17) aus überströmender Liebe die Menschen an wie Freunde (vgl. Ex 33,11; Joh 15,14–15) und verkehrt mit ihnen (vgl. Bar 3,38), um sie in seine Gemeinschaft einzuladen und aufzunehmen. Das Offenbarungsgeschehen ereignet sich in Tat und Wort, die innerlich miteinander verknüpft sind: die Werke nämlich, die Gott im Verlaufe der Heilsgeschichte wirkt, offenbaren und bekräftigen die Lehre und die durch die Worte bezeichneten Wirklichkeiten; die Worte verkündigen die Werke und lassen das Geheimnis, das sie enthalten, ans Licht treten. Die Tiefe der durch diese Offenbarung über Gott und über das Heil des Menschen erschlossenen Wahrheit leuchtet uns auf in Christus, der zugleich der Mittler und die Fülle der ganzen Offenbarung ist[2].

3. Gott, der durch das Wort alles erschafft (vgl. Joh 1,3) und erhält, gibt den Menschen jederzeit in den geschaffenen Dingen Zeugnis von sich (vgl. Röm 1,19–20). Da er aber den Weg übernatürlichen Heiles eröffnen wollte, hat er darüber hinaus sich selbst schon am Anfang den Stammeltern kundgetan. Nach ihrem Fall hat er sie wiederaufgerichtet in Hoffnung auf das Heil, indem er die Erlösung versprach (vgl. Gen 3,15). Ohne Unterlaß hat er für das Men-

---

[1] Vgl. *Augustinus*, Büchlein vom ersten katechetischen Unterricht. Kap. IV: PL 40, 316.
[2] Vgl. Mt 11,27; Joh 1,14 und 17; 14,6; 17,1–3; 2 Kor 3,16 und 4,6; Eph 1,3–14.

schengeschlecht gesorgt, um allen das ewige Leben zu geben, die das Heil suchen durch Ausdauer im guten Handeln (vgl. Röm 2,6–7). Später berief er Abraham, um ihn zu einem großen Volk zu machen (vgl. Gen 12,2–3), das er dann nach den Patriarchen durch Moses und die Propheten erzog, ihn allein als lebendigen und wahren Gott, als fürsorgenden Vater und gerechten Richter anzuerkennen und auf den versprochenen Erlöser zu harren. So hat er dem Evangelium den Weg durch die Zeiten bereitet.

4. Nachdem Gott viele Male und auf viele Weisen durch die Propheten gesprochen hatte, „hat er zuletzt in diesen Tagen zu uns gesprochen im Sohn" (Hebr. 1,1–2). Er hat seinen Sohn, das ewige Wort, das Licht aller Menschen, gesandt, damit er unter den Menschen wohne und ihnen vom Innern Gottes Kunde bringe (vgl. Jo 1,1–18). Jesus Christus, das fleischgewordene Wort, als „Mensch zu den Menschen" gesandt [3], „redet die Worte Gottes" (Joh 3,34) und vollendet das Heilswerk, dessen Durchführung der Vater ihm aufgetragen hat (vgl. Joh 5,36; 17,4). Wer ihn sieht, sieht auch den Vater (vgl. Joh 14,9). Er ist es, der durch sein ganzes Dasein und seine ganze Erscheinung, durch Worte und Werke, durch Zeichen und Wunder, vor allem aber durch seinen Tod und seine herrliche Auferstehung von den Toten, schließlich durch die Sendung des Geistes der Wahrheit die Offenbarung erfüllt und abschließt und durch göttliches Zeugnis bekräftigt, daß Gott mit uns ist, um uns aus der Finsternis von Sünde und Tod zu befreien und zu ewigem Leben zu erwecken.

Daher ist die christliche Heilsordnung, nämlich der neue und endgültige Bund, unüberholbar, und es ist keine neue öffentliche Offenbarung mehr zu erwarten vor der Erscheinung unseres Herrn Jesus Christus in Herrlichkeit (vgl. 1 Tim 6,14 und Tit 2,13).

5. Dem offenbarenden Gott ist der „Gehorsam des Glaubens" (Röm 16,26; vgl. Röm 1,5; 2 Kor 10,5–6) zu leisten. Darin überantwortet sich der Mensch Gott als ganzer in Freiheit, indem er sich „dem offenbarenden Gott mit Verstand und Willen voll unterwirft" [4] und seiner Offenbarung willig zustimmt. Dieser Glaube kann nicht vollzogen werden ohne die zuvorkommende und helfende Gnade Gottes und ohne den inneren Beistand des Heiligen Geistes, der das Herz bewegen und Gott zuwenden, die Augen des Verstandes öffnen und „es jedem leicht machen muß, der Wahrheit zuzustimmen und zu glau-

---

[3] Brief an Diognet, Kap. 7,4: Funk, Patres Apostolici Bd. I, 403.
[4] *I. Vat. Konzil*, Dogmatische Konstitution über den katholischen Glauben, Kap. 3: DS 1789 (3008).

ben"[5]. Dieser Geist vervollkommnet den Glauben ständig durch seine Gaben, um das Verständnis der Offenbarung mehr und mehr zu vertiefen.

6. Durch die göttliche Offenbarung wollte Gott sich selbst und die ewigen Entscheidungen seines Willens über das Heil der Menschen kundtun und mitteilen, „um Anteil zu geben am göttlichen Reichtum, der die Fassungskraft des menschlichen Geistes schlechthin übersteigt"[6].

Die Heilige Synode bekennt, „daß Gott, aller Dinge Ursprung und Ziel, mit dem natürlichen Licht der menschlichen Vernunft aus den geschaffenen Dingen sicher erkannt werden kann" (vgl. Röm 1,20); doch lehrt sie, seiner Offenbarung sei es zuzuschreiben, „daß, was im Bereich des Göttlichen der menschlichen Vernunft an sich nicht unzugänglich ist, auch in der gegenwärtigen Lage des Menschengeschlechtes von allen leicht, mit sicherer Gewißheit und ohne Beimischung von Irrtum erkannt werden kann"[7].

---

[5] *II. Konzil von Orange*, can. 7: Denz. 180 (377); *I. Vat. Konzil*, a. a. O.: DS 1791 (3010).
[6] *I. Vat. Konzil*, Dogmatische Konstitution über den katholischen Glauben, Kap. 2: DS 1786 (3005).
[7] Ebd.: DS 1785 und 1786 (3004 und 3005).

X

Perspektiven eines messianischen Christusglaubens

Von Hans-Joachim Kraus, Göttingen

Man vergegenwärtige sich die *Situation,* in der das für manche Christen und nicht wenige Theologen anachronistisch anmutende Thema „Perspektiven eines messianischen Christusglaubens" behandelt werden soll! – In seinem Aufsatz „Das Alte Testament und das Thema ‚Christologie'"[1] schrieb Georg Fohrer, als er noch die charakteristische Position eines christlichen Alttestamentlers vertrat: „Wir sind keine Juden und erwarten keinen Messias. Wir brauchen den Umweg über diese Erwartung und ihren Nachweis ebensowenig zu gehen wie denjenigen über das Gesetz. Daß damals bestimmte Kreise einen Messias erwarteten, ist eine historische Angelegenheit, nicht aber eine Glaubensfrage, die uns betrifft. Für uns geht es nicht darum, ob Jesus der vom frühen Judentum ersehnte Messias war, sondern darum, ob er für uns und unsere Situation das Heil bedeutet."[2] Mit dieser Stellungnahme des Exegeten und Historikers stimmt überein, was der Dogmatiker zum Thema „messianischer Christusglaube" beizutragen hat. Paul Althaus erklärt in seinem dogmatischen Standardwerk „Die christliche Wahrheit": „... es ist unmöglich, das Bekenntnis der Christenheit zu Jesus einfach in den Satz zu fassen: Jesus ist der Christus. Das hieße die Heidenchristenheit, zu der wir gehören, in die Lage der Judenchristen zurückversetzen. Für den aus Israel Bekehrten ist das Bekenntnis zu Jesus als den seinem Volke verheißenen Messias das grundlegende, entscheidende. Für uns Heidenchristen nicht. Denn der Judenchrist kommt aus dem Alten Testament her zu Jesus als dem Christus, auf den das Alte Testament – trotz allem – hinzielt; der Heidenchrist kommt erst von Jesus, im Glauben an ihn, zu der Verheißung des Alten Testamentes und damit auch zu Jesus als dem Christus."[3]

---

[1] *G. Fohrer* in: EvTh 30 (1970) 281–298.
[2] Ebd., 293.   [3] *P. Althaus,* Die christliche Wahrheit (Gütersloh ⁷1966) 436.

Es folgt dann die dezidierte Erklärung: Die Christenheit „kann den Christustitel nicht in den Vordergrund rücken als den für unser Bekennen zu Jesus maßgebenden. Die heute weitverbreitete Manier, für Jesus zu sagen ‚der Christus‘, ist sowohl sprachlich wie theologisch unerfreulich und künstlich. Wir sind Heidenchristen, nicht Judenchristen.“ [4]

Dies also ist die Situation. Wie kann in solcher Lage von einem messianischen Christusglauben überhaupt noch gesprochen werden? Doch ermutigend kann die Tatsache sein, daß in der christlichen Theologie, vor allem in der Dogmatik, auch ganz andere Stimmen zu hören sind. Genannt seien die Namen Karl Barth, Kornelis Heiko Miskotte, Hans Joachim Iwand und Edward Schillebeeckx. Selbst Paul Tillich gehört zu den Christen, die die „unerfreuliche und künstliche“ Manier zu erkennen geben, von Jesus zu sagen, er sei „der Christus“.

In einer Meditation zu 2 Kor 1,20 schreibt Hans Joachim Iwand: „Die Erscheinung Jesu ist nichts Voraussetzungsloses. Trennen wir ihn von den auf ihn hinweisenden Verheißungen, dann liefern wir den Sohn Gottes aus in der Menschen Hände, das heißt an unser Denken und Werten. Wer kann dann noch begreifen, daß dieser Jesus Christus das Ja Gottes ist?“ [5]

Die Schwierigkeiten, in unseren Tagen Perspektiven eines messianischen Christusglaubens zu eröffnen, sind nun auch durch die *Tradition kirchlicher Christologie* deutlich sichtbar gemacht. Im Versuch der Typisierung sind es vier Modelle der Christologie, in die das auszuführende Projekt sich nicht einfügen läßt. – 1. *Die biblizistische Christologie* redet von Jesus als dem Christus im Schematismus von Weissagung und Erfüllung. Die Kongruenz der in der „Schrift“ aufzuweisenden Verheißungs- und Weissagungsaussagen mit der neutestamentlichen Erfüllung wird systematisch betrieben und in die äußerst problematischen Evidenzen eines biblischen Beweisverfahrens emporgehoben. – 2. *Die metaphysische Christologie* entsteht und entfaltet sich auf dem Boden griechischer Denk- und Vorstellungswelt. Sie geht in der vertikal angelegten Spekulation von der ewigen Gottheit des Sohnes aus, um dann in einer differenzierten Zwei-Naturen-Lehre die wahre Gottheit und die wahre Menschlichkeit Jesu Christi in ihrer Wirklichkeit

---

[4] Ebd., 437.
[5] *H. J. Iwand*, Predigt-Meditationen (Berlin 1963) 165.

und in ihrer inneren Beziehung zueinander zu erkennen und zu bekennen. – Es ist eine merkwürdige Tatsache, daß die beiden Typen der biblizistischen und der metaphysischen Christologie in der doch unverkennbaren Spannung, in der sie sich von ihrem Ansatz und Ursprung her zueinander verhalten, das scholastisch-orthodoxe Gesamtbild repräsentieren. – 3. *Die frömmigkeitszentrierte Christologie* bestimmt weitgehend die neuzeitlichen Aspekte. Die neuen Gesichtspunkte hatte Schleiermacher eingeführt. Erkenntnis Christi wird auf dem Weg eines Rückschlusses von der Wirkung Christi im Menschen auf ihn selbst als den Wirkenden gewonnen. Um Christus zu erkennen, ist bei dem durch ihn bestimmten Gesamtleben der christlichen Gemeinde, aber auch der Frömmigkeit des einzelnen einzusetzen. Es ist bezeichnend für das Verfahren Schleiermachers, daß das Alte Testament eliminiert und Christus mit heidnisch-religiösen Denk- und Wertkategorien begriffen wird. – 4. *Die exegetisch erarbeitete Christologie,* die in unserer Zeit das Konzept bestimmt, wird zutiefst beeinflußt und geprägt von den ebenso differenzierten wie differenzierenden historisch-kritischen Forschungen der neutestamentlichen Wissenschaft. Es ist hier lediglich darauf aufmerksam zu machen, welche Rolle die Frage nach dem historischen Jesus und dem urchristlichen Kerygma spielt. In diesem Zusammenhang wird zwar historisch und religionsgeschichtlich nach den Beziehungen des historischen Jesus auf das Judentum und auf das Alte Testament gefragt, auch nach der Vorgeschichte des urchristlichen Kerygmas, aber es ist noch kein Weg erkennbar, biblisch-theologisch die Voraussetzungen des Christusglaubens der Kirche im alttestamentlich-jüdischen Kontext zu erklären und zu bestimmen.

Wir befinden uns also, wie es aussieht, mit dem angezeigten Thema auf einem verlorenen Posten. Denn eine Rückkehr zur biblizistischen Christologie der Weissagungsbeweise kann niemand erstreben wollen, auch dann nicht, wenn er bemüht sein sollte, die orthodoxen Schematisierungen und Systematisierungen zu durchbrechen. Ist zu dieser Seite hin der Weg versperrt, so sind es auf der anderen Seite die wissenschaftlichen Forschungen zum speziellen Thema „Messias", die einen Neuansatz erschweren. Da begegnet man zuerst der philologisch-terminologischen *Restriktion,* die sich streng an die hebräischen und griechischen Begriffe hält und damit eine Engführung biblisch-theologischer Nachfrage und Forschung veranlaßt. Ganz andere Aspekte hingegen eröffnet die religionsgeschichtliche *Ampliation,* die Hugo Greßmann in seinem Buch „Der Messias" (1929) unternommen hat, indem er „verschiedene Messiasfiguren" untersucht und das ganze Problem der Messianologie auf die weite Ebene der Erforschung und Darstellung prophetischer Eschatologie gerückt hat. Heute haben wir es – z. B. unter dem Thema „Christologie Hoheitstitel" (Ferdinand Hahn) – mit dem Ertrag nuanciert dargelegter traditionsgeschichtlicher Forschungen der neutestamentlichen Wissenschaft zu tun. Und es wird strikt zu beachten sein, „daß sich Jesus selbst nie als ‚der Messias‘ im jüdischen Verständnis bezeichnet und die Einordnung in jüdische Messiasvorstellungen zurückgewiesen hat"[6]. Angesichts dieser Forschungen wäre die Apostrophierung eines „messianischen Christusglaubens" die willkürliche Hervorhebung eines einzelnen, gar nicht dominanten Traditionsstranges bzw. die systematische Überfremdung differenziert aufzunehmender Einzelüberlieferungen.

Auch im *Gespräch mit dem Judentum* sind die Schwierigkeiten nicht zu übersehen. Zum einen wird zu bedenken sein, daß – gegenüber dem alles bestimmenden Hauptthema Tora – die messianische Erwartung eine untergeordnete Bedeutung hat bzw. daß sich das Messianische oft unter den Gesichtspunkt messianischer Verwirklichung der Gebote und des Gottesrechts der Tora einordnet. Zum anderen gilt es auch für die jüdische Rezeption des Tenach, daß verschiedene Messiastypen festgestellt worden sind und daß demnach eine einspurige Interpretation als nicht sachgemäß sich erweisen muß.

Was ist zu tun? Wenn Christen, denen die heiligen Schriften Israels als Bibel Jesu und also als ihnen anvertrautes Buch der Bücher gelten, im Lesen und Hören dieses Buches glauben und bekennen: *Jesus von Nazaret ist der verheißene und designierte Messias des Gottes Israels,* so sieht dieses Bekenntnis des Glaubens die Christuserkenntnis primär in die von Verheißungen eröffnete Perspektive der durch Geschichte bewegten und bestimmten hebräischen Bibel gestellt. Entsprechende biblisch-theologische und systematische Reflexionen können nur ein Versuch sein, dieser Glaubenseinsicht entsprechende Schritte zu tun und zwischen allen das Vorhaben erschwerenden wissenschaftlichen

---

[6] *R. Schnackenburg* in: J. Feiner – M. Löhrer (Hrsg.) Mysterium Salutis III/1 (Einsiedeln – Köln 1970) 236.

Positionen einen solchen Weg zu suchen, der in einen Dialog mit dem die Unternehmung ebenfalls komplizierenden Judentum hineinführt – auf dem Grund der gemeinsamen Bibel des Alten Testaments. Was damit unternommen wird, ist – sowohl angesichts der kirchlichen Tradition wie auch angesichts der wissenschaftlichen Forschungen der Theologie – ein Risiko. Aber dieses Risiko soll nun gewagt werden; jedoch nicht in der Weise, daß für den Christusglauben totalisierte, absolut zu setzende Lehraussagen erstrebt werden. Es geht um Gesichtspunkte, um Perspektiven, um einen Versuch, die Zusammenhänge neu zu sehen und zur Sprache zu bringen. Alle weiteren Klärungen und Begründungen sind in den folgenden drei Kapiteln anzustreben.

I. Der Christusglaube
in der Perspektive der biblischen Gottesgeschichte

Kein Buch des Neuen Testaments läßt einen Zweifel daran, daß das Christus-Geschehen in einem unlösbaren und nicht problematisierbaren Zusammenhang mit den heiligen Schriften Israels, der Tora und der gesamten Verheißungsgeschichte, steht. Der Alttestamentler erklärt: „Das Wesentliche in dem Entsprechungsverhältnis beider Testamente liegt nicht primär im Religiös-Begrifflichen, sondern im Heilsgeschichtlichen, denn in Jesus Christus stoßen wir immer wieder – und in gesteigerter Form! – auf das uns aus dem Alten Testament so gut bekannte Ineinander von göttlichem Wort und geschichtlichen Fakten." [7] Was G. v. Rad hier „Heilsgeschichte" nennt, ist also recht eigentlich jene Koinzidenz von Reden und Tun, von Wort und Werk, wie sie in der hebräischen Bibel vorliegt und auch das Christus-Geschehen trägt und bestimmt. Es stellt sich dem Theologen die schwierige und vielschichtige Frage nach dem Verhältnis von Offenbarung und Geschichte – in Israel und in Jesus Christus. Wenn es sich wirklich mit dem Zusammenhang von Altem und Neuem Testament, mit der inneren Kontinuität der sog. „Heilsgeschichte" so verhält, wie es soeben angedeutet wurde, dann leuchtet ein, daß christliche Theolo-

---

[7] G. v. Rad, Theologie des Alten Testaments II (Berlin ⁴1965) 407.

gie das Verhältnis von Offenbarung und Geschichte in der Epiphanie Jesu Christi nur in der Weise erklären und bestimmen kann, daß der Kontext der Gottesgeschichte in Israel mit zur Sprache kommt. Eine „Messianische Geschichtskonzeption" ist zu erarbeiten. Man könnte sie in den einfachen Satz fassen: *Gott kommt in Israel zur Welt*[8]. Das hieße aber: Offenbarung ist weder ideell-monotheistisch noch statisch, noch punktualistisch, sondern dynamisch als *das Kommen Gottes* zur Welt der Völker, zur ganzen Schöpfung zu verstehen (Ps 96,13; 98,9). Man wird darum den Begriff des Kommens Gottes neu in die Offenbarungsterminologie einführen müssen.

Was mit diesem Terminus und der vorgetragenen Formulierung gemeint ist, soll in Kürze erklärt werden: 1. *Gott kommt zu Israel.* „Unser Gott kommt und schweigt nicht" (Ps 50,3). Dieses nach Ps 50 im Kultus akut werdende Ereignis vergegenwärtigt das Urgeschehen der Offenbarung, die als solche Erwählung ist. Offenbarung ist Erwählung. In freier, gnädiger Wahl kommt der in der Unverwechselbarkeit seines Namens sich mitteilende Gott Israels zu seinem Volk. Doch das Ereignis der Erwählung Israels ist nicht „eine zu Macht und Herrlichkeit, sondern zu diesem langen Weg der Pein und Überwindung, durch immer neue Prüfung, immer neue Anrede und Befragung, immer neues Antwortversagen, Falschantworten, Halbantworten endlich zu echter Antwort zu gelangen, zur Heiligung des zwischenmenschlichen Bereichs, zur Stiftung der beginnenden Gemeinschaft."[9] Das Bekenntnis zur Erwählung Israels gehört zur Voraussetzung aller christologischen und ekklesiologischen Bekenntnisse der Kirche. Keiner der nun folgenden Sätze kann formuliert und vertreten werden, wenn dieser Grundsatz auch nur einen Augenblick in Zweifel gezogen oder gar durch dogmatische Geschichtsurteile und christliche Erwählungskorrekturen umgestoßen wird. – 2. *Gott kommt in und mit Israel zur Welt der Völker.* Daß der Gott Israels der in der Geschichte seines Volkes zu allen Völkern kommende Gott ist, unterscheidet ihn von allen Göttern, Mächten und Ideen. Dieses sein Kommen in und mit Israel ist das schlechthin Singuläre, völlig verschieden von den Selbstbekundungen natürlicher Numina, transzendenter Tremenda oder

---

[8] Vgl. *H.-J. Kraus*, Reich Gottes, Reich der Freiheit. Grundriß systematischer Theologie (Neukirchen-Vluyn 1975) 101 ff.

[9] *M. Buber*, Der Jude und sein Judentum. Ges. Aufsätze und Reden (Köln 1963) 237.

seelisch-geistiger Machtbewegungen. „Geschichte" heißt der Weg seines Kommens; aber „Geschichte" nicht im allgemeinen Sinn, wie sie auch als Handlungsfeld anderer Götter und Mächte vorausgesetzt werden könnte. Der Weg seines Kommens ist die Geschichte Israels. In dieser konkreten Geschichte liegt das universal-Gültige beschlossen; im Partiellen, was das Totum der Völkerwelt betrifft. Vor allen Völkern wird Israel aufgerufen: „Ihr seid meine Zeugen, spricht der Herr, und mein Knecht, den ich erwählt habe, damit sie (die Völker) zur Einsicht kommen und an mich glauben und erkennen, daß ich es bin. Vor mir ist kein Gott gewesen, und nach mir wird keiner sein. Ich, ich bin der Herr, und außer mir ist kein Retter" (Jes 43,10f). Wer den Zusammenhang dieser Sätze beachtet, der nimmt wahr, daß die Zeugenschaft Israels nicht im juristischen oder landläufigen Sinn darin besteht, Gehörtes und Gesehenes wiederzugeben, es zu „bezeugen", sondern daß Israel als Corpus aufgerufen und vorgewiesen wird, in und mit dem vor dem Forum der Völker der visionär geschaute eschatologische Gottesbeweis angetreten wird. – 3. Im Kontext dieser beiden ersten Aussagen steht *das Bekenntnis des Christusglaubens:* Gott kommt in Israel zur Welt. Daß er *in Israel* zur Welt kommt in Jesus, bestimmt das Menschsein des Erwählten. Dieser Mensch ist jüdischer Mensch. Vor allem Karl Barth hat dies in seiner Versöhnungslehre betont hervorgehoben. Er erklärt: Jesus ist jüdischer Mensch. „Die ganze kirchliche Inkarnations- und Versöhnungslehre wurde abstrakt, billig und bedeutungslos in dem Maß, als man das für eine beiläufige und zufällige Bestimmung zu halten begann. Das neutestamentliche Zeugnis von Jesus dem Christus, dem Gottessohn, steht auf dem Boden des Alten Testaments und ist von diesem nicht zu lösen."[10] So bedeutet das an den Kosmos gerichtete Kerygma der Christenheit mit diesem Kern seiner Aussage über den israelitischen, jüdischen Menschen nicht mehr und nicht weniger als die Einbeziehung aller Menschen und aller Völker in den Bereich des Handelns Gottes in und mit Israel. Doch zu diesen Zusammenhängen werden noch genauere Ausführungen folgen müssen. – 4. Auch wenn der Christusglaube bekennt: In Jesus von Nazaret ist das Ereignis des Kommens Gottes in und mit Israel zum Ziel gelangt, *so bleibt doch das Ende der Gottesgeschichte noch uner-*

---

[10] *K. Barth*, Kirchliche Dogmatik IV/1 (Zürich) 181f.

reicht und unerfüllt. Auch post Christum natum ist der Gott Israels der zu den Völkern kommende Gott, der vor dem Forum der Völker den Selbsterweis in seinem Volk, seinen Zeugen in der Geschichte unserer Welt, antreten wird – den eschatologischen Gottesbeweis, dessen geheimnisvoller Vorschein auf dem Judentum liegt.

Zusammenfassend können wir das die ganze Geschichte bestimmende und durchdringende Geschehen des Kommens Gottes zu den Völkern und zur ganzen geschaffenen Welt als *die messianische Geschichte* bezeichnen. Damit vermeiden wir den in der christlichen Theologie problematisch und obsolet gewordenen Begriff der „Heilsgeschichte", ebenso aber auch die durch orthodoxe oder rationalistische Aspekte infiltrierten Reflexionen über das Verhältnis von Offenbarung und Geschichte. „Messianische Geschichte" heißt: Gott kommt in Israel zur Welt. Dabei ist der Begriff des Messianischen bestimmt durch die Tatsache, daß der kommende Gott in der Gestalt und Aktion eines Menschen seine Herrschaft im Kosmos aufrichten will und wird.

Man wird sich vor Augen halten müssen, daß die ausgeführte Konzeption in einen scharfen Widerspruch eintritt zu allen Offenbarungsvorstellungen christlicher Theologie, die sich auf einen blassen Allgemeinbegriff von Geschichte beziehen („Offenbarung wurde Geschichte"; „Offenbarung als Geschichte"). Die verallgemeinernden Überlegungen stimmen zumeist darin überein, daß das Alte Testament für die im Neuen Testament bezeugte Offenbarung – wenn überhaupt, dann – allenfalls eine historische, religionsgeschichtliche, präparierende, pädagogische, ein niedrigeres Niveau repräsentierende oder sogar eine antagonistische Bedeutung haben kann. Scholastischer und orthodoxer Theologie war es zu allen Zeiten wichtiger, das Verhältnis von natürlicher und übernatürlicher oder spezieller Offenbarung (revelatio naturalis et supernaturalis seu specialis) zu ergründen, als den inneren Zusammenhängen biblischer Offenbarungsgeschichte nachzuforschen. Auch die auf diesen Wegen in der Zeit des Nationalsozialismus manifest gewordenen Verirrungen christlicher Theologie und Kirche haben z. B. Paul Althaus nicht davon abhalten können zu lehren: „Wir unterscheiden von der *Heils-Offenbarung* Gottes in Jesus Christus seine *ursprüngliche Selbstbezeugung* oder *Ur-Offenbarung* oder Grund-Offenbarung." „Wir suchen die Ur-Offenbarung nicht am Anfange der Geschichte der Religion, sondern *überall*, ‚hinter' ihr, in diesem Sinne natürlich auch am Anfange."[11] Kein Wort fällt in diesem Zusammenhang von der Offenbarung Gottes in Israel. Vielmehr wird – an anderer Stelle – die alttestamentliche Geschichte als Geschichte einer der vielen Religionen betrachtet, hinter denen die „Ur-Offenbarung" steht – dieses mysteriöse natürlich-übernatürliche Phänomen allgemeiner göttlicher Selbstbezeugung. Der Kontrast verdeutlicht, wie tief der Dissensus im Offenbarungsverständnis christlicher Theologie tatsächlich aufgerissen ist.

Die messianische Geschichte aber ist der Weg des kommenden Gottes zu der Welt der Völker: Die Aufrichtung und Verwirklichung seiner Herrschaft auf Erden, die Veränderung bestehender Unrechtsverhältnisse, die Durchsetzung von Recht und Gerechtigkeit, Freiheit und Frieden in allen Bereichen des Lebens und Zusammenlebens. Darin stimmen Juden und Christen überein. Die Geschichte Israels ist für sie, für Juden und Christen, keine stumme und vergangene, alte und überholte Geschichte. Indem diese Geschichte, in der der Gott Israels am Werk und auf dem Weg ist, geschieht, ist sie redende, rufende, prophetische Geschichte, ist sie gegenwärtig wirksame Geschichte: *Geschichte der sich durchsetzenden Herrschaft Gottes*. Der Jude betont: Die Tora richtet die Herrschaft Gottes über alle Lebensbereiche auf – durchdringend, gestaltend, verändernd. Im Hören und Gehorchen wirkt ein jeder mit an der messianischen Verwirklichung und Vollendung der Welt. Der Christ akzentuiert stärker die Prophetie und die Verheißungen, die Herrschaft Gottes im erwählten und gesalbten König aus Davids Geschlecht und in den Repräsentanten seiner Königsherrschaft (malkut). Leider hat diese christliche Akzentuierung zumeist ein unmittelbar auf den Christusglauben bezogenes, verabsolutierendes Erfüllungsinteresse, das sich den Einzelaussagen der hebräischen Bibel zu wenig aussetzt und in dem Maß, wie die konkretgeschichtlichen und weltbezogenen Aspekte zurücktreten, ein spiritualisiertes, verjenseitigtes Christusbild entwickelt. Ein messianischer Christusglaube wird sich vorbehaltlos und konzentriert auf die geschichtlichen und weltlichen Zusammenhänge des Alten Testaments einzustellen haben, in denen – nach dem Zeugnis der alttestamentlichen Schriften – Gott kommt und seine Herrschaft auf Erden aufrich-

---

[11] *P. Althaus* (Anm. 3) 41.

tet. Er wird bezogen sein auf die Verheißung der von Gott erneuerten Schöpfung (Jes 65,17; 66,22).

Die messianische Geschichte unterscheidet sich von aller anderen Geschichte durch das Kundwerden *des Namens des Gottes Israels.* Es geht um das Dasein und um das Wirken dieses Gottes im Zeichen des ganz bestimmten Namens, der ihn bekanntmacht und abhebt. So beruhen alle wirkliche Bekanntschaft mit ihm darauf, daß er sich selbst bekannt macht, und alle angemessene Vorstellung darin, daß er sich selbst vorstellt. In diesem exklusiven, an den Namen gebundenen Sinn ist die Geschichte des Kommens Gottes Offenbarungsgeschichte. Für das Neue Testament bedeutsam ist die Tatsache, daß Jesus als der Christus den Namen Gottes verherrlicht: „Ich habe deinen Namen den Menschen geoffenbart", sagt der johanneische Christus (Joh 17,6). Die Offenbarung des Namens macht die Zusammenhänge *unverwechselbar;* sie verwehrt es den Christen, irgendeine andere, fremde Gottesvorstellung einzuführen. Denn immer wieder waren und sind die Heidenchristen auf dem Weg, dem Alten Testament eine untergeordnete, den Mythen gleichzustellende Bedeutung im Verhältnis zum Neuen Testament anzuweisen und neue Gottesbegriffe aus der Philosophie oder den verschiedenen Religionen zu rezipieren. Damit aber zerbricht die messianische Geschichte. Jesus wird dann als autarker Religionsstifter ausgewiesen, der er nach allen neutestamentlichen Dokumenten nicht war und nicht sein wollte.

Steht aber der Christusglaube in der Perspektive der biblischen Gottesgeschichte, dann ist das prägend Messianische damit angezeigt, und zwar nicht in einem religionsphänomenologischen oder ideellen Sinn. Der Christus ist als der „Gesalbte" der Messias des Gottes Israels, seiner Geschichte, seines Kommens zur Welt der Völker, zur Aufrichtung seiner Herrschaft.

II. Der Christusglaube
in der Perspektive der biblischen Geist-Verheißungen

Um die Aspekte dieser Überschrift von Anfang an allen Mißverständnissen zu entreißen, sei sogleich erklärt: Im *Begriff „Geist"* handelt es sich um die entsprechenden biblischen Aussagen (ruach, pneuma), nicht aber um einen allgemeinen Geistbegriff, der zu spirituellen, spiritualisierenden Vorstellungen oder Spekulationen Anlaß geben könnte.

Wo aber liegt die Veranlassung, von der „Perspektive der biblischen Geist-Verheißung" zu handeln und diesen Aspekt in das Zentrum der Messianologie zu rücken?

In den Evangelien des Neuen Testaments, darüber hinaus aber auch in anderen altkirchlichen Texten, verbindet sich mit dem messianischen Titel „der Christus" („der Gesalbte") die Vorstellung von einer *Salbung* (chrisma), also von einem Initiationsakt, in dem und durch den Jesus von Nazaret als „Messias" (maschiach) gekennzeichnet worden ist. Die Frage stellt sich ein: Womit ist er gesalbt worden? Natürlich nicht mit geweihtem Öl – wie in alten Tagen die Könige Israels, sondern mit dem Geist (pneuma) des Gottes Israels. Wann ist er „gesalbt" worden? Die synoptischen Evangelien erklären übereinstimmend und eindeutig: im Akt der Taufe (Mk 1,10f par.). Da geschah es, daß der Geist Gottes – in der Symbolgestalt einer Taube – herabfuhr und auf ihn kam. Eine Stimme vom Himmel (bat-qol) bedeutete: „Dies ist mein lieber Sohn, an dem ich Wohlgefallen habe!" (Mt 3,16f.) Diesen Initiationsakt hat die adoptianische Christologie als Vorgang der Erwählung, der besonderen Kennzeichnung und der Ausrüstung des Menschen Jesus von Nazaret verstanden. Und zweifellos bedeutet dieser Akt: Jesus wird mit dem Chrisma des Geistes als Christos ausgerüstet und zum „Sohn Gottes" erklärt, „adoptiert" (vgl. Ps 2,7). Es handelt sich in der Taufperikope um eine bestimmte christologische Interpretations- und Legitimationsaussage, die aber wohl weniger den terminus a quo als das Faktum der Messianität Jesu proklamieren will; sie ist Kerygma der Urgemeinde. Der „Geist" aber, von dem die Rede ist, wird zu verstehen sein als *machtvoller Erweis der Gegenwart Gottes*, die sich in Bevollmächtigung und Begabung erzeigt. Jesus als der Gesalbte (Christos) ist der durch den Geist des Gottes Israels Ermächtigte und Begabte. Die älteste Christologie des Neuen Testaments war – soweit wir zu sehen vermögen – eine pneumatologische und also in diesem spezifischen Sinn messianische. Denn die Rede von der Geist-Salbung (Ruach – Pneuma – Chrisma) will verstanden sein im Rückverweis und Rückbezug·auf das Alte Testament.

In Lk 4 wird erzählt, Jesus sei in die Synagoge von Nazaret gekommen, man habe ihm die Schriftrolle des Propheten Jesaja gereicht und er habe Jes 61,1f vorgelesen: „Der Geist des Herrn ist auf mir, weil er mich gesalbt hat. Er hat mich gesandt, den Armen das Evangelium zu verkündigen, die zerbrochenen Herzen zu heilen, kundzutun den Gefangenen Befreiung, den Blinden, daß sie sehen, den Zerschlagenen, daß sie erlöst sind. Zu verkündigen das Halljahr des Herrn." Jesus beschließt die Lesung mit dem Ausruf: „Heute ist diese Schrift erfüllt vor euren Ohren!" (Lk 4,21). Der Evangelist Lukas will sagen: 1. Jesus als der Gesalbte (Christos), auf den der Geist in „leiblicher Gestalt" (Lk 3,22) herabgekommen war, erklärt sich selbst als Erfüllung des in Jes 61,1f verheißenen Messias (maschiach). – 2. Die Erfüllungsproklamation geschieht – wie es wörtlich heißt – „vor euren Ohren" (Lk 4,21); sie ereignet sich also nicht in sichtbaren Machtmanifestationen. Jesus ist der verborgene Messias, der allein aus seinem Wort und aus dem diesem Wort entsprechenden Wirken erkennbar sein will. – 3. „Salbung" hat Sendung zur Folge. Der „Gesalbte" ist ermächtigt und begabt, zuerst und vor allem den Armen, den in der Bibel unter dem Privileg der Heilszuwendung stehenden Mittellosen (anawim), die frohe Botschaft von der nahen und kommenden Herrschaft Gottes zu verkündigen. – 4. Es ist bemerkenswert, daß der Messias (maschiach) den Auftrag empfängt, das heilende und befreiende Handeln des Gottes Israels zu verwirklichen. Nach Jes 61,2 handelt er *an Gottes Statt.* – 5. Damit bricht eine *neue Zeit* an. Das eschatologische Jobel-Jahr wird ausgerufen – gemäß Lev 25,10: „So sollt ihr das fünfzigste Jahr weihen und Befreiung ausrufen im Land für alle, die darin wohnen; als Halljahr soll es euch gelten." In Jes 61 wird die Tora prophetisch aktualisiert, im Neuen Testament eschatologisch rezipiert.

Es ist deutlich: Eine *messianische Pneumatologie*, die sich in Lk 4 an Jes 61,1f orientiert, prägt die älteste Christologie des Neuen Testaments. Nun entspricht es aber prophetischer Verheißung, im Blick auf den zukünftigen maschiach auszusagen, daß der Geist (ruach) des Gottes Israels auf ihm „*ruhen*", bei ihm „*bleiben*" wird. So heißt es in Jes 11,2: „Auf ihm wird ruhen der Geist des Herrn, der Geist der Weisheit und der Einsicht, der Geist des Rates und der Stärke, der Geist der Erkenntnis und der Furcht des Herrn." Die Geist-Mitteilung ist demnach nicht ein plötzliches, zeitweiliges, vorübergehendes Ergriffensein (wie es z.B. den Charismatikern der Richterzeit widerfuhr), sondern eine *permanente* Ermächtigung und Begabung. Dieses Motiv ist im Neuen Testament aufgenommen worden, vor allem in

Joh 3,34: „Den Gott gesandt hat, der redet Gottes Worte; denn Gott gibt den Geist nicht nach Maß." Jesus als der Christus hat den Geist *ohne Maß*", in maßloser Fülle empfangen. Seine Geist-Begabung ist nicht eine zeitweilige und begrenzte, sondern eine bleibende und vollkommene. In ihm ist Gott selbst gegenwärtig in unbeschränktem Reden und Wirken. In der johanneischen Christologie heißt dies: Er *ist* das Wort – der Logos Gottes, der Mensch (sarx, Joh 1,14) wurde. Der messianische Christusglaube wird jedoch die sog. Inkarnation nie im Sinne einer immanenten Absorbierung des transzendenten Gottes verstehen und erklären dürfen. Er wird auch in den stärksten Äußerungen zur Herabneigung Gottes (Kondeszendenz) stets der Worte gedenken müssen: „So spricht der Hohe und Erhabene, der ewig thront und dessen Name ‚der Heilige' ist: In der Höhe und als Heiliger throne ich und bei den Zerschlagenen und Erniedrigten, um den Geist der Gebeugten zu beleben und das Herz der Zerschlagenen zu erquikken" (Jes 57,15). Gott als der Erhabene ist in seinem Messias am Werk. Die Geist-Christologie hält diese Perspektive offen. In Joh 6,63 wird ausdrücklich hervorgehoben: „Der Geist ist es, der lebendig macht, das Fleisch nützt nichts. Die Worte, die ich rede, sind Geist und Leben." Und Joh 7,16: „Meine Lehre ist nicht aus mir, sondern von dem, der mich gesandt hat." Die urchristliche Verkündigung und Christologie verfolgt demnach die deutlich aufweisbare, im Johannesevangelium explizite Intention, von der schrankenlosen und bleibenden Geist-Gegenwart Gottes in Jesus als dem Christus zu sprechen. Er ist der „Immanuel" (Mt 1,23). Dazu Julius Schniewind: „Jesu Kommen, Leben und Tun bedeutet, daß ‚Gott mit uns' Menschen ist. Wie es von Jesu Erdenleben gesagt wird, daß Gott beständig mit ihm war (Apg 10,38; Joh 8,29), so ist er selbst in Person die Gegenwart Gottes für uns Menschen (2 Kor 4,6; Kol 2,9; Hebr 1,3; Joh 14,6.9; Mt 11,4f)."[12] Das ist messianischer Christusglaube, Christusglaube in der Perspektive der biblischen Geist-Verheißung!

Während das Johannesevangelium die Grenzenlosigkeit, Permanenz und Vollkommenheit des Chrisma des Christus betont, haben Matthäus und Lukas das in der Taufe manifest gewordene Ereignis der Geist-Salbung zum Anlaß genommen, Tieferes und Umfassenderes

---

[12] *J. Schniewind*, Das Evangelium nach Matthäus: NTD 2 z. St.

über Jesus auszusagen. Dieser Jesus ist nicht nur – im bestimmten Augenblick und Akt der Taufe – durch die Geist-Gabe designiert, ermächtigt und ausgesandt worden, schon seine Geburt geschah unter der wunderbaren Wirkung des Geistes. Sein ganzes Leben, seine *physische Existenz* erscheint als durch den Geist Gottes hervorgerufen und bestimmt. Damit wird gesagt: Christus ist nicht nur adoptierter, sondern wirklicher „Sohn Gottes". Gottes Geist erfüllt seine Physis von Anbeginn.

An dieser Stelle kann die messianische Christologie in eine *physisch-metaphysisch orientierte Spekulation* umschlagen. Und dies ist – unter griechischem Einfluß – in den altkirchlichen Bekenntnissen und Dogmen auch geschehen. Die Zwei-Naturen-Lehre hat den Christusglauben zu erklären unternommen und damit den Zusammenhang mit dem Alten Testament und eine Verständigungsmöglichkeit mit dem Judentum zerrissen und zerstört. Natürlich kann nicht übersehen werden, daß die im Schema der Zwei-Naturen-Lehre ausgeführten altkirchlichen Bekenntnisse und Dogmen bedacht waren, Christus in hellenistischer Vorstellungswelt zu verkündigen und zu verherrlichen, und also den „Griechen ein Grieche" zu werden in den Applikationen. Auch wird zu bedenken sein, daß die Kirche den sich ausbildenden Häresien auf dem Boden der ihnen eigenen Sprache und Anschauungsformen entgegentreten mußte. Doch die Folgen absoluter Assimilation waren verheerend. War den Christen „alles erlaubt", so durfte sie doch nichts „gefangennehmen" (1 Kor 6, 12). Die Theologen aber ließen sich von der griechisch-hellenistischen Denkweise und von den fremden Physis-Kategorien „gefangennehmen" – bis auf den heutigen Tag. Jesus wurde fremden Aneignungsprinzipien ausgeliefert; er wurde dem Zusammenhang mit dem Alten Testament, seiner messianischen Geschichte und seiner prophetischen Verheißung, entrissen. Damit brach nicht nur die Verständigungsmöglichkeit mit dem Judentum ab; es kamen im Zuge der christologischen Streitigkeiten auch den Juden feindliche Bestrebungen und Maßnahmen auf. So stellt sich die Frage ein, ob es einen Weg geben mag, der zur pneumatologisch bestimmten Christologie zurückführt und der heute, in unserer Zeit, einen messianischen Christusglauben zu begründen vermag.

Es besteht kein Zweifel: Der älteste Versuch des Urchristentums, die Gegenwart Gottes in Christus auszusagen, steht im Zeichen des Geist-Begriffs – nicht nur im Neuen Testament, sondern auch in altkirchlichen Traditionen[13]. Diese ursprüngliche und weitreichende Bedeutung der Geist-Christologie erkennt auch Wolfhart Pannenberg[14]. Doch stellt er fest: Diese Rede von der „Geistgegenwart" Gottes sei deswegen unzureichend, weil die den Menschen Jesus erfüllende Kraft Gottes nicht die Selbstoffenbarung und Selbstgegenwart Gottes in Jesus auszusagen vermöchte. Die Person Jesu wäre *nicht wesenhaft* Gott, sondern Gott wäre in Jesus „nur als die diesen Menschen erfüllende Geisteskraft anwesend"[15]. Darum sei dem hellenistischen Verständnis der „Substanzgegenwart Gottes" der Geist-Christologie gegenüber der Vorzug zu geben. Dieses erstaunliche heidenchristliche Plädoyer für „Substanzgegenwart Gottes" und physische Präsenz, und also für die gesamte ontologisch-metaphysische Christus-Spekulation, ist bezeichnend für den Trend der Theologie, die sich den maßgebenden philosophisch-hellenistischen Kategorien unterstellt und verpflichtet weiß. Doch offensichtlich hat Pannenberg seinem Verständnis von „Geist" als einer in Jesus anwesenden „Geisteskraft" bereits hellenistisch-dynamistische und spiritualisierende Auffassungen zugrunde gelegt und die Propria biblischer Geist-Messianologie nicht ausreichend bedacht. Auch ist ihm nicht bewußt geworden, was es in der messianischen Verheißungsgeschichte bedeutet, wenn im Neuen Testament erklärt wird, Jesus von Nazaret als der Christus habe den Geist Gottes „ohne Maß" empfangen. Hier liegt das punctum saliens der messianischen Geist-Christologie in ihrem alttestamentlichen Kontext. Sollte freilich entgegnet werden, daß die Substanzgegenwart Gottes in Jesus unbedingt und unverzichtbar zur Sprache kommen müsse, so wird die Frage zu stellen sein, was das denn wohl sei, „*Substanz*gegenwart Gottes", und welche Lehre von Gott diese Rede von der praesentia substantialis bestimme. An welcher Kategorie und Vorstellung physischer Substanz ist allen denen eigentlich gelegen, die an dieser Stelle mit dem hellenistischen Physis-Begriff und mit dem lateinischen Synonym natura intervenieren? Mit welchem Recht müssen philosophisch rezipierte Termini die biblische Perspektive außer Kraft setzen und über den status confessionis befinden? Man wird sich auf

---

[13] *A. Gilg*, Weg und Bedeutung der altkirchlichen Christologie: Jesus Christus im Zeugnis der Heiligen Schrift und der Kirche (²1936) 91 ff.
[14] *W. Pannenberg*, Grundzüge der Christologie (Gütersloh 1964).
[15] Ebd., 120.

die Trinitätslehre berufen: „una substantia – tres personae – Eine ‚Substanz‘, drei Personen“. Aber es wird neu zu fragen sein, ob und in welchem Ausmaß diese klassische Formulierung hellenistische Metaphysik repräsentiert und biblisches, heilsökonomisches Denken verdrängt hat. Im Dialog mit dem Judentum wird die Christenheit zur Überprüfung und Korrektur ihrer trinitarischen und christologischen Grundsätze herausgefordert.

Es ist an dieser Stelle darauf aufmerksam zu machen, daß eine Christologie, die nicht ausschließlich auf die altkirchlichen, metaphysischen Formulierungen fixiert ist, durchaus die Freiheit haben kann, *die biblisch-messianischen Zusammenhänge systematisch zu rezipieren*. Ein herausragendes Beispiel findet sich in der „Institutio christianae religionis“ von Calvin, in der eine differenzierte Geist-Christologie mit allen alttestamentlich-messianischen Rückbezügen dargelegt wird. Calvin erklärt den Begriff „Christus“, übersetzt ihn mit „Gesalbter“ und führt aus, daß und wie Jesus der Messias und Geistbegabte Gottes ist. Gott hat ihm „ohne Maß“ (Joh 3,34 wird zitiert) den Geist gegeben. Und dann entwickelt Calvin die bei Josephus, Eusebius und Thomas von Aquin rudimentär vorgebildete Lehre vom „dreifachen Amt Christi“ („triplex munus Christi“; bei Thomas „duplex officium“). In ganzer Breite und Fülle wird auf das Alte Testament rekurriert. Jesus ist „gesalbt“ mit dem Geist der Prophetie, des Königtums und des Priestertums (Inst. II. 15.1). Unter Hinweis auf Jes 61,1f erklärt Calvin in Inst. II. 15.2: Wir müssen bedenken, „daß der Name ‚Christus‘, der ‚Gesalbte‘ alle diese drei Ämter umfaßt. Denn unter dem Gesetz sind, wie wir wissen, Propheten, Priester und Könige mit heiligem Öl gesalbt worden. Deshalb wurde dem verheißenen Mittler auch der Name ‚Messias‘ (‚Gesalbter‘, ‚Christus‘) beigelegt.“ Die ihm durch den Geist übergebenen Ämter aber behält Christus nicht für sich. Unter Hinweis auf Joh 1,16 („Aus seiner Fülle haben wir alle genommen Gnade um Gnade“) hebt Calvin das enge, innige Verhältnis von Christus und den Christen hervor. Sie haben Anteil an seinem Chrisma („Salbung“) und leben von den Charismen und aus der Gnade (charis) dessen, der das Haupt seines Leibes, seiner Gemeinde, ist. Die im Judentum messianisch gedeutete Verheißung Joel 3 wird der Erfüllung entgegengeführt: Über alle wird der Geist ausgegossen werden. – Damit sind die Grundzüge einer messianischen Christologie umrissen, die neue Aufmerksamkeit verdient, zumal Calvin nicht dem Fehler erlegen ist, einen Schematismus von Verheißung und Erfüllung zu substituieren, wie er hernach in der protestantischen Orthodoxie sich durchgesetzt und auch die Ausführung der Lehre vom „dreifachen Amt Christi" geprägt hat.

Das Thema „*Geist und Messias*", das in der neutestamentlichen Forschung ausführlich bearbeitet worden ist (Ingo Herrmann), läßt sich auch im Judentum zwischen den Testamenten nachweisen. Es sind dies Auswirkungen insbesondere von Jes 11,1ff und Jes 61,1ff. Im 2. Kapitel der „Damaskus-Schrift" heißt es: „Durch seinen Gesalbten läßt er sie seinen heiligen Geist erkennen. Er ist die Wahrheit." Der Messias erscheint als Träger und Mittler des Geistes Gottes. Im Unterschied zu Johannes dem Täufer, der mit Wasser tauft, wird von Jesus angekündigt, er werde mit dem heiligen Geist taufen (Mk 1,8), was offensichtlich meint, daß er die Seinen an dem eigenen, in der Taufe empfangenen Geist partizipieren läßt. Nach Joh 20,22 hat der Auferstandene die Worte gesprochen: „Nehmt hin den Heiligen Geist!" Aus der messianischen Fülle teilt er das Chrisma den Seinen mit.

Doch zurück zur urchristlichen Christologie! Das Neue Testament vertritt die Auffassung, daß niemand Jesus als den Christus erkennen und bekennen kann – es sei denn durch den Geist Gottes (Mt 16,17). Es gilt, vor allem in 1 Kor 2,11f, der „erkenntnistheoretische" Grundsatz: Gleiches durch Gleiches. *Geist Gottes wird nur durch Gottes Geist erkannt.* Die erkenntniseröffnende Funktion des Geistes betont besonders 1 Kor 12,3: „Niemand kann Jesus ‚Herr' (Kyrios) nennen, es sei denn durch den Heiligen Geist." – In diesem Zusammenhang ist die Frage nach dem sog. „Messiasbewußtsein" Jesu einer neuen Beantwortung entgegenzuführen. Man hatte immer wieder gemeint, in Mt 16,13ff den Durchbruch des Gottesbewußtseins Jesu historisch verifizieren zu können. Dahinter stand Schleiermachers Auffassung vom urbildlichen Selbstbewußtsein Jesu. Dann aber folgte in der historisch-kritischen Forschung der Gegenschlag. Mit der Zurückweisung psychologisierender Interpretation war die Auffassung verbunden: Wir wissen nichts von einem messianischen Selbstbewußtsein Jesu. Oder sogar: Jesus verstand sich selbst nicht als Messias; alle diesbezüglichen Aussagen in den Evangelien sind Kerygma der Urgemeinde. Konsequent, aber in einem anderen Argumentationszusammenhang, äußerst Hans Joachim Iwand die Auffassung: „Wir Menschen tragen unser Sendungsbewußtsein in uns, und wir verstehen die Großen der

Weltgeschichte aus ihm heraus. Ein derartiges Bewußtsein bei Jesus vorauszusetzen, hieße bereits ihn abseits, ohne Gottes Tat und Geist zu erfassen und zu beurteilen suchen. Darum kann niemand von sich aus erkennen, wer Jesus ist; das Messiasgeheimnis bleibt sein Geheimnis, es bleibt grundsätzlich unzugänglich, es sei denn, daß uns selbst die Frage Jesu trifft und wir bekennen müssen, wer er ist! Nicht wofür andere ihn halten, sondern wer er ist!" „Darum liegt hier die Grenze aller Wissenschaft, denn die Wissenschaft kann nur das herausstellen, was ‚jedermann' sehen und denken müßte, wenn er sich mit dem Phänomen Jesus beschäftigt."[16] Aber hier ist nun doch zu fragen: Sollte die Erkenntnis eröffnende Gabe des Geistes Gottes nur denen zugedacht sein, die Jesus begegnen, nicht aber ihm selbst? Wenn Paulus sagt: „Sein Geist gibt Zeugnis unserem Geist, daß wir Gottes Kinder sind" (Röm 8,16), wieviel mehr wird sich dieses Selbstbekundungszeugnis des Geistes an dem Christus Gottes erwiesen haben – in der bewußten Verborgenheit, die seine Sendung bestimmt. In der *bewußten* Verborgenheit! Damit wird eine These von Julius Schniewind aufgegriffen, die besagt, daß das sog. „Messias-Geheimnis" nicht erst eine Konstruktion urchristlicher Tradition oder insbesondere des Evangelisten Markus gewesen ist, sondern vielmehr in der durch Jes 42,1ff motivierten Sendungs- und Geistgewißheit Jesu seinen Grund hat[17]. Mit dem allem aber wird lediglich präzisiert, was in der neutestamentlichen Wissenschaft nicht selten als „Vollmacht" oder „Sendungsgewißheit" Jesu bezeichnet worden ist.

Das Geist-Thema veranlaßt den messianisch orientierten Christusglauben zu einer weiteren Umschau und Vergewisserung in der Geschichte Israels. Ohne damit die viel zu komplexe und komplizierte Aufgabe eingehender Forschungen zum Begriff und Wirken der Ruach („Geist") im Alten Testament zu stellen[18], soll nur auf einen Aspekt aufmerksam gemacht werden. Seit der Richterzeit ist Ruach *das Charisma des Retters, der an Gottes Statt Israel befreit* (Ri 3,10; 6,34; 11,29 u. ö.). Ausgerüstet mit Gottes Geist tritt der Befreier her-

---

[16] *H. J. Iwand* (Anm. 5) 566.
[17] *J. Schniewind,* Messias-Geheimnis und Eschatologie: Nachgel. Reden und Aufsätze, hrsg. von E. Kähler (Berlin 1952) 1–15.
[18] Vgl. *R. Albertz – C. Westermann,* RUACH: Theol. Handwörterbuch zum Alten Testament II (München – Zürich 1976) 726–753. Dort weitere Literatur.

vor (Jes 61,1 f). Ruach – in dieser Perspektive – kann gekennzeichnet werden als das Charisma der Rettung und Befreiung, in dem der Gott Israels selbst gegenwärtig ist. Nach Joh 3, 34 wäre das Geheimnis der Ermächtigung und der verborgenen Messianität Jesu die uneingeschränkte, vollkommene Gabe des Geistes, des eschatologischen Charismas der Rettung und Befreiung an Gottes Statt.

Was damit angedeutet ist, betrifft auch und besonders die *biblische Anthropologie*. Es ist auszugehen von der prophetischen Verheißung Ez 36,26 f: „Ich werde euch ein neues Herz geben und einen neuen Geist in euer Inneres legen, ich werde das steinerne Herz aus eurem Leib herausnehmen und euch ein fleischernes Herz geben. Meinen Geist will ich in euer Inneres legen und bewirken, daß ihr in meinen Geboten wandelt und meine Rechtssätze treu erfüllt." Im Anschluß und unter Bezug auf Jer 31,31–34 tritt in dieser prophetischen Verheißung die Vision des neuen, eschatologischen Menschen hervor, des Menschen der Endzeit, dem die Tora nicht mehr als gebietende, Gehorsam fordernde Schrift oder mündlich übermitteltes Gebot gegenübersteht und entgegentritt, der vielmehr durch den in ihm wohnenden Geist Gottes und die damit geschehene Veränderung seines Innersten – von Herzen, aus neuem, in ihm wirksamem Antrieb der Tora gemäß lebt. Hier kommt es, was die Tora betrifft, zur „messianischen Verwirklichung", die letztlich nicht vom Menschen, sondern von Gott ausgeht, gleichwohl aber das Ureigenste menschlichen Lebens in eine neue Bewegung versetzt. Der Beter des 51. Psalms wird sich wohl auf die prophetische Verheißung beziehen, wenn er bittet: „Schaffe mir, Gott, ein reines Herz, und gib mir einen neuen Geist der Gewißheit!" (Ps 51,12.) Im Hebräischen findet sich das singulär für Gottes Schöpfungshandeln vorbehaltene Verbum barah. – Nun wird zuzugestehen sein, daß die hier angesprochenen Geist-Verheißungen keine direkten Beziehungen zur speziellen Messias-Thematik haben. Doch ist es von großer Wichtigkeit, daß Jesus als der Christus, als der Geist-Gesalbte, der in Ez 36 verheißene *eschatologische Mensch* ist. Hier gibt es noch einmal zum Nachdenken Anlaß, daß das Judentum das Tun der Tora als messianische Verwirklichung verstanden hat. In diesem Zusammenhang ist daran zu erinnern, daß Robert Raphael Geis Jesus als „den eschatologischen Menschen" bezeichnen konnte[19].

---

[19] *R. R. Geis*, Gottes Minorität (München 1971) 227f.

Es ist angemessen, vielleicht sogar unverzichtbar, die Aspekte der Anthropologie in den größeren Zusammenhang der Messianologie hineinzufügen.

III. Der Christusglaube in der Perspektive:
Verheißung – Erfüllung – Hoffnung

Im II. Kapitel wurde erklärt: Auch wenn der Christusglaube bekennt, in Jesus von Nazaret sei das Ereignis des Kommens Gottes in und mit Israel zum Ziel gelangt, so bleibe doch das Ende noch unerreicht und unerfüllt. Dieser Satz vermag anzuzeigen, was jetzt, im III. Kapitel, zur Perspektive Verheißung – Erfüllung – Hoffnung auszuführen ist. Es ist davon auszugehen, daß unter *„Verheißung"* eine Zusage zu verstehen ist, die den Angesprochenen in die Zukunft einweist und ihm eine geschichtliche Perspektive erschließt, ja überhaupt den Sinn für Geschichte vermittelt. Diese durch Verheißung aufgeschlossene Zukunft und Geschichte durchbricht die mythische Vorstellung von der ewigen Wiederkehr des Gleichen; sie strebt der Erfüllung zu. In diesem Sinn erzählen und bezeugen das Alte und das Neue Testament das Geschehen und Ergehen von Verheißungen, die nicht nur den Weg des Gottesvolkes bestimmen, sondern das Leben aller Völker, der gesamten Menschheit in Bewegung setzen. Der verheißende Gott sagt sein Kommen zu, er verspricht sich selbst, seine Gegenwart und die Zukunft des Menschen in einer neuen, vollendeten Schöpfung als der Erfüllung des Lebens. Aus dem Noch-nicht-Vorhandenen, Nicht-Sichtbaren kommt die Verheißung heraus. Darum ist für sie kein Beweis aus dem Vorhandenen und Sichtbaren möglich. Nur im Hören und Vertrauen auf den verheißenden Gott kann man in ein der Verheißung angemessenes Verhältnis eintreten. „Indem die Verheißung der Zukunft in der Gegenwart laut wird, anitzipiert sie die Zukunft und nimmt die Gegenwart für die Zukunft in Beschlag, sie ist also Antizipation von vorn, von der Zukunft her."[20] In diesem Sinn ist zwar alles menschliche Handeln eine Antizipation, ein dauerndes Vorwegnehmen, jedoch eine Antizipation von der jeweiligen Gegenwart her. Sub-

---

[20] *H. Gollwitzer*, Forderungen der Umkehr (München 1976) 26.

jekt der Verheißung und der mit ihr initiierten Antizipation ist der kommende Gott, Subjekt menschlicher Antizipation der gegenwärtige Mensch, der aus dem Gegenwärtigen aufbricht. „Darum ist zu unterscheiden: *futurum* als die von der Gegenwart her im Blick gefaßte Zukunft – *adventus* als das Kommen der verheißenen Zukunft in die Gegenwart herein in der Gestalt des Verheißungswortes. In das Futurum werfen wir unser Licht durch unser Hoffen und Planen, im Adventus wirft der Kommende sein Licht in unsere Gegenwart."[21] Entsprechung sind auch die Unterschiede hinsichtlich der *Hoffnung* strukturiert. Es gibt eine Hoffnung, die sich aus dem Vorhandenen und Sichtbaren erhebt und darum auch die Ungewißheit der Zukunft vor sich hat, und eine Hoffnung, die bezogen und gegründet ist auf den Adventus der Verheißung; sie sieht der Erfüllung mit Gewißheit entgegen. Wenn der Christusglaube bekennt, Jesus als der Christus sei die Erfüllung der im Alten Testament mitgeteilten Verheißungen, er sei das Ziel des Kommens Gottes, dann bedarf eine solche Bekenntnisaussage des Glaubens einer umfassenden Näherbestimmung, die aber nur mit einigen Hinweisen angedeutet werden kann.

1. Wenn es in 2 Kor 1,20 heißt, daß alle Gottesverheißungen „Ja und Amen" in Christus sind, dann kann dieses Ja Gottes nur vernommen werden als *Botschaft,* sie kann aber nicht ins Vorhandene und Sichtbare „objektiviert" werden als historisches Faktum. Es geht also nicht um die „Geschichtlichkeit" (d. h. den Geschichtserweis) des Wortes, sondern um die „Wörtlichkeit" (d. h. den Worterweis) des Erfüllungsgeschehens. Dieser Aspekt entspricht dem Messiasgeheimnis des Evangeliums. Das Messiasgeheimnis ist Leidensgeheimnis. Gottes Erwählter ist ein „Armer" (anaw), dessen Leben unter der Signatur des ständigen Leidens und des Kreuzes steht, der sein Leben hingibt. – 2. So ist dies das Entscheidende an der in Jesus als dem Christus verkündigten Erfüllung: daß sie den Verheißungscharakter der Offenbarung nicht aufhebt, sondern ihn voll und ganz bestätigt – mit jenem affirmativen „Amen" („es ist gewiß"). Die messianische Geschichte bleibt zum Ende hin offen; der Glaube bleibt bezogen auf die in die Zukunft weisende Verheißung. So ist das Neue Testament wie das Alte ein Zeugnis und Dokument von der Offenbarung, in der

---

[21] Ebd., 26.

Gott gegenwärtig ist als der Kommende. Der eschatologische Aspekt impliziert also keine Negation der Gegenwärtigkeit. In Offb 3,19 ruft der erhöhte Kyrios: „Siehe, ich stehe vor der Türe und klopfe an..." Wer sich anklopfend ankündigt, der ist als Zukünftiger, Kommender auch schon gegenwärtig. „Wie sollte die Zukunft Gottes nicht die intensivste Gegenwart sein; unverhältnismäßig viel intensiver als alles, was wir für Gegenwart halten."[22] – 3. Alles bisher Ausgeführte wird zum Warnungszeichen für jeden Christen, der den *Botschafts- und Verheißungscharakter der Offenbarung* in der Faktizität von Gegebenheiten und Vorfindlichem erstarren läßt – und sei diese Faktizität durch eine „Theologie der Tatsachen" oder durch die Behauptung einer „Substanzgegenwart" Gottes in Christus noch so überlieferungsgetreu sanktioniert. Hebr. 11,1: „Es ist der Glaube ein... Nichtzweifeln an dem, was man nicht sieht." – 4. Was also bedeutet Gottes Verheißung im Hören der Erfüllungsbotschaft! Daß der Mensch eine Richtung, eine Bestimmung, eine Perspektive empfängt. Biblisch handelt es sich nicht nur um das, was hinsichtlich der alttestamentlichen Verheißungen durch die Erfüllung in Jesus als dem Christus uneingelöst bleibt. Vielmehr ist grundsätzlich zu erklären: Gott gibt dem Menschen sein in Christus erfülltes und darum zuverlässiges und gewisses *Versprechen.* Dieses Versprechen der Verheißung ist die Hoffnung seines Lebens. Für den Christusglauben steht „Verheißung" in diesem Kontext. – 5. Doch alles, was zum Thema „Verheißung und Erfüllung" bisher ausgeführt wurde, ist letztlich und entscheidend bezogen auf den *gekreuzigten und auferweckten Jesus.* Das Neue Testament verweist in allen Aussagen über das stellvertretende Leiden und die Erweckung aus dem Tod auf die „Schrift", auf die „Schriften". Das bedeutet nicht, daß die Schrift das Unerträgliche, Unfaßliche beseitigt und das Leidens- und Erhöhungsgeheimnis enthüllen könnte, wohl aber kann das Alte Testament – und dies ist das Grundverständnis der neutestamentlichen Zitierungen – den Sinn dafür öffnen, daß in diesen Ereignissen Gottes eigenes Werk, und zwar ein angekündigtes Werk, geschieht. Ohne die Zusammenhänge an dieser Stelle aufrollen zu können, seien die deutlichen und dichten Erklärungen Eberhard Jüngels zitiert: „Gott hat sich mit Jesus, mit diesem sterblichen Menschen,

---

[22] *K. Barth*, Kirchliche Dogmatik I/2 (Zürich) 103.

identifiziert, um so, in der Einheit mit diesem Toten für alle sterblichen Menschen dazusein. Am Kreuz Jesu ereignet sich deshalb das Heil der Menschheit. Denn das ist das Heil: daß Gott für uns da ist. Im gekreuzigten Jesus ist Gott für uns da, und zwar für immer. Deshalb lebt dieser Gekreuzigte, lebt er in einer unvergleichlichen Weise: mit Gott für uns. Das ist mit ,Auferstehung Jesu von den Toten' gemeint: daß Gott, der das ewige Leben in Person ist, sich ein für allemal mit dem Gekreuzigten identifiziert hat, um für uns dazusein alle Tage bis an der Welt Ende. Da, obwohl man ihn nicht sieht. Aber er läßt von sich hören – in unseren menschlichen Worten nämlich, die von Jesus Christus reden."[23] Mit diesen Sätzen ist zugleich verdeutlicht, was „Versöhnung" heißt. Versöhnung ist *Erfüllung des Bundes*. Versöhnung bringt nicht eine ontologisch aufweisbare „Erlösung der Welt", sondern Erfüllung der *Zusage* und des *Versprechens* des zu den Völkern kommenden und dem Menschen begegnenden Gottes: „Ich bin für dich da, im Leben und im Sterben!"

Wird Versöhnung in dieser Perspektive gesehen, dann wird sie den Sicherheiten christlicher Lebens- und Weltanschauung völlig entnommen. Dann bleibt sie im *messianischen Geheimnis* beschlossen. Die an der Substanz und Physis orientierte Christologie wurde unter dem Zwang ihrer philosophischen Voraussetzungen dahin gedrängt, metaphysische Aussagen über die Veränderung und Erlösung der Welt vorzutragen und – mit der Prämisse des „Glaubens" nur unzulänglich kaschierte – Behauptungen über den eschatologisch-ontologischen Gestaltwandel der Schöpfung aufzustellen. Wenn demgegenüber das Judentum in ernüchternder Deutlichkeit auf die faktische Unerlöstheit der Welt und des Menschen hingewiesen hat und hinweist, dann trifft die scharfe und schroffe Kritik mit Recht die gesamten Konsequenzen einer auf die Substanzgegenwart und Physis ausgerichteten Christologie. Diese traditionellen Positionen sind in ihren Voraussetzungen und Fundamenten brüchig; sie sind nicht mehr zu halten, sie müssen aufgegeben werden. Wer diese Zusammenhänge im Gespräch mit dem Judentum noch nicht erkannt hat, der wird keinen Zugang finden zu den biblischen, messianischen Perspektiven des Christusglaubens, die nicht auf Substanzgegenwart Gottes rekurrieren, sondern auf das Geist-Chrisma des Christus.

---

[23] *E. Jüngel*, Unterwegs zur Sache (München 1972) 298.

An dieser Stelle ist es notwendig, darauf aufmerksam zu machen, daß auch Paulus an entscheidenden Stellen seiner Verkündigung eine *pneumatologisch bestimmte Christologie* erkennen läßt. Röm 1, 3 ff dürfte ein (von Paulus übernommenes) urchristliches Bekenntnis sein, in dem von Christus Jesus ausgesagt wird, er stamme „nach menschlicher Geburt" (kata sarka) aus dem Geschlecht Davids, „nach der Kraft des Heiligen Geistes" (kata pneuma) sei er eingesetzt worden in die Machtstellung des „Sohnes Gottes" seit der Auferstehung von den Toten. – Nach 1 Kor 15, 46 lebte Jesus in einem geisterfüllten, geistlichen Leib (soma pneumatikon). Als der „letzte Adam" ist er „lebendigmachender Geist" (1 Kor 15, 45). – In 2 Kor 3, 17 wird sogar eine Identifikation vorgenommen: „Der Herr ist der Geist." – Keine dieser Stellen gibt Anlaß zu ontologisch-physischen Spekulationen. Keine dieser Stellen kann aber auch spiritualistisch oder doketisch aufgefaßt werden, wenn „Geist" (pneuma) als Erfüllungsbegriff auf die alttestamentlichen Ruach-Aussagen bezogen bleibt.

In der messianisch-christologischen Perspektive als ganzer ist es unverkennbar, daß von einer Ablösung oder Auflösung der Verheißung durch die Erfüllung keine Rede sein kann – auch nicht im Neuen Testament. „Die Verheißung ist erfüllt" – das heißt nicht: Die Verheißung ist suspendiert, und an ihre Stelle tritt nun in der Gestalt von „Erfüllung" das Verheißene selbst, sondern die Verheißung wird in Jesus als dem Christus mit dem „Ja und Amen" Gottes bekräftigt, besiegelt, nahegebracht und wirksam zugesprochen. So bringt also das Neue Testament keineswegs die erfüllte Gegenwart einer sichtbaren oder auch unsichtbaren „besseren, gewandelten Welt", sondern das mit der Erscheinung Jesu Christi dringend gewordene Warten und Hoffen auf die Erlösung und Vollendung der Welt, auf die neue Schöpfung (2 Petr 3, 13). Wie Abraham auf dem Boden des verheißenen Landes ein Fremdling war und doch schon die Fülle des Segens empfing, so verhält es sich mit dem Glauben und mit der Hoffnung der Christen hinsichtlich der Vollendung. Die Auferstehung Jesu Christi ist kein den Sinn und das Sein verwandelndes Mirakel, sondern Kunde von der nunmehr *begründeten Hoffnung*, daß Gottes Bund auch durch den Tod nicht zerbrochen wird. Was in dieser Hinsicht schon in Ps 75, 23 ff angekündigt worden ist, wird durch den sterbenden und auferweckten Jesus besiegelt.

Im Gleichnis vom reichen Mann und armen Lazarus bittet der in die Gottferne verdammte, an eindrückliche Machtdemonstrationen gewohnte reiche Mann den Vater Abraham, es möge doch einer von den Toten auferstehen und seine fünf Brüder warnen. Die Antwort auf dieses Begehren lautet: „Sie haben Mose und die Propheten, auf die sollen sie hören! Wenn sie auf Mose und die Propheten nicht hören, dann werden sie auch nicht aufmerken, wenn jemand von den Toten aufersteht" (Lk 16,29.31). Im Neuen Testament ist die Auferstehung keine mirakulöse, physisch aufweisbare Machtdemonstration religiöser Provenienz, die eine reiche, von Macht und Erfolg geblendete Kirche aufbieten könnte, sondern der *Lebenserweis Gottes*, den er in der Tora und in der Prophetie längst angetreten hat, nun aber im Christus als begründete Verheißung und Hoffnung offenbart.

Nach biblischem Verständnis sind Hoffende auf Gott wartende Menschen, die in ihrer Not und Verzweiflung nicht zu fremden Göttern oder Götzen ihre Zuflucht nehmen – Menschen, die kein Unheil, aber auch keine Schuld dahin bringen kann, an Gottes endlicher, endgültiger Hilfe, an seinem Kommen zu zweifeln. *Keine Götzen!* Eingeschlossen sind in diese Negation auch alle Vergötzungen und Bannungen des lebendigen Gottes und seines Christus, alle sakralen Vergegenwärtigungsmaßnahmen der Kirche, die dem Substanzdenken verhaftet sind. Es meldet sich urjüdische Tradition, wenn Ernst Bloch immer wieder gegen den „kultischen Christus" der Kirche seinen Protest ausgesprochen hat. Auch der sakramentale Christus ist als der Crucifixus nicht der von der Kirche physisch fixierte, sondern der Verheißene und Kommende, der Freie und Unverfügbare. Die Hoffnung durchbricht alles ins Vorhandene und Aufweisbare vorverlagerte Endgültige. Hoffnung aber ist die große Gewißheit und Zuversicht, die nicht mehr abhängig ist vom Erfolg. In der Hoffnung wächst das Wissen des Glaubens, daß das Kommende, Künftige, und also die Enthüllung alles Verborgenen, gewisser ist als das Gegenwärtige.

Das I. Kapitel, das den Begriff der „messianischen Geschichte" einführte, steht in einem inneren, korrespondierenden Zusammenhang zu dem, was im III. Kapitel in der Perspektive Verheißung – Erfüllung – Hoffnung expliziert wurde. Beiden Rahmenkapiteln aber wuchs das Recht zur Einführung des Begriffs des Messianischen aus dem Mittelstück, dem II. Kapitel, zu. Wenn in Jesus als dem Christus nicht die Substanzgegenwart, sondern die Geist-Präsenz Gottes (ruach / pneuma) begegnet, dann sind alle Aspekte von „Geschichte", von „Verheißung, Erfüllung und Hoffnung" dadurch *qualitativ verändert und neu bestimmt.*

Autorenhinweise

Shemaryahu Talmon ist Professor für Bibelwissenschaften an der Hebräischen Universität Jerusalem / Israel.

Rolf Rendtorff ist Professor für Alttestamentliche Exegese an der Universität Heidelberg.

Dietrich Wiederkehr ist Professor für Fundamentaltheologie an der Theologischen Fakultät Luzern.

Jakob J. Petuchowski ist Forschungsprofessor für jüdisch-christliche Studien am Hebrew Union College – Jewish Institute of Religion in Cincinnati/Ohio (USA).

Barry S. Kogan ist Professor für jüdische Geistesgeschichte am Hebrew Union College in Cincinnati/Ohio (USA).

Peter Eicher ist Professor für Systematische Theologie an der Gesamthochschule Paderborn.

Michael A. Meyer ist Professor für jüdische Geschichte am Hebrew Union College, Cincinnati/Ohio (USA).

Walter Strolz ist wissenschaftlicher Leiter der ökumenischen Abteilung der Stiftung Oratio Dominica, Freiburg.

Max Seckler ist Professor für Fundamentaltheologie an der Universität Tübingen.

Hans-Joachim Kraus ist Professor für Systematische Theologie an der Universität Göttingen.

WELTGESPRÄCH DER RELIGIONEN

SCHRIFTENREIHE ZUR GROSSEN ÖKUMENE

VERLAG HERDER FREIBURG · BASEL · WIEN